COMPTABILITÉ INTERMÉDIAIRE

2e édition

4

Les impôts, la location et les avantages sociaux futurs

Nadi Chlala
Louis Ménard
Danielle Gagnon-Valotaire
Donald E. Kieso
Jerry J. Weygandt
Terry D. Warfield

Adaptation :
Danielle Gagnon-Valotaire

COMPAGNON WEB

Le Compagnon Web (www.erpi.com/kieso.cw) est réalisé et mis à jour sous la direction de Danielle Gagnon-Valotaire

ÉDITIONS DU RENOUVEAU PÉDAGOGIQUE INC.

5757, RUE CYPIHOT, SAINT-LAURENT (QUÉBEC) H4S 1R3
TÉLÉPHONE : (514) 334-2690 TÉLÉCOPIEUR : (514) 334-4720
COURRIEL : erpidlm@erpi.com www.erpi.com

Supervision éditoriale : Sylvain Bournival
Traduction : Miville Boudreault
Révision linguistique : Émery Brunet et Suzanne Marquis
Correction des épreuves : Jean-Pierre Regnault

Supervision de la production : Muriel Normand
Mise en pages : Lucie Lagimonière et Linda Laliberté
Conception et réalisation de la couverture : Philippe Morin
Photographie de la couverture : Robert Ridyard

Cet ouvrage est une adaptation française de la dixième édition de *Intermediate Accounting – Solutions Manual,* de Donald E. Kieso, Jerry J. Weygandt et Terry D. Warfield.

Dépôt légal : 1er trimestre 2005
Bibliothèque nationale du Québec
Bibliothèque nationale du Canada
Imprimé au Canada

ISBN 2-7613-1432-8 (tome 4)
20286

ISBN 2-7613-1579-0 (l'ensemble)
30217

34567890 IHE 098765
BCD OF10

AVANT-PROPOS

Ce solutionnaire vient compléter le matériel pédagogique présenté à la fin des chapitres du manuel *Comptabilité intermédiaire*. Il contient les réponses ou les suggestions de réponses de tous les travaux pratiques proposés dans cet ouvrage.

On y trouve les rubriques suivantes:

- **Classement des travaux.** Tableau dans lequel les travaux pratiques sont classés par sujets principaux.
- **Caractéristiques des travaux.** Tableau qui donne 1) une brève description de chaque travail pratique, 2) son degré de difficulté (facile, modéré ou difficile) et 3) une estimation de la durée nécessaire à sa résolution.
  La durée est exprimée en intervalles de minutes (de 10 à 15 minutes, par exemple). Bien que la plupart de ces estimations aient été déterminées à la suite d'expériences en classe, nous tenons à rappeler qu'il ne s'agit là que d'estimations. En effet, quel que soit le travail pratique en cause, un étudiant, même doué, peut faire face à des difficultés résultant d'une erreur de calcul ou d'une mauvaise interprétation de l'énoncé et, par conséquent, devoir y consacrer plus de temps que prévu.
- **Durées et objectifs.** Section qui précède les solutions des problèmes et des études de cas, et qui précise, pour chacun de ces travaux pratiques, la durée de résolution et l'objectif visé.

Grâce aux renseignements contenus dans ces rubriques, les enseignants ou les étudiants seront mieux à même de choisir les travaux en fonction de la matière étudiée et du temps dont ils disposent.

DES TRAVAUX PRATIQUES VARIÉS

Tous les travaux pratiques ont été testés en classe et contre-vérifiés pour en assurer l'exactitude et la clarté. Leur nombre et leur variété donnent la possibilité à l'enseignant de modifier, d'un trimestre à l'autre, le choix des travaux qu'il propose.

Questions, exercices courts, exercices, problèmes et études de cas

Les *questions* ont été conçues à des fins de révision, d'auto-évaluation et de discussion en classe; elles peuvent aussi servir de devoirs. Normalement, un *exercice court* couvre un sujet, alors qu'un exercice en couvre un ou deux. Les *exercices* nécessitent moins de temps et d'effort que les problèmes et les études de cas. Les *problèmes* visent l'atteinte d'un niveau d'exécution professionnel; ils sont plus difficiles et demandent plus de temps que les exercices. Les *études de cas* exigent habituellement la rédaction d'un essai plutôt que l'élaboration de solutions quantitatives. Elles sont conçues pour familiariser l'étudiant avec l'analyse conceptuelle et l'exercice du jugement.
Normalement, il n'est pas nécessaire d'utiliser plus du quart des exercices, problèmes et études de cas pour couvrir toute la matière du cours de façon adéquate.

Exercez votre jugement

Les travaux de cette section visent à amener l'étudiant à développer son sens critique et ses aptitudes analytiques, interpersonnelles et communicationnelles. On y trouve les six rubriques suivantes (pas nécessairement dans tous les chapitres): «Problème de comptabilité», «Analyse d'états financiers», «Analyse comparative», «Travail de recherche», «Comptabilité à l'étranger» et «Problème de déontologie».

La rubrique «Problème de comptabilité» porte la plupart du temps sur les états financiers de la société Nestlé, qui sont reproduits entièrement dans l'annexe 5B du tome 1 et sur le cédérom qui accompagne le manuel. De même, la rubrique «Analyse comparative» porte sur les rapports annuels des sociétés Coca-Cola et PepsiCo, qui se trouvent aussi sur ce cédérom.

TABLE DES MATIÈRES

CHAPITRE 1

LES IMPÔTS SUR LES BÉNÉFICES DES SOCIÉTÉS

CLASSEMENT DES TRAVAUX

	Sujets	Questions	Exercices courts	Exercices	Problèmes	Études de cas
1.	Rapprochement du bénéfice comptable et du bénéfice imposable.	1, 2, 19	1	1, 2, 4, 7, 12, 18, 20, 21	1, 2, 3, 8	
2.	Distinction entre les écarts temporaires et les écarts permanents.	4, 12, 13		4, 5, 6, 7		3, 4, 5
3.	Calcul des impôts différés et des éléments correspondants – taux d'imposition unique.	7, 10, 19	2, 3, 4, 5, 6, 8	1, 3, 4, 5, 7, 8, 12, 14, 15, 19, 21, 23, 25	3, 8, 9	2
4.	Classement des impôts différés.	8, 16, 17, 18	7	7, 11, 16, 20, 21, 22, 24, 25, 26	1, 3, 4	2, 3, 5
5.	Calcul des impôts différés et des éléments correspondants – taux d'imposition multiples, bénéfices imposables futurs prévus.	14	9, 10, 14	2, 13, 16, 17, 18, 20, 22, 24	1, 2, 4, 6, 7	1, 6, 7
6.	Calcul des impôts différés, taux d'imposition multiples, pertes fiscales futures prévues.		11, 14		4	
7.	Report de perte en arrière et report de perte en avant.	20, 21, 22, 23, 24	11, 12, 13	9, 10, 26, 27, 28	5	
8.	Changement du taux d'imposition futur en vigueur.	14, 15, 20		16	2, 7	
9.	Résorption d'écarts temporaires.		9	8, 17, 23	2, 7	
10.	Présentation dans l'état des résultats.	9		1, 2, 3, 4, 5, 7, 10, 12, 16, 18, 21, 26, 27, 28	2, 3, 5, 7, 8, 9	
11.	Problèmes théoriques: impôts différés.	1, 3, 5, 6, 11				1, 2, 7
12.	Provision pour moins-value – actif d'impôts différés.	6, 24		7, 14, 15		
13.	Problèmes de présentation et autres problèmes.	21				

CARACTÉRISTIQUES DES TRAVAUX

Numéro	Description	Degré de difficulté	Durée (minutes)
E1-1	Un seul écart temporaire, montants imposables futurs, un seul taux d'imposition, aucun solde d'impôts différés à l'ouverture.	Facile	10-15
E1-2	Deux écarts temporaires, aucun solde d'impôts différés à l'ouverture, écarts analysés sur deux exercices.	Facile	15-20
E1-3	Un seul écart temporaire, montants imposables futurs, un seul taux d'imposition, solde d'impôts différés à l'ouverture.	Facile	10-15
E1-4	Trois écarts, calcul du bénéfice imposable, enregistrement des impôts dans les comptes.	Facile	15-20
E1-5	Deux écarts temporaires, un seul taux d'imposition, solde d'impôts différés à l'ouverture.	Facile	15-20
E1-6	Distinction entre écarts temporaires et permanents.	Facile	10-15
E1-7	Terminologie, relations, calculs, écritures.	Facile	10-15
E1-8	Un seul écart temporaire analysé sur trois exercices, un seul taux d'imposition.	Facile	10-15
E1-9	Report en arrière et report en avant d'une perte fiscale, aucune provision pour moins-value, aucun écart temporaire.	Facile	15-20
E1-10	Deux pertes fiscales d'exploitation, aucun écart temporaire, aucune provision pour moins-value, écritures et état des résultats.	Modéré	20-25
E1-11	Trois écarts temporaires, classement des actifs et des passifs d'impôts différés.	Facile	10-15
E1-12	Deux écarts temporaires, un seul taux d'imposition, solde d'impôts différés à l'ouverture, calcul du bénéfice comptable.	Difficile	20-25
E1-13	Un seul écart temporaire, taux d'imposition multiples, effet de la présence ou de l'absence d'un solde d'impôts différés à l'ouverture de l'exercice sur les écritures de journal.	Facile	20-25
E1-14	Actif d'impôts différés assorti ou non d'une provision pour moins-value.	Modéré	20-25
E1-15	Actif d'impôts différés assorti d'une provision pour moins-value constatée au cours d'un exercice antérieur.	Difficile	20-25
E1-16	Passif d'impôts différés, modification du taux d'imposition, présentation des résultats partiels.	Difficile	15-20
E1-17	Deux écarts temporaires analysés sur trois exercices, taux d'imposition multiples.	Modéré	30-35
E1-18	Deux écarts temporaires, taux d'imposition multiples, aucun solde d'impôts différés à l'ouverture.	Modéré	15-20
E1-19	Deux écarts temporaires, un seul taux d'imposition, perte d'exploitation.	Modéré	15-20
E1-20	Trois écarts temporaires, taux d'imposition multiples, bénéfice imposable futur.	Modéré	20-25

E1-21	Deux écarts temporaires, un seul taux d'imposition, solde d'impôts différés à l'ouverture, calcul du bénéfice comptable.	Difficile	25-30
E1-22	Deux écarts temporaires, aucun solde d'impôts différés à l'ouverture, taux d'imposition multiples.	Modéré	15-20
E1-23	Amortissement, écart temporaire résorbé sur cinq ans.	Modéré	30-35
E1-24	Deux écarts temporaires, taux d'imposition multiples, bénéfice imposable futur.	Modéré	20-25
E1-25	Deux écarts temporaires, un seul taux d'imposition, premier exercice d'exploitation.	Facile	15-20
E1-26	Report en arrière et report en avant d'une perte fiscale, nécessité ou non de constituer une provision pour moins-value.	Difficile	30-35
E1-27	Report en arrière et report en avant d'une perte fiscale, nécessité de constituer une provision pour moins-value.	Difficile	30-35
E1-28	Reports en arrière et en avant d'une perte fiscale, nécessité de constituer une provision pour moins-value.	Modéré	15-20
P1-1	Trois écarts, aucun solde d'impôts différés à l'ouverture de l'exercice, taux d'imposition multiples.	Modéré	40-45
P1-2	Un seul écart temporaire analysé sur quatre ans, un seul écart permanent, modification du taux d'imposition.	Difficile	50-60
P1-3	Deuxième exercice de résorption de l'écart sur amortissement, deux écarts, un seul taux d'imposition, élément extraordinaire.	Difficile	40-45
P1-4	Taux d'imposition multiples, pertes fiscales futures prévues contre bénéfices imposables futurs prévus.	Difficile	40-50
P1-5	Perte d'exploitation, aucune provision pour moins-value.	Facile	20-25
P1-6	Deux écarts temporaires, deux taux d'imposition, bénéfices imposables futurs prévus.	Modéré	20-25
P1-7	Un seul écart temporaire analysé sur trois ans, modification des taux d'imposition, présentation des résultats.	Difficile	45-50
P1-8	Deux écarts temporaires, deux exercices, calcul du bénéfice imposable et du bénéfice comptable.	Difficile	40-50
P1-9	Cinq écarts, calcul du bénéfice imposable et des impôts différés, présentation de l'état partiel des résultats.	Difficile	40-50
C1-1	Objectifs et principes de la comptabilisation des impôts	Facile	15-20
C1-2	Comptabilisation des écarts temporaires	Modéré	20-25
C1-3	Écarts temporaires et critères de classement.	Difficile	20-25
C1-4	Écart permanent et écart temporaire, montants imposables et déductions fiscales futurs, actif et passif d'impôts différés.	Modéré	20-25
C1-5	Comptabilisation et classement des impôts différés.	Modéré	20-25
C1-6	Calcul du passif d'impôts différés en fonction de taux d'imposition multiples.	Difficile	20-25
C1-7	Explication des montants imposables et des déductions fiscales futurs, effet sur les impôts différés des reports en arrière et des reports en avant.	Difficile	20-25

RÉPONSES AUX QUESTIONS

1. Le résultat comptable, souvent appelé bénéfice avant impôts, est inscrit dans l'état des résultats. Il est établi selon les principes comptables généralement reconnus (PCGR).

   Le résultat fiscal est inscrit dans la déclaration fiscale et sert au calcul du passif d'impôts exigibles de l'entreprise. Il est établi conformément aux lois fiscales.

2. L'établissement du bénéfice imposable repose sur les lois et règlements en matière d'impôts. La Loi de l'impôt a pour principal objectif de procurer à l'État les revenus nécessaires au financement de ses opérations, en prélevant un impôt juste et équitable sur le revenu de chaque citoyen. Elle est le produit de bonnes intentions, d'interprétations légales, de pressions politiques et de mesures économiques, ainsi que des vicissitudes de notre système politique. Lorsqu'une entreprise établit le chiffre du bénéfice fiscal, elle cherche à réduire au minimum la valeur actualisée des impôts sur les bénéfices versés tout au long de la durée de vie de l'entreprise. Elle reporte l'inclusion des produits et des profits aux exercices futurs, et inclut toutes les charges et les pertes possibles, dans la mesure où les lois fiscales le permettent.

   La mesure comptable du bénéfice repose sur les PCGR et a pour objectif de déterminer, de façon objective et cohérente, les bénéfices financiers des activités rentables d'une entreprise au cours d'une période donnée, afin d'en informer les intéressés et de les aider à prendre leurs décisions. L'établissement du bénéfice comptable repose sur la conviction que les coûts engagés durant le processus destiné à générer le bénéfice doivent être imputés à l'exercice au cours duquel les produits correspondants sont constatés.

   Les objectifs fondamentaux qu'on cherche à atteindre par la mesure du bénéfice comptable et du bénéfice fiscal sont donc tout à fait différents.

3. Un des objectifs de la comptabilisation des impôts sur les bénéfices est de constater le montant d'impôts à payer ou à recouvrer pour l'exercice considéré. Un deuxième objectif consiste à comptabiliser les actifs et les passifs d'impôts différés qui représentent les effets fiscaux futurs d'événements pris en compte dans les états financiers ou dans les déclarations fiscales.

4. L'écart temporaire correspond à la différence entre la valeur fiscale d'un actif ou d'un passif et sa valeur inscrite (valeur comptable) dans les états financiers, différence qui donnera lieu à des montants imposables ou à des déductions fiscales au cours des exercices futurs: on pose l'hypothèse qu'un actif sera réalisé sous la forme d'avantages économiques futurs pour une valeur au moins égale à sa valeur comptable et qu'un passif sera réglé pour une valeur au moins égale à sa valeur comptable. Tous les écarts temporaires présentés dans ce chapitre résultent d'écarts entre le bénéfice fiscal et le bénéfice comptable, écarts qui se résorberont et produiront des montants imposables et des déductions fiscales dans les exercices futurs.

   Voici quelques exemples d'écarts temporaires: 1) la marge brute sur les ventes à tempérament inscrite à des fins de présentation de l'information financière au moment de la livraison de la marchandise, mais inscrite dans la déclaration fiscale au fur et à mesure de l'encaissement des créances à tempérament; 2) la dotation à l'amortissement comptable établie selon la méthode linéaire, alors que la déduction pour amortissement fiscal a été déterminée selon une méthode d'amortissement dégressif particulière à des fins fiscales; 3) les frais relatifs à des garanties sont portés en charges dans l'exercice au cours duquel la vente a lieu, alors qu'ils sont déductibles dans l'exercice au cours duquel ils sont engagés.

5. Un écart temporaire imposable est un écart temporaire qui donne lieu à un montant imposable lors d'exercices futurs, au moment où l'élément d'actif ou de passif qui lui correspond est respectivement recouvré ou réglé.

   Une déduction fiscale future est un écart temporaire qui donne lieu à un montant déductible au moment où l'élément d'actif ou de passif qui lui correspond est respectivement recouvré ou réglé.

6. Un passif d'impôts différés représente les effets fiscaux futurs des écarts temporaires imposables. Il correspond à l'augmentation des impôts à payer au cours d'exercices futurs en raison d'écarts temporaires imposables existants à la clôture de l'exercice considéré. On comptabilise ainsi immédiatement les sorties futures au titre des impôts qui résulteront de la réalisation des actifs ou du règlement des passifs pour leur valeur comptable.

Un actif d'impôts différés représente les effets fiscaux futurs des écarts temporaires déductibles. Il correspond à la baisse des impôts à payer au cours d'exercices futurs en raison d'écarts temporaires déductibles existants à la clôture de l'exercice considéré. On comptabilise ainsi immédiatement les rentrées futures au titre des impôts qui résulteront de la réalisation des actifs ou du règlement des passifs pour leur valeur comptable.

On constate un actif d'impôts différés pour tous les écarts temporaires déductibles. Toutefois, on doit réduire un actif d'impôts différés par un compte de sens contraire s'il est plus probable qu'improbable, sur la base de toutes les données disponibles, qu'une partie de cet actif ne se réalisera pas. «Plus probable qu'improbable» signifie que la probabilité que se reproduise l'économie d'impôts futurs est supérieure à 50.

7.

Valeur comptable des actifs	900 000 $
Valeur fiscale des actifs	700 000
Montants imposables futurs	200 000 $
Taux d'imposition	× 34 %
Passif d'impôts différés (clôture de 2001)	68 000 $

8. La charge d'impôts de l'exercice se compose de la charge d'impôts exigibles et de la charge d'impôts différés. La charge d'impôts exigibles est établie à partir du résultat fiscal de l'exercice considéré. D'autre part, la charge d'impôts différés correspond à l'augmentation nette du solde du passif d'impôts différés ou à la diminution nette du solde de l'actif d'impôts différés entre l'ouverture et la clôture de l'exercice.

L'économie d'impôts différés équivaut à une charge d'impôts différés négative. Elle résulte de l'augmentation nette du solde du compte d'actif d'impôts différés ou encore de la diminution nette du solde du compte du passif d'impôts différés entre l'ouverture et la clôture de l'exercice considéré.

9.

Bénéfice imposable	100 000 $
Taux d'imposition	× 40 %
Passif d'impôts exigibles	40 000 $
Montants imposables futurs	90 000 $
Taux d'imposition	× 40 %
Passif d'impôts différés (clôture de 2001)	36 000 $
Passif d'impôts différés (clôture de 2001)	36 000 $
Passif d'impôts différés (ouverture de 2001)	0
Charge d'impôts différés pour 2001	36 000 $
Charge d'impôts exigibles	40 000 $
Charge d'impôts différés	36 000
Charge d'impôts totale	76 000 $

10.

Valeur comptable des actifs	80 000 $
Valeur fiscale des actifs	0
Montants imposables futurs	80 000 $
Taux d'imposition	× 34 %
Passif d'impôts différés (clôture de 2001)	27 200 $
Passif d'impôts différés (clôture de 2001)	27 200 $
Passif d'impôts différés (ouverture de 2001)	68 000
Économie d'impôts différés pour 2001	(40 800) $
Passif d'impôts exigibles	230 000
Charge d'impôts totale pour 2001	189 200 $

11. La première méthode, soit la méthode directe, consiste à comptabiliser un actif d'impôts différés s'il est plus probable qu'improbable que l'actif d'impôts se réalise dans le futur, c'est-à-dire si la probabilité que la société réalise des bénéfices imposables dans le futur est plus grande que 50. La deuxième méthode, appelée indirecte, consiste à comptabiliser la totalité de l'actif d'impôts différés et à inscrire une provision pour moins-value afin de ramener l'actif d'impôts différés au montant dont la réalisation est jugée plus probable qu'improbable. C'est cette dernière méthode qui fournit davantage d'informations aux utilisateurs des états financiers.

12. L'écart permanent mesure l'écart entre le résultat fiscal et le résultat comptable qui, en vertu des lois et règlements fiscaux en vigueur, ne sera pas compensé par les écarts correspondants, ou «ajustements», d'exercices précédents. Par conséquent, un écart permanent est causé par un élément 1) qui fait partie du résultat comptable, mais qui ne sera jamais considéré dans le calcul du résultat fiscal, ou 2) qui fait partie du résultat fiscal, mais qui ne sera jamais considéré dans le calcul du résultat comptable.

Entre autres exemples d'écarts permanents, on trouve: 1) les dividendes reçus de sociétés canadiennes ouvertes (ces dividendes sont inclus dans le résultat comptable, mais non dans le résultat fiscal); 2) les primes versées relatives aux polices d'assurance sur la vie des dirigeants de l'entreprise et dont celle-ci est la bénéficiaire (de telles primes ne constituent pas des frais déductibles dans le calcul du résultat fiscal, mais sont considérées comme des charges dans le calcul du résultat comptable); 3) les amendes, intérêts et pénalités versés à des autorités publiques relativement à des infractions. L'exemple 3 tout comme l'exemple 2 ne constituent pas des charges déductibles à des fins fiscales.

13. Un nouvel écart temporaire est l'écart initial entre la valeur comptable et la valeur fiscale d'un actif ou d'un passif, peu importe que la valeur fiscale excède la valeur comptable ou vice-versa. Une résorption d'écart temporaire se produit lorsque l'écart temporaire apparu au cours des exercices précédents est annulé en tout ou en partie, et que l'effet fiscal correspondant donne lieu à la réduction de l'actif ou du passif d'impôts différés.

14. Lorsque le taux d'imposition ne change pas d'un exercice à l'autre, on utilise le taux d'imposition en vigueur à la date du bilan pour mesurer les actifs et les passifs d'impôts différés. Cependant, lorsque les taux d'imposition changent, on doit utiliser les taux d'imposition et les lois fiscales pratiquement en vigueur à la clôture de l'exercice et qui seront en vigueur au moment prévu de la résorption des écarts temporaires existants.

15. On doit alors redresser les soldes d'actifs ou de passifs d'impôts différés résultant d'écarts temporaires des exercices antérieurs en fonction des nouveaux taux d'imposition ou des nouvelles lois fiscales. Le montant de l'ajustement est porté à la charge d'impôts de l'exercice au cours duquel le changement se produit.

16. Dans le bilan, les comptes d'actifs et de passifs d'impôts différés sont considérés comme des éléments d'actif et de passif à court ou à long terme. La ventilation entre le court et le long terme est fonction du classement des éléments d'actif et de passif auxquels sont liés les passifs d'impôts différés et les actifs d'impôts différés.

Les passifs d'impôts exigibles et les actifs d'impôts exigibles (impôts à recouvrer) doivent être présentés séparément des passifs d'impôts différés et des actifs d'impôts différés. Les passifs et les actifs d'impôts, qu'il s'agisse d'impôts exigibles ou d'impôts différés, ne doivent être compensés que s'ils concernent une même Administration fiscale et une même entreprise assujettie. Il ne convient pas de procéder à une compensation entre les portions à court terme et à long terme des soldes d'impôts différés. Le passif ou l'actif d'impôts exigibles est présenté dans le passif ou l'actif à court terme du bilan.

17. Après avoir effectué une analyse, on classe les soldes des comptes d'impôts différés selon l'une ou l'autre des catégories suivantes: montant net à court terme et montant net à long terme. Cette procédure se résume de la manière suivante:

1. On classe l'actif ou le passif d'impôts différés dans les catégories à court ou à long terme. S'il se rattache à un élément d'actif ou de passif, l'actif ou le passif d'impôts différés doit être classé dans la même catégorie que cet élément. S'il ne se rattache pas à un élément d'actif ou de passif, il doit être classé en fonction de la date de résorption prévue de l'écart temporaire.
2. On détermine le montant net à court terme en additionnant les différents actifs et passifs d'impôts différés classés à court terme. Si le résultat net est un actif, on l'inscrit au bilan comme actif à court terme; s'il s'agit d'un passif, on l'inscrit comme passif à court terme.

3. On détermine le montant net à long terme en additionnant les différents actifs et passifs d'impôts différés classés à long terme. Si le résultat net est un actif, on l'inscrit au bilan comme actif à long terme (dans la section Autres actifs); s'il s'agit d'un passif, on l'inscrit comme passif à long terme.

18. On considère qu'un actif ou un passif d'impôts différés se rattache à un élément d'actif ou de passif si la réduction de cet élément d'actif ou de passif entraîne la résorption de l'écart temporaire.

19.

Bénéfice comptable	550 000 $
Dividendes reçus d'une société canadienne ouverte	(70 000)
Amendes pour déversement de produits toxiques	30 000
Amortissement (60 000 $ – 45 000 $)	15 000
Bénéfice imposable	525 000 $
Taux d'imposition	× 30 %
Passif d'impôts exigibles	157 500 $

20. À la clôture de 2001, l'écart temporaire de 500 000 $ se résorbera de la même manière que ce qui avait été prévu à la clôture de 2000. Le seul changement concerne le taux d'imposition en vigueur à la clôture de 2001 et prévu pour 2004. L'ajustement requis [200 000 $ × (30 % – 25 %)] donne lieu à une réduction de passif d'impôts différés.

Passif d'impôts différés	10 000	
Charge d'impôts exigibles		10 000

21. Voici quelques raisons qui expliquent ces obligations d'information:

1. L'évaluation de la qualité des bénéfices. Plusieurs investisseurs cherchent à évaluer la qualité des bénéfices que réalise une entreprise et s'intéressent au rapprochement du résultat comptable et du résultat fiscal. Les bénéfices qui ont été améliorés par un effet fiscal favorable doivent être examinés avec soin, particulièrement si cet effet fiscal n'est pas susceptible de se répéter.
2. De meilleures prévisions concernant les flux de trésorerie. En examinant la portion de la charge d'impôts qui a été différée, il devient possible de déterminer la probabilité selon laquelle les impôts exigibles seront plus ou moins élevés dans le futur.
3. Une aide pour l'établissement des politiques étatiques. Le fait de connaître les montants d'impôts que versent effectivement les entreprises et leur taux d'imposition effectif aide les dirigeants qui établissent les politiques étatiques.

22. Grâce au report de perte en arrière, une entreprise peut imputer à des exercices antérieurs une perte fiscale subie au cours d'un exercice, en déduisant celle-ci du bénéfice imposable des trois exercices immédiatement antérieurs à celui de la perte. Cette déduction réduit les impôts de ces exercices et permet à l'entreprise de recouvrer les impôts déjà payés dans ces exercices.

Grâce au report de perte en avant, une entreprise peut reporter en avant toute portion inutilisée de la perte fiscale d'un exercice, en la déduisant du bénéfice imposable des sept exercices immédiatement postérieurs à celui de la perte. Cette déduction permet à l'entreprise de réduire les impôts qui seraient autrement exigibles dans ces exercices.

Le report de perte en arrière se comptabilise avec un plus grand degré de certitude parce que l'entreprise connaît avec certitude les montants des impôts payés au cours des exercices précédents, tandis qu'elle ignore quels montants d'impôts seront versés dans le futur.

23. Une entreprise peut choisir de reporter en avant une perte fiscale d'exploitation ou de la reporter en arrière à des fins fiscales. La décision de renoncer au report en arrière peut s'avérer avantageuse pour une entreprise dans le cas où ce report risque d'annuler les crédits d'impôt qu'elle a reportés. De plus, les taux d'imposition prévus pour les exercices futurs peuvent être plus élevés; par conséquent, sur la base de la valeur actuelle, il peut être plus avantageux de reporter une perte fiscale en avant que de la reporter en arrière.

À des fins de présentation de l'information financière, on constate l'effet fiscal du report en arrière d'une perte fiscale dans l'exercice au cours duquel celle-ci s'est produite. D'autre part, on constate l'effet fiscal du report en avant d'une perte fiscale comme un actif d'impôts différés dans l'exercice au cours duquel la perte s'est produite. S'il s'avère plus probable qu'improbable que l'actif d'impôts se réalisera, on constatera l'économie d'impôts découlant de la perte fiscale dans les bénéfices de l'exercice déficitaire comme une charge d'impôts négative (économie d'impôts différés). À l'inverse, s'il s'avère plus probable qu'improbable que le report de perte en avant ne se réalisera pas au cours des exercices futurs, on doit prendre en compte les économies potentielles d'impôts résultant du report en avant de la perte et constituer une provision pour moins-value afin de réduire du même montant l'actif d'impôts différés. Par conséquent, on ne constate aucune économie d'impôts dans l'exercice au cours duquel la perte s'est produite. On constatera plutôt l'économie d'impôts résultant du report de perte en avant dans les exercices au cours desquels l'entreprise réalisera des bénéfices imposables.

24. Plusieurs estiment que la nature des déductions fiscales futures qui résultent de reports de perte en avant d'une perte fiscale inutilisée diffère de celle d'un écart temporaire déductible ou d'un report en avant de réductions d'impôts inutilisées. Certains considèrent qu'un actif d'impôts différés ne devrait pas être comptabilisé si la réalisation n'en est pas assurée hors de tout doute raisonnable. D'autres jugent qu'un actif d'impôts différés découlant d'un report de perte en avant ne devrait jamais être constaté avant la réalisation des bénéfices imposables futurs.

SOLUTIONS DES EXERCICES COURTS

Exercice court 1-1

Bénéfice fiscal en 2001	110 000 $
Taux d'imposition	× 40 %
Passif d'impôts exigibles au 31 décembre 2001	44 000 $

Exercice court 1-2

Valeur comptable du matériel	80 000 $
Valeur fiscale du matériel	48 000
Écart temporaire au 31 décembre 2001	32 000
Taux d'imposition	× 35 %
Passif d'impôts différés au 31 décembre 2001	11 200 $

Exercice court 1-3

Passif d'impôts différés au 31 décembre 2002	42 000 $
Passif d'impôts différés au 31 décembre 2001	25 000
Charge d'impôts différés pour 2002	17 000
Charge d'impôts exigibles pour 2002	43 000
Charge d'impôts totale pour 2002	60 000 $

Exercice court 1-4

Valeur comptable de la provision pour garanties	125 000 $
Valeur fiscale de la provision pour garanties	0
Écart temporaire au 31 décembre 2001	125 000
Taux d'imposition	× 40 %
Actif d'impôts différés au 31 décembre 2001	50 000 $

Exercice court 1-5

Actif d'impôts différés au 31 décembre 2002	59 000 $
Actif d'impôts différés au 31 décembre 2001	35 000
Économie d'impôts différés pour 2002	(24 000)
Charge d'impôts exigibles pour 2002	61 000
Charge d'impôts totale pour 2002	37 000 $

Exercice court 1-6

Charge d'impôts	80 000	
Provision pour réduire l'actif d'impôts différés à la valeur de réalisation prévue		80 000

Exercice court 1-7

Bénéfice avant impôts		175 000 $
Charge d'impôts		
Exigibles	40 000 $	
Différés	30 000	70 000
Bénéfice net		105 000 $

Exercice court 1-8

Charge d'impôts	71 100	
Passif d'impôts exigibles [(154 000 $ + 4 000 $ – 14 000 $) × 45 %]		64 800
Passif d'impôts différés (14 000 $ × 45 %)		6 300

Exercice court 1-9

Année	Montant imposable futur	Taux	Passif d'impôts différés
2002	42 000 $	34 %	14 280 $
2003	294 000	34 %	99 960
2004	294 000	40 %	117 600
			231 840 $

Exercice court 1-10

Charge d'impôts	80 000	
Passif d'impôts différés (2 000 000 $ × 4 %)		80 000

Exercice court 1-11

Impôts à recouvrer	150 000	
Économie d'impôts découlant du report en arrière de la perte fiscale [105 000 $ + (150 000 $ × 30 %) = 150 000 $]		150 000

Exercice court 1-12

Impôts à recouvrer (400 000 $ × 40%)	160 000	
Économie d'impôts découlant du report en arrière de la perte fiscale		160 000
Actif d'impôts différés (100 000 $ × 40%)	40 000	
Économie d'impôts découlant du report en avant de la perte fiscale		40 000

Exercice court 1-13

Impôts à recouvrer	160 000	
Économie d'impôts découlant du report en arrière de la perte fiscale		160 000
Actif d'impôts différés	40 000	
Économie d'impôts découlant du report en avant de la perte fiscale		40 000
Économie d'impôts découlant du report en avant de la perte fiscale	40 000	
Provision pour réduire l'actif d'impôts différés à la valeur de réalisation prévue		40 000

Exercice court 1-14

Présentation des impôts dans le bilan du 31 décembre 2001

<u>Actifs à court terme</u>

Actif d'impôts différés 14 000 $

<u>Passifs à long terme</u>

Passifs d'impôts différés 69 000 $

SOLUTIONS DES EXERCICES

Exercice 1-1 (10-15 minutes)

a)

Bénéfice avant impôts pour 2001		300 000 $
Écart temporaire entraînant des montants imposables futurs		
en 2002	(55 000)	
en 2003	(60 000)	
en 2004	(65 000)	(180 000)
Bénéfice imposable pour 2001		120 000 $

Bénéfice imposable pour 2001	120 000 $
Taux d'imposition en vigueur	× 30 %
Passif d'impôts exigibles pour 2001	36 000 $

b) Écritures de journal – 2001

	Exercices futurs			
	2002	2003	2004	Total
Montants imposables futurs	55 000 $	60 000 $	65 000 $	180 000 $
Taux d'imposition	× 30 %	× 30 %	× 30 %	
Passif d'impôts différés	16 500 $	18 000 $	19 500 $	54 000 $

Passif d'impôts différés à la clôture de 2001	54 000 $
Passif d'impôts différés à l'ouverture de 2001	0
Charge d'impôts différés pour 2001	54 000
Charge d'impôts exigibles pour 2001	36 000
Charge totale d'impôts pour 2001	90 000 $

Écriture de journal – 2001

Charge d'impôts	90 000	
Passif d'impôts exigibles		36 000
Passif d'impôts différés		54 000

c) Présentation de la charge d'impôts dans l'état des résultats de 2001

Bénéfice avant impôts		300 000 $
Charge d'impôts		
Exigibles	36 000 $	
Différés	54 000	90 000
Bénéfice net		210 000 $

Exercice 1-2 (15-20 minutes)

a) Calcul du bénéfice imposable de 2001

Bénéfice avant impôts pour 2001	300 000 $
Excédent de l'amortissement fiscal sur l'amortissement comptable	(40 000)
Loyer reçu d'avance	20 000
Bénéfice imposable	280 000 $

b) Écritures de journal – 2001

Écart temporaire	Montants imposables (déductions fiscales) futurs	Taux d'imposition	Impôts différés (Actif)	Impôts différés Passif
Amortissement	40 000 $	40 %		16 000 $
Loyer reçu d'avance	(20 000)	40 %	(8 000) $	
			(8 000) $	16 000 $

Écriture de journal – 2001

Charge d'impôts (300 000 $ × 40 %)	120 000	
Actif d'impôts différés	8 000	
Passif d'impôts exigibles (280 000 $ × 40 %)		112 000
Passif d'impôts différés		16 000

c) Écriture de journal – 2002

Charge d'impôts	134 000 [a]	
Passif d'impôts différés (10 000 $ × 40 %)	4 000	
Passif d'impôts exigibles (325 000 $ × 40 %)		130 000
Actif d'impôts différés (20 000 $ × 40 %)		8 000

a (130 000 $ – 4 000 $ + 8 000 $) = 134 000 $

Exercice 1-3 (10-15 minutes)

a)

Bénéfice imposable pour 2001	405 000 $
Taux d'imposition promulgué	× 40 %
Passif d'impôts exigibles pour 2001	162 000 $

b) Écritures de journal – 2001

	Exercices futurs 2002	Exercices futurs 2003	Total
Montants imposables futurs	175 000 $	175 000 $	350 000 $
Taux d'imposition	× 40 %	× 40 %	
Passif d'impôts différés	70 000 $	70 000 $	140 000 $

Passif d'impôts différés à la clôture de 2001		140 000 $
Passif d'impôts différés à l'ouverture de 2001		92 000
Charge d'impôts différés pour 2001		48 000
Charge d'impôts exigibles pour 2001		162 000
Charge totale d'impôts pour 2001		210 000 $

Écriture de journal – 2001

Charge d'impôts	210 000	
Passif d'impôts exigibles		162 000
Passif d'impôts différés		48 000

c) Présentation des impôts dans l'état des résultats

Bénéfice avant impôts		525 000 $
Charge d'impôts		
Exigibles	162 000 $	
Différés	48 000	210 000
Bénéfice net		315 000 $

Note à l'enseignant: Étant donné l'utilisation d'un taux d'imposition uniforme pour tous les exercices, on peut calculer l'écart temporaire existant à l'ouverture de l'exercice en divisant 92 000 $ par 40 %, ce qui donne 230 000 $. La différence entre l'écart temporaire de 230 000 $ à l'ouverture de 2001 et l'écart temporaire de 350 000 $ à la clôture de 2001 représente l'écart temporaire net pour 2001 (c'est-à-dire 120 000 $). Cette donnée permet d'effectuer le rapprochement suivant entre le bénéfice avant impôts et le bénéfice fiscal:

Bénéfice avant impôts	525 000 $
Nouvel écart temporaire avec augmentation des montants imposables futurs nets	(120 000)
Bénéfice imposable	405 000 $

Exercice 1-4 (15-20 minutes)

a) Bénéfice imposable et impôts exigibles – 2001

Bénéfice avant impôts pour 2001	70 000 $
Excédent de l'amortissement dans la déclaration fiscale	(16 000)
Excédent du loyer encaissé sur le produit de location porté en résultats	22 000
Amendes non déductibles	11 000
Bénéfice imposable	87 000 $

Bénéfice imposable	87 000 $
Taux d'imposition promulgué	× 30 %
Passif d'impôts exigibles	26 100 $

b) Écritures de journal – 2001

Écart temporaire	Montants imposables (déductions fiscales) futurs	Taux d'imposition	Impôts différés (Actif)	Passif
Amortissement	16 000 $	30 %		4 800 $
Loyer reçu d'avance	(22 000)	30 %	(6 600) $	
Total			(6 600) $	4 800 $a

a. Étant donné le taux d'imposition uniforme, ces totaux peuvent être rapprochés: (6 000) $ × 30 % = (6 600) $ + 4 800 $.

Passif d'impôts différés à la clôture de 2001	4 800 $
Passif d'impôts différés à l'ouverture de 2001	0
Charge d'impôts différés pour 2001	4 800 $

Actif d'impôts différés à la clôture de 2001	6 600 $
Actif d'impôts différés à l'ouverture de 2001	0
Économie d'impôts différés pour 2001	(6 600)$

Charge d'impôts différés pour 2001	4 800 $
Économie d'impôts différés pour 2001	(6 600)
Économie d'impôts différés nette pour 2001	(1 800)
Charge d'impôts exigibles pour 2001	26 100
Charge d'impôts totale pour 2001	24 300 $

Écriture de journal – 2001

Charge d'impôts	24 300	
Actif d'impôts différés	6 600	
Passif d'impôts exigibles		26 100
Passif d'impôts différés		4 800

c) Présentation des impôts dans l'état des résultats – 2001

Bénéfice (économie) avant impôts		70 000 $
Charge d'impôts		
Exigibles	26 100 $	
Différés	(1 800)	24 300
Bénéfice net		45 700 $

d) Le taux d'imposition effectif pour 2001 s'élève à 24 300 $ ÷ 70 000 $, soit 34,7 %.

Exercice 1-5 (15-20 minutes)

a) Impôts exigibles – 2001

Bénéfice imposable de 2001	95 000 $
Taux d'imposition promulgué	× 40 %
Passif d'impôts exigibles de 2001	38 000 $

b) Écritures de journal – 2001

Écart temporaire	Montants imposables (déductions fiscales) futurs	Taux d'imposition	Impôts différés (Actif)	Passif
Premier	240 000 $	40 %		96 000 $
Deuxième	(35 000)	40 %	(14 000) $	
Total	205 000 $		(14 000) $	96 000$[a]

a. Étant donné le taux d'imposition uniforme, ces totaux peuvent être rapprochés:
205 000 $ × 40 % = (14 000) $ + 96 000 $.

Passif d'impôts différés à la clôture de 2001	96 000 $
Passif d'impôts différés à l'ouverture de 2001	40 000
Charge d'impôts différés pour 2001	56 000 $

Actif d'impôts différés à la clôture de 2001	14 000 $
Actif d'impôts différés à l'ouverture de 2001	0
Économie d'impôts différés pour 2001	(14 000)$

Charge d'impôts différés pour 2001	56 000 $
Économie d'impôts différés pour 2001	(14 000)
Économie d'impôts différés net pour 2001	42 000
Charge d'impôts exigibles pour 2001	38 000
Charge d'impôts totale pour 2001	80 000 $

Écriture de journal – 2001

Charge d'impôts	80 000	
Actif d'impôts différés	14 000	
Passif d'impôts exigibles		38 000
Passif d'impôts différés		56 000

c) Présentation des impôts dans l'état des résultats – 2001

Bénéfice avant impôts		200 000 $
Charge d'impôts		
Exigibles	38 000 $	
Différés	42 000	80 000
Bénéfice net		120 000 $

Note à l'enseignant: Étant donné le taux d'imposition uniforme pour tous les exercices, on peut calculer le montant de l'écart temporaire existant à l'ouverture de l'exercice en divisant le solde du compte Passif d'impôts différés (40 000 $) par 40 %, ce qui donne 100 000 $. On peut combiner cette information à d'autres données présentées dans cet exercice pour rapprocher le bénéfice avant impôts et le bénéfice fiscal de la façon suivante:

Bénéfice avant impôts	200 000 $
Nouvel écart temporaire net entraînant des montants imposables futurs	(140 000)
Nouvel écart temporaire net entraînant des déductions fiscales futures	35 000
Bénéfice imposable	95 000 $

Exercice 1-6 (10-15 minutes)

1) b
2) a
3) c
4) a
5) b
6) b
7) c
8) c
9) a
10) a

Exercice 1-7 (10-15 minutes)

a) supérieur
b) 190 000 $, soit 76 000 $ ÷ 40 %.
c) ne sont pas
d) inférieur
e) économie d'impôts; 15 000 $
f) 3 500 $, soit [(100 000 $ × 40 %) – 36 500 $].
g) débiter
h) 59 000 $, soit 82 000 $ – 23 000 $.
i) plus probable qu'improbable; ne se réalisera pas
j) économie d'impôts différés

Exercice 1-8 (10-15 minutes)

a) Montant de l'écart temporaire qui apparaît ou se résorbe au cours de chaque exercice, et montant de l'écart temporaire à la clôture de chaque exercice:

Exercice	Montant du nouvel écart temporaire ou de la résorption de l'écart temporaire au cours de l'exercice	Écart temporaire à la clôture de l'exercice
2001	200 000 $ – 160 000 $ = 40 000 $: nouvel écart	40 000 $
2002	120 000 $ – 139 000 $ = 19 000 $: résorption d'écart	21 000 $
2003	125 000 $ – 140 000 $ = 15 000 $: résorption d'écart	6 000 $

b) Solde du compte d'actif ou de passif d'impôts différés:

Date	Montants imposables (déductions fiscales) futurs	Taux d'imposition	Impôts différés (Actif)	Passif
Décembre 2001	40 000 $[a]	40 %		16 000 $
Décembre 2002	21 000	40 %		8 400
Décembre 2003	6 000	40 %		2 400

a. Comme le bénéfice imposable de 2001 est inférieur au bénéfice comptable, l'écart temporaire apparu en 2001 entraînera des montants imposables futurs. Au cours des exercices 2002 et 2003, le bénéfice imposable est supérieur au bénéfice comptable. Par conséquent, il y a eu résorption d'écart temporaire imposable au cours de ces deux exercices.

Exercice 1-9 (15-20 minutes)

Écritures de journal – 2003 à 2007

<u>2003</u>

Charge d'impôts exigibles	32 000	
Passif d'impôts exigibles (80 000 $ × 40 %)		32 000

<u>2004</u>

Impôts à recouvrer (160 000 $ × 45 %)	72 000	
Économie d'impôts exigibles découlant du report en arrière de la perte fiscale		72 000

<u>2005</u>

Impôts à recouvrer	144 500	
Économie d'impôts exigibles découlant du report en arrière de la perte fiscale [(250 000 × 45%) + (80 000 $ × 40 %)]		144 500

2005		
Actif d'impôts différés	60 000	
Économie d'impôts différés découlant du report en avant de la perte fiscale [(480 000 – 330 000) × 40%]		60 000

2006		
Charge d'impôts	48 000	
Actif d'impôts différés (40 % × 120 000 $)		48 000

2007		
Charge d'impôts	40 000	
Actif d'impôts différés (30 000 $ × 40 %)		12 000
Passif d'impôts exigibles (70 000 × 40 %)		28 000

Note: L'économie d'impôts sur le report de perte en avant et l'économie d'impôts sur le report de perte en arrière sont des éléments créditeurs de la charge d'impôts.

Exercice 1-10 (20-25 minutes)

a) Écriture de journal – 2005

Impôts à recouvrer – 2002 (40 000 $ × 30 %)	12 000	
Impôts à recouvrer – 2003 (17 000 $ × 35 %)	5 950	
Impôts à recouvrer – 2004 (48 000 $ × 50 %)	24 000	
Économie d'impôts exigibles découlant du report en arrière de la perte fiscale		41 950

Note: Une autre méthode acceptable consiste à inscrire uniquement un compte d'Impôts à recouvrer au montant de 41 950 $.

Actif d'impôts différés	18 000	
Économie d'impôts différés découlant du report en arrière de la perte fiscale		18 000[a]

a 150 000 $ – 40 000 $ – 17 000 $ – 48 000 $ = 45 000 $
45 000 $ × 40 % = 18 000 $

b) Présentation de la charge d'impôts dans l'état des résultats partiels – 2005

Perte avant impôts		(150 000) $
Économie d'impôts		
Économie d'impôts exigibles découlant du report en arrière de la perte fiscale	41 950 $	
Économie d'impôts différés découlant du report en avant de la perte fiscale	18 000	59 950
Perte nette		(90 050) $

c) Écriture de journal – 2006

Charge d'impôts	36 000	
Actif d'impôts différés (45 000 × 40 %)		18 000
Passif d'impôts exigibles [40 % (90 000 $ – 45 000 $)]		18 000

d) Présentation de la charge d'impôts dans l'état des résultats partiels – 2006

Bénéfice avant impôts		90 000 $
Charge d'impôts		
Exigibles	18 000 $	
Différés	18 000	36 000
Bénéfice net		54 000 $

e) Écriture de journal – 2009

Impôts à recouvrer – 2006 (90 000 $ × 40 %)	36 000	
Impôts à recouvrer – 2007 (30 000 $ × 40 %)	12 000	
Impôts à recouvrer – 2008 [(160 000 – 120 000) × 40 %]	16 000	
Économie d'impôts exigibles découlant du report en arrière de la perte fiscale		64 000

Note: Une autre méthode acceptable consiste à inscrire uniquement au compte Impôts à recouvrer un montant de 64 000 $.

f) Présentation de la charge d'impôts dans l'état des résultats partiels – 2009

Perte avant impôts	(160 000) $
Économie d'impôts	
Économie d'impôts exigibles découlant du report en arrière de la perte fiscale	64 000
Perte nette	(96 000) $

Exercice 1-11 (10-15 minutes)

Présentation des impôts différés dans le bilan du 31 décembre 2001

	Impôts différés			
Écarts temporaires	(Actif)	Passif	Compte au bilan	Classement
Amortissement		200 000 $	Immobilisations	Long terme
Perte éventuelle sur litiges	(50 000) $		Perte éventuelle sur litiges	Court terme
Cession à crédit		48 000 [a]	Créance à tempérament	Court terme
Cession à crédit		177 000 [b]	Créance à tempérament	Long terme
Total	(50 000) $	425 000 $		

a. 120 000 $ × 40 % = 48 000 $

b. 225 000 $ – 48 000 $ = 177 000 $

Actif à court terme

Actif d'impôts différés (50 000 $ – 48 000 $)	2 000 $

Passif à long terme

Passif d'impôts différés (200 000 $ + 177 000 $)	377 000 $

Exercice 1-12 (20-25 minutes)

a) Calcul du bénéfice comptable – 2001

Pour effectuer un rapprochement entre le bénéfice avant impôts et le bénéfice fiscal, et calculer le montant du bénéfice avant impôts, on détermine d'abord les nouveaux écarts temporaires ou les résorptions d'écarts temporaires s'étant produits au cours de l'exercice. Pour ce faire, il faut déterminer le montant des écarts temporaires relatifs aux soldes d'ouverture du passif d'impôts différés, soit 60 000 $, et de l'actif d'impôts différés, soit 20 000 $. L'écart temporaire relatif au solde d'ouverture du passif d'impôts différés est de 150 000 $ (60 000 $ ÷ 40 %) et celui relatif au solde d'ouverture de l'actif d'impôts différés est de 50 000 $ (20 000 $ ÷ 40 %).

Écart temporaire au 31 décembre 2001 donnant lieu à des montants imposables futurs	230 000 $
Écart temporaire au 1er janvier 2001 donnant lieu à des montants imposables futurs	150 000
Nouvel écart en 2001 donnant lieu à des montants imposables futurs	80 000 $

Écart temporaire au 31 décembre 2001 donnant lieu à des déductions fiscales futures	95 000 $
Écart temporaire au 1er janvier 2001 donnant lieu à des déductions fiscales futures	50 000
Nouvel écart en 2001 donnant lieu à des déductions fiscales futures	45 000 $

Bénéfice comptable	140 000$[a]
Nouvel écart donnant lieu à des montants imposables futurs	(80 000)
Nouvel écart donnant lieu à des déductions fiscales futures	45 000
Bénéfice imposable en 2001	105 000 $

[a] Calcul du bénéfice avant impôts:

X – 80 000 $ + 45 000 $ = 105 000 $

X = 140 000 $ = bénéfice comptable

b) Solde des comptes du bilan au 31 décembre 2001

Écart temporaire	Montants imposables (déductions fiscales) futurs	Taux d'imposition	Impôts différés (Actif)	Impôts différés Passif
Premier	230 000 $	40 %		92 000 $
Deuxième	(95 000)	40 %	(38 000) $	_____
Total	135 000 $		(38 000) $	92 000$[a]

a· Étant donné le taux d'imposition uniforme, ces totaux peuvent être rapprochés: 135 000 × 40 % = (38 000) $ + 92 000 $.

Passif d'impôts différés à la clôture de 2001	92 000 $
Passif d'impôts différés à l'ouverture de 2001	60 000
Charge d'impôts différés pour 2001	32 000 $

Actif d'impôts différés à la clôture de 2001	38 000 $
Actif d'impôts différés à l'ouverture de 2001	20 000
Économie d'impôts différés pour 2001	(18 000) $

Charge d'impôts différés pour 2001	32 000 $
Économie d'impôts différés pour 2001	(18 000)
Économie d'impôts différés pour 2001	14 000
Charge d'impôts exigibles pour 2001 (105 000 $ × 40 %)	42 000
Charge d'impôts totale pour 2001	56 000 $

Écriture de journal – 2001		
Charge d'impôts	56 000	
Actif d'impôts différés	18 000	
Passif d'impôts exigibles (105 000 $ × 40 %)		42 000
Passif d'impôts différés		32 000

c) Présentation des impôts dans l'état des résultats

Bénéfice avant impôts		140 000 $
Charge d'impôts		
Exigibles	42 000 $	
Différés	14 000	56 000
Bénéfice net		84 000 $

d) Étant donné le taux d'imposition uniforme pour tous les exercices en cause et l'absence d'écart permanent, le taux d'imposition effectif devrait être égal au taux d'imposition en vigueur, comme le montre le calcul suivant: 56 000 $ ÷ 140 000 $ = 40 %.

Exercice 1-13 (20-25 minutes)

a) Impôts exigibles pour 2001

Bénéfice imposable de 2001	320 000 $
Taux d'imposition en vigueur	× 40 %
Passif d'impôts exigibles de 2001	128 000 $

	Exercices futurs				
	2002	2003	2004	2005	Total
Montants imposables futurs	60 000 $	50 000 $	40 000 $	30 000 $	180 000 $
Taux d'imposition en vigueur	× 30 %	× 30 %	× 25 %	× 25 %	
Passif d'impôts différés	18 000 $	15 000 $	10 000 $	7 500 $	50 500 $

Passif d'impôts différés à la clôture de 2001	50 500 $
Passif d'impôts différés à l'ouverture de 2001	0
Charge d'impôts différés pour 2001	50 500 $
Charge d'impôts exigibles pour 2001	128 000
Charge d'impôts pour 2001	178 500 $

Écriture de journal – 2001

Charge d'impôts	178 500	
Passif d'impôts exigibles		128 000
Passif d'impôts différés		50 500

b) Le passif d'impôts exigibles pour 2001, soit 128 000 $, et le solde du compte Passif d'impôts différés au 31 décembre 2001, soit 50 500 $, se calculent de la même façon qu'en a). La variation du passif d'impôts différés qui en résulte et le total de la charge d'impôts se calculent de la façon suivante:

Passif d'impôts différés à la clôture de 2001	50 500 $
Passif d'impôts différés à l'ouverture de 2001	22 000
Charge d'impôts différés pour 2001	28 500
Charge d'impôts exigibles pour 2001	128 000
Charge totale d'impôts pour 2001	156 500 $

Écriture de journal – 2001

Charge d'impôts	156 500	
Passif d'impôts exigibles		128 000
Passif d'impôts différés		28 500

Exercice 1-14 (20-25 minutes)

a) Écriture de journal - 2002

Bénéfice imposable de 2002	820 000 $
Taux d'imposition en vigueur	× 40 %
Passif d'impôts exigibles de 2002	328 000 $

Date	Déductions fiscales futures	Taux d'imposition	Actif d'impôts différés
31 décembre 2002	(450 000) $	40 %	(180 000) $

Actif d'impôts différés à la clôture de 2002	180 000 $
Actif d'impôts différés à l'ouverture de 2002	150 000
Économie d'impôts différés pour 2002	(30 000)$
Charge d'impôts exigibles pour 2002	328 000 $
Charge totale d'impôts pour 2002	298 000 $

Écriture de journal – 2002

Charge d'impôts	298 000	
Actif d'impôts différés	30 000	
Passif d'impôts exigibles		328 000

b) L'écriture à passer à la clôture de 2002 pour établir un compte de provision pour moins-value est la suivante:

Charge d'impôts	30 000	
Provision pour réduire l'actif d'impôts différés à la valeur de réalisation prévue		30 000

Note à l'enseignant: Même si cela n'est pas mentionné dans les directives à l'étudiant, on peut calculer le bénéfice avant impôts à l'aide du rapprochement suivant:

Bénéfice avant impôts pour 2002	745 000$[a]
Nouvel écart temporaire donnant lieu à des montants imposables futurs	75 000 [b]
Bénéfice imposable pour 2002	820 000 $

a. Calcul du bénéfice comptable
X + 75 000 $ = 820 000 $
X = 745 000 $ = bénéfice comptable

b. 450 000 $ – 375 000 $ = 75 000 $

Exercice 1-15 (20-25 minutes)

a) Écriture de journal – 2002

Bénéfice imposable de 2002	820 000 $
Taux d'imposition en vigueur	× 40 %
Passif d'impôts exigibles de 2002	328 000 $

Date	Déductions fiscales futures	Taux d'imposition	Actif d'impôts différés
31 décembre 2002	(450 000) $	40 %	(180 000) $

Actif d'impôts différés à la clôture de 2002	180 000 $
Actif d'impôts différés à l'ouverture de 2002	150 000
Économie d'impôts différés pour 2002	(30 000)
Charge d'impôts exigibles pour 2002	328 000
Charge totale d'impôts pour 2002	298 000 $

Compte de provision requis à la clôture de 2002	0 $
Solde du compte de provision à l'ouverture de 2002	45 000
Réduction du compte de provision à la clôture de 2002	45 000 $

Écritures de journal – 2002

Charge d'impôts	298 000	
Actif d'impôts différés	30 000	
Passif d'impôts exigibles		328 000
Provision pour réduire l'actif d'impôts différés à la valeur de réalisation prévue	45 000	
Charge d'impôts		45 000

b) Écriture de journal - 2002

Bénéfice imposable de 2002	820 000 $
Taux d'imposition en vigueur	× 40 %
Passif d'impôts exigibles de 2002	328 000 $

Date	Déductions fiscales futures	Taux d'imposition	Actif d'impôts différés
31 décembre 2002	(450 000) $	40 %	(180 000) $

Actif d'impôts différés à la clôture de 2002	180 000 $
Actif d'impôts différés à l'ouverture de 2002	150 000
Économie d'impôts différés pour 2002	(30 000)$
Charge d'impôts exigibles pour 2002	328 000
Charge totale d'impôts pour 2002	298 000 $

Compte de provision requis à la clôture de 2002	180 000 $
Solde du compte de provision à l'ouverture de 2002	45 000
Réduction du compte de provision à la clôture de 2002	135 000 $

Écritures de journal – 2002

Charge d'impôts	298 000	
Actif d'impôts différés	30 000	
Passif d'impôts exigibles		328 000

Charge d'impôts 135 000

Provision pour réduire l'actif d'impôts différés à la valeur de réalisation prévue135 000

Note à l'enseignant: Même si cela n'est pas mentionné dans les directives à l'étudiant, on peut calculer le bénéfice avant impôts à l'aide du rapprochement suivant:

Bénéfice avant impôts pour 2002	745 000$[a]
Nouvel écart temporaire donnant lieu à des montants imposables futurs	75 000 [b]
Bénéfice imposable pour 2002	820 000 $

a. Calcul du bénéfice avant impôts
   X + 75 000 $ = 820 000 $
   X = 745 000 $ = bénéfice avant impôts

b. 450 000 $ – 375 000 $ = 75 000 $

Exercice 1-16 (15-20 minutes)

a) Passifs d'impôts différés à la clôture de 2001

	Exercices futurs		
	2002	2003	Total
Montants imposables futurs	1 500 000 $	1 500 000 $	3 000 000 $
Taux d'imposition	40 %[a]	34 %	
Passif d'impôts différés	600 000 $	510 000 $	1 110 000 $

a. On calcule le taux d'imposition de 40 % en divisant le solde du compte Passif d'impôts différés au 1er janvier 2001 (1 200 000 $) par l'écart temporaire cumulatif de 3 000 000 $ à la même date.

Impôts différés:

Passifs	Compte du bilan	Classement
600 000 $	Créance à tempérament	Court terme
510 000	Créance à tempérament	Long terme[a]

a. Une moitié de la créance à tempérament est classée dans l'actif à court terme et l'autre dans l'actif à long terme. Par conséquent, le passif d'impôts différés associé à la créance exigible en 2002 est à court terme, tandis que le solde du passif d'impôts différés associé à la portion de la créance exigible en 2003 est à long terme.

b) Il n'y a eu aucune variation de l'écart temporaire entre l'ouverture et la clôture de 2001. La variation du compte Passif d'impôts différés s'explique par le changement du taux d'imposition en 2001. Pour 2003, la variation est calculée de la façon suivante:

Passif d'impôts différés à la clôture de 2001 (voir a))	1 110 000 $
Passif d'impôts différés à l'ouverture de 2001	1 200 000
Économie d'impôts différés à l'ouverture de 2001 causée par le changement de taux d'imposition en vigueur pour 2003	(90 000) $

Étant donné l'absence d'écart temporaire cumulé et d'écart permanent, le bénéfice avant impôts est égal au bénéfice imposable pour 2001.

Bénéfice imposable pour 2001	5 000 000 $
Taux d'imposition pour 2001 (voir a))	× 40 %
Charge d'impôts exigibles	2 000 000 $

Écriture de journal – 2001

Passif d'impôts différés	90 000	
Charge d'impôts		90 000

Il faudrait également inscrire la charge d'impôts exigibles pour 2001. L'écriture à passer consiste en un débit au compte Charge d'impôts et en un crédit au compte Passif d'impôts exigibles, d'un montant de 2 000 000 $.

c) Présentation des impôts dans l'état des résultats – 2001

Bénéfice avant impôts		5 000 000 $
Charge d'impôts		
Exigibles	2 000 000 $	
Diminution des impôts différés due au changement de taux d'imposition	(90 000)	1 910 000
Bénéfice net		3 090 000 $

Exercice 1-17 (30-35 minutes)

Écritures de journal – 31 décembre 2001

Bénéfice imposable pour 2001	163 000 $
Taux d'imposition en vigueur	× 40 %
Passif d'impôts exigibles de 2001	65 200 $

Les soldes du compte Impôts différés au 31 décembre 2001 sont déterminés de la façon suivante:

Écart temporaire	Montants imposables (déductions fiscales) futurs	Taux d'imposition	Impôts différés (Actif)	Passif
Vente à tempérament	16 000 $	45 %		7 200 $
Frais de garantie	(10 000)	45 %	(4 500) $	
Total	6 000 $		(4 500) $	7 200 $[a]

[a] Étant donné que tous les impôts différés sont calculés en fonction du même taux, on peut rapprocher ces totaux de la façon suivante: 6 000 $ × 45 % = (4 500) $ + 7 200 $.

Passif d'impôts différés à la clôture de 2001	7 200 $
Passif d'impôts différés à l'ouverture de 2001	0
Charge d'impôts différés pour 2001	7 200 $

Actif d'impôts différés à la clôture de 2001		4 500 $
Actif d'impôts différés à l'ouverture de 2001		0
Économie d'impôts différés pour 2001		(4 500) $

Charge d'impôts différés pour 2001		7 200 $
Économie d'impôts différés pour 2001		(4 500)
Charge nette d'impôts différés pour 2001		2 700
Charge d'impôts exigibles pour 2001		65 200
Charge totale d'impôts pour 2001		67 900 $

Écriture de journal – 2001

Charge d'impôts	67 900	
Actif d'impôts différés	4 500	
Passif d'impôts exigibles		65 200
Passif d'impôts différés		7 200

Écritures de journal – 31 décembre 2002

Bénéfice imposable pour 2002	213 000 $
Taux d'imposition en vigueur	× 45 %
Passif d'impôts exigibles de 2002	95 850 $

Les soldes du compte Impôts différés au 31 décembre 2002 sont déterminés de la façon suivante:

Écart temporaire	Montants imposables (déductions fiscales) futurs	Taux d'imposition	Impôts différés (Actif)	Impôts différés Passif
Vente à tempérament	8 000 $	45 %		3 600 $
Frais de garantie	(5 000)	45 %	(2 250) $	
Total	3 000 $		(2 250) $	3 600 $[a]

a. Étant donné que tous les impôts différés sont calculés en fonction du même taux, on peut rapprocher ces totaux de la façon suivante: 3 000 $ × 45 % = (2 250) $ + 3 600 $.

Passif d'impôts différés à la clôture de 2002	3 600 $
Passif d'impôts différés à l'ouverture de 2002	7 200
Économie d'impôts différés pour 2002	(3 600) $

Actif d'impôts différés à la clôture de 2002	2 250 $
Actif d'impôts différés à l'ouverture de 2002	4 500
Charge d'impôts différés pour 2002	2 250 $

Charge d'impôts différés pour 2002	(3 600) $
Économie d'impôts différés pour 2002	2 250
Charge nette d'impôts différés pour 2002	(1 350)
Charge d'impôts exigibles pour 2002	95 850
Charge totale d'impôts pour 2002	94 500 $

Écriture de journal – 2002

Charge d'impôts	94 500	
Passif d'impôts différés	3 600	
Passif d'impôts exigibles		95 850
Actif d'impôts différés		2 250

Écritures de journal – 31 décembre 2003

Bénéfice imposable pour 2003	93 000 $
Taux d'imposition en vigueur	× 45 %
Passif d'impôts exigibles de 2003	41 850 $
Passif d'impôts différés à la clôture de 2003	0 $
Passif d'impôts différés à l'ouverture de 2003	3 600
Économie d'impôts différés pour 2003	(3 600)$
Actif d'impôts différés à la clôture de 2003	0 $
Actif d'impôts différés à l'ouverture de 2003	2 250
Charge d'impôts différés pour 2003	2 250 $
Économie d'impôts différés pour 2003	(3 600)$
Charge d'impôts différés pour 2003	2 250
Économie nette d'impôts différés pour 2003	(1 350)
Charge d'impôts exigibles pour 2003	41 850
Charge totale d'impôts pour 2003	40 500 $

Écriture de journal – 2003

Charge d'impôts	40 500	
Passif d'impôts différés	3 600	
Passif d'impôts exigibles		41 850
Actif d'impôts différés		2 250

Exercice 1-18 (15-20 minutes)

a) Calcul du passif d'impôts exigibles – 2001

Bénéfice avant impôts pour 2001	300 000 $
Amortissement	(120 000)
Frais de garantie	80 000
Bénéfice imposable pour 2001	260 000 $
Taux d'imposition promulgué	× 35 %
Passif d'impôts exigibles pour 2001	91 000 $

b) Écriture de journal – 2001

Charge d'impôts	105 500	
Actif d'impôts différés	31 500[a]	
Passif d'impôts exigibles		91 000
Passif d'impôts différés		46 000[b]

a. (10 000 $ × 35 %) + [(15 000 $ + 25 000 $ + 30 000 $) × 40 %]

b. (40 000 $ × 35 %) + [(35 000 $ + 25 000 $ + 20 000 $) × 40 %]

c) Présentation des impôts dans l'état des résultats – 2001

Bénéfice avant impôts		300 000 $
Charge d'impôts		
Exigibles	91 000 $	
Différés	14 500	105 500
Bénéfice net		194 500

Exercice 1-19 (15-20 minutes)

Écritures de journal – 2001

Bénéfice imposable pour 2001	750 000 $
Taux d'imposition en vigueur	× 40 %
Passif d'impôts exigibles de 2001	300 000 $

Écart temporaire	Montants imposables (déductions fiscales) futurs	Taux d'imposition	Impôts différés (Actif)	Impôts différés Passif
Charges estimatives	(2 000 000) $	40 %	(800 000) $	
Amortissement	1 200 000	40 %		480 000 $
Total	(800 000) $		(800 000) $	480 000 $

Passif d'impôts différés à la clôture de 2001	480 000 $
Passif d'impôts différés à l'ouverture de 2001	0
Charge d'impôts différés pour 2001	480 000 $

Actif d'impôts différés à la clôture de 2001	800 000 $
Actif d'impôts différés à l'ouverture de 2001	0
Économie d'impôts différés pour 2001	(800 000) $

Charge d'impôts différés pour 2001	480 000 $
Économie d'impôts différés pour 2001	(800 000)
Économie nette d'impôts différés pour 2001	(320 000) $
Charge d'impôts exigibles pour 2001	300 000
Économie totale d'impôts pour 2001	20 000 $

Écriture de journal – 2001

Actif d'impôts différés	800 000	
Passif d'impôts différés		480 000
Passif d'impôts exigibles		300 000
Économie d'impôts		20 000

Exercice 1-20 (20-25 minutes)

a) Impôts différés de 2001

Écart temporaire	Montants imposables (déductions fiscales) futurs	Taux d'imposition	Impôts différés (Actif)	Impôts différés Passif
Vente à tempérament	96 000 $	40 %		38 400 $
Amortissement	30 000	40 %		12 000
Produit de loyers reporté	(100 000)	40 %	(40 000) $	
Total	26 000 $		(40 000) $	50 400$[a]

a Étant donné que tous les impôts différés sont calculés en fonction du même taux, on peut rapprocher ces totaux de la façon suivante: 26 000 $ × 40 % = (40 000) $ + 50 400$.

b) Bénéfice imposable de 2001

Bénéfice avant impôts pour 2001	250 000 $
Excédent de la marge brute à des fins comptables	(96 000)
Excédent de l'amortissement à des fins fiscales	(30 000)
Excédent du revenu de location à des fins fiscales	100 000
Bénéfice imposable	224 000 $

c) Écriture de journal - 2001

Bénéfice imposable pour 2001	224 000 $
Taux d'imposition en vigueur	× 45 %
Passif d'impôts exigibles de 2001	100 800 $

Passif d'impôts différés à la clôture de 2001	50 400 $
Passif d'impôts différés à l'ouverture de 2001	0
Charge d'impôts différés pour 2001	50 400 $

Actif d'impôts différés à la clôture de 2001	40 000 $
Actif d'impôts différés à l'ouverture de 2001	0
Économie d'impôts différés pour 2001	(40 000)$

Charge d'impôts différés pour 2001	50 400 $
Économie d'impôts différés pour 2001	(40 000)
Charge nette d'impôts différés pour 2001	10 400 $
Charge d'impôts exigibles pour 2001	100 800
Charge totale d'impôts pour 2001	111 200 $

Écriture de journal – 2001

Charge d'impôts	111 200	
Actif d'impôts différés	40 000	
Passif d'impôts exigibles		100 800
Passif d'impôts différés		50 400

Exercice 1-21 (25-30 minutes)

a) Impôts différés à inscrire à la clôture de 2001

(Toutes les données sont en millions de dollars)

		Impôts différés			
Écart temporaire	Taux	(Actif)	Passif	Compte du bilan	Classement
Coûts estimés de 100 millions de dollars, à des fins comptables	40 %	(40) $		Provision pour abandon d'activités	Court terme
Excédent de l'amortissement de 50 millions de dollars, à des fins fiscales	40 %	_____	20 $	Immobilisations de production	Long terme
Total		(40)$	20 $		

b) Présentation des impôts différés dans le bilan de 2001

Actifs à court terme	
Actif d'impôts différés	40 000 000 $
Passifs à long terme	
Passif d'impôts différés	20 000 000 $

c) Présentation des impôts dans l'état des résultats de 2001

Bénéfice avant impôts		85 000 000$[2]
Charge d'impôts		
Exigibles	64 000 000$[1]	
Différés	(30 000 000) [3]	34 000 000[4]
Bénéfice net		51 000 000 $

1. Bénéfice imposable pour 2001	160 000 000 $
Taux d'imposition promulgué	× 40 %
Passif d'impôts exigibles pour 2001	64 000 000 $

2. 10 000 000 $ ÷ 40 % = 25 000 000 $, écart temporaire imposable cumulé à l'ouverture de 2001.

Écart temporaire imposable à la clôture de 2001	50 000 000 $
Écart temporaire imposable cumulé à l'ouverture de 2001	25 000 000
Nouvel écart temporaire imposable au cours de 2001	25 000 000 $
Écart temporaire déductible à la clôture de 2001	100 000 000 $
Écart temporaire déductible cumulé à l'ouverture de 2001	0
Nouvel écart temporaire déductible au cours de 2001	100 000 000 $
Bénéfice avant impôts pour 2001	85 000 000 $[a]
Nouvel écart temporaire imposable	(25 000 000)
Nouvel écart temporaire déductible	100 000 000
Bénéfice imposable pour 2001	160 000 000 $

a Calcul du bénéfice avant impôts
X – 25 000 000 $ + 100 000 000 $ = 160 000 000 $
X = 85 000 000 $ = Bénéfice comptable

3.

Passif d'impôts différés à la clôture de 2001	20 000 000 $
Passif d'impôts différés à l'ouverture de 2001	10 000 000
Charge d'impôts différés pour 2001	10 000 000 $
Actif d'impôts différés à la clôture de 2001	40 000 000 $
Actif d'impôts différés à l'ouverture de 2001	0
Économie d'impôts différés pour 2001	(40 000 000) $
Charge d'impôts différés pour 2001	10 000 000
Économie nette d'impôts différés pour 2001	(30 000 000) $

4.

Économie nette d'impôts différés pour 2001	(30 000 000) $
Charge d'impôts exigibles pour 2001	64 000 000
Charge totale d'impôts pour 2001	34 000 000 $

Exercice 1-22 (15-20 minutes)

a)

	Exercices futurs			
	2002	2003	2004	Total
Montants imposables (déductions fiscales) futurs				
Amortissement	20 000 $	30 000 $	10 000 $	60 000 $
Frais de garantie	(200 000)			(200 000)
Taux d'imposition en vigueur	× 34 %	× 34 %	× 30 %	
Passif d'impôts différés – 2001	6 800 $	10 200 $	3 000 $	20 000 $
Actif d'impôts différés – 2001	(68 000)$			(68 000)$

Bénéfice imposable pour 2001	520 000 $
Taux d'imposition en vigueur	× 34 %
Passif d'impôts exigibles pour 2001	176 800 $
Passif d'impôts différés à la clôture de 2001	20 000 $
Passif d'impôts différés à l'ouverture de 2001	0
Charge d'impôts différés pour 2001	20 000 $
Actif d'impôts différés à la clôture de 2001	68 000 $
Actif d'impôts différés à l'ouverture de 2001	0
Économie d'impôts différés pour 2001	(68 000)$
Économie d'impôts différés pour 2001	(68 000)$
Charge d'impôts différés pour 2001	20 000
Économie nette d'impôts différés pour 2001	(48 000)
Charge d'impôts exigibles pour 2001	176 800
Charge totale d'impôts pour 2001	128 800 $

Écriture de journal – 2001		
Charge d'impôts	128 800	
Actif d'impôts différés	68 000	
Passif d'impôts exigibles		176 800
Passif d'impôts différés		20 000

b) Présentation des impôts dans le bilan – 2001

Actifs à court terme	
Actif d'impôts différés	68 000 $
Passifs à long terme	
Passif d'impôts différés	20 000 $

On classe à court terme l'actif d'impôts différés parce que la provision pour garanties correspondante est un passif à court terme. On classe à court terme la provision pour garanties parce que son règlement est prévu dans l'exercice subséquent à l'exercice de l'arrêté des comptes.

On classe à long terme le passif d'impôts différés parce que les immobilisations correspondantes sont classées dans le long terme.

Exercice 1-23 (30-35 minutes)

Montant et présentation des impôts différés – 2001 à 2005

	Amortissement comptable	Amortissement fiscal	Différence
2001	120 000 $	100 000 $	20 000 $
2002	120 000	200 000	(80 000)
2003	120 000	200 000	(80 000)
2004	120 000	100 000	20 000
2005	120 000		120 000
Total	600 000 $	600 000 $	0 $

Calendrier de résorption de l'écart temporaire – clôture de 2001

	Exercices futurs				
	2002	2003	2004	2005	Total
Montants imposables (déductions fiscales) futurs	(80 000) $	(80 000) $	20 000 $	120 000 $	(20 000) $
Taux d'imposition en vigueur	× 34 %	× 34 %	× 34 %	× 34 %	
Passif (Actif) d'impôts différés – 2001	(27 200) $	(27 200) $	6 800 $	40 800 $	(6 800) $

Par conséquent, à la clôture de 2001, il y a un actif d'impôts différés de 6 800 $, qu'il faudra présenter dans le bilan de la façon suivante:

Autres actifs (long terme)	
Actif d'impôts différés	6 800 $

Calendrier de résorption de l'écart temporaire – clôture de 2002

	Exercices futurs			
	2003	2004	2005	Total
Montants imposables (déductions fiscales) futurs	(80 000) $	20 000 $	120 000 $	60 000 $
Taux d'imposition en vigueur	× 34 %	× 34 %	× 34 %	
Passif (Actif) d'impôts différés – 2002	(27 200) $	6 800 $	40 800 $	20 400 $

Par conséquent, à la clôture de 2002, il y a un passif d'impôts différés de 20 400 $, qu'il faudra présenter dans le bilan de la façon suivante:

Passif à long terme

Passif d'impôts différés 20 400 $

Calendrier de résorption de l'écart temporaire – clôture de 2003

	Exercices futurs		
	2004	2005	Total
Montants imposables futurs	20 000 $	120 000 $	140 000 $
Taux d'imposition en vigueur	× 34 %	× 34 %	
Passif d'impôts différés – 2003	6 800 $	40 800 $	47 600 $

Par conséquent, à la clôture de 2003, il y a un passif net d'impôts différés de 47 600 $, qu'il faudra présenter dans le bilan de la façon suivante:

Passifs à long terme

Passif d'impôts différés 47 600 $

2004

À la clôture de 2004, les montants imposables futurs s'élèveront à 120 000 $ et se résorberont au cours de l'exercice subséquent à la date d'arrêté des comptes. Par conséquent, il faudra présenter dans le bilan un passif d'impôts différés de 40 800 $ (120 000 $ × 34 %), à titre de passif à court terme.

2005

À la clôture de 2005, étant donné qu'il ne subsiste aucun écart temporaire, il n'y a aucun impôt différé à présenter dans le bilan.

Exercice 1-24 (20-25 minutes)

a) Écriture de journal - 2001

Bénéfice imposable pour 2001	500 000 $
Taux d'imposition en vigueur	× 34 %
Passif d'impôts exigibles de 2001	170 000 $

Écart temporaire	Montants imposables (déductions fiscales) futurs	Taux	Impôts différés (Actif)	Passif	Classement
Ventes à tempérament	40 000 $	34 %[c]		13 600 $	Court terme
Ventes à tempérament	190 000[a]	38 %[d]		72 200	Long terme
Perte éventuelle	(34 000) [b]	38 %	(12 920) $		Long terme
Total	196 000 $		(12 920) $	85 800 $	

a. 50 000 $ + 60 000 $ + 80 000 $ = 190 000 $
b. 15 000 $ + 19 000 $ = 34 000 $
c. Taux d'imposition pour 2002
d. Taux d'imposition pour 2003-2006

Passif d'impôts différés à la clôture de 2001	85 800 $
Passif d'impôts différés à l'ouverture de 2001	0
Charge d'impôts différés pour 2001	85 800 $

Actif d'impôts différés à la clôture de 2001	12 920 $
Actif d'impôts différés à l'ouverture de 2001	0
Économie d'impôts différés pour 2001	(12 920) $

Charge d'impôts différés pour 2001	85 800 $
Économie d'impôts différés pour 2001	(12 920)
Charge nette d'impôts différés pour 2001	(72 880)
Charge d'impôts exigibles pour 2001	170 000
Charge totale d'impôts pour 2001	242 880 $

Écriture de journal – 2001

Charge d'impôts	242 880	
Actif d'impôts différés	12 920	
Passif d'impôts exigibles		170 000
Passif d'impôts différés		85 800

b) Présentation dans le bilan – 2001

Autres actifs (long terme)

Actif d'impôts différés 12 920 $

Passifs à court terme

Passif d'impôts différés 85 800 $

L'actif d'impôts différés est classé à long terme parce que le passif correspondant l'est également. Le passif découlant de la perte éventuelle est classé à long terme parce que son règlement est prévu dans les exercices suivants l'exercice subséquent à la date de clôture des comptes.

Une autre méthode consiste à classer à court terme la perte éventuelle parce que le cycle d'exploitation de la société est de 4 ans. Dans ce cas, l'actif d'impôts différés associé à cette perte sera inscrit à court terme.

Le passif d'impôts différés est classé à court terme parce qu'on suppose que la créance à tempérament correspondante est classée dans l'actif à court terme. La créance à tempérament est classée à court terme lorsque la vente à tempérament est une pratique commerciale de l'entité. Si on suppose que la créance à tempérament est liée à une vente à tempérament de placement et, par conséquent, qu'elle est classée en partie à court terme et en partie à long terme, une partie du passif d'impôts différés, c'est-à-dire 13 600 $ (40 000 $ × 34 %), doit être classée à court terme et l'autre partie, c'est-à-dire 72 200 $ (190 000 $ × 38 %), doit être classée à long terme.

Exercice 1-25 (15-20 minutes)

a) Écriture de journal - 2001

Bénéfice imposable pour 2001	350 000 $
Taux d'imposition en vigueur	× 34 %
Passif d'impôts exigibles pour 2001	119 000 $

Écart temporaire	Montants imposables (déductions fiscales) futurs	Taux d'imposition	Impôts différés (Actif)	Impôts différés Passif
Comptes clients	50 000 $	34 %		17 000 $
Provision pour litiges	(30 000)	34 %	(10 200) $	
Total	20 000 $		(10 200) $	17 000 $[a]

a Étant donné l'utilisation du même taux d'imposition pour tous les exercices, on peut rapprocher ces totaux de la façon suivante: 20 000 $ × 34 % = (10 200) $ + 17 000 $.

Passif d'impôts différés à la clôture de 2001	17 000 $
Passif d'impôts différés à l'ouverture de 2001	0
Charge d'impôts différés pour 2001	17 000 $

Actif d'impôts différés à la clôture de 2001	10 200 $
Actif d'impôts différés à l'ouverture de 2001	0
Économie d'impôts différés pour 2001	(10 200) $

Charge d'impôts différés pour 2001	17 000 $
Économie d'impôts différés pour 2001	(10 200)
Charge nette d'impôts différés pour 2001	6 800
Charge d'impôts exigibles pour 2001	119 000
Charge totale d'impôts pour 2001	125 800 $

Écriture de journal – 2001

Charge d'impôts	125 800	
Actif d'impôts différés	10 200	
Passif d'impôts exigibles		119 000
Passif d'impôts différés		17 000

b) Présentation des impôts différés dans le bilan – 2001

Écart temporaire	Impôts différés (Actif)	Passif	Compte du bilan	Classement
Comptes clients		17 000 $	Comptes clients	Court terme
Provision pour litiges	(10 200) $		Provision pour litiges	Court terme
Total	(10 200) $	17 000 $		

L'actif d'impôts différés est classé à court terme parce que le passif correspondant est également classé à court terme, car son règlement est prévu dans l'exercice subséquent à la date de clôture des comptes.

Le passif d'impôts différés est classé à court terme parce que les comptes clients correspondants sont classés à court terme. La totalité du solde des comptes clients est classée à court terme parce que le cycle d'exploitation de l'entreprise est de 2 ans.

Exercice 1-26 (30-35 minutes)

a) Écritures de journal – 2001 à 2004

2001

	Débit	Crédit
Charge d'impôts exigibles	40 800	
Passif d'impôts exigibles (120 000 $ × 34 %)		40 800

2002

	Débit	Crédit
Charge d'impôts exigibles	30 600	
Passif d'impôts exigibles (90 000 $ × 34 %)		30 600

2003

	Débit	Crédit
Impôts à recouvrer	71 400	
Actif d'impôts différés	26 600	
Économie d'impôts exigibles découlant du report en arrière de la perte fiscale		71 400 [a]
Économie d'impôts différés découlant du report en avant de la perte fiscale		26 600 [b]

a. [34 % × (120 000)$] + [34 % × (90 000)$] = 71 400 $

b. [38 % × (280 000 $ – 120 000 $ – 90 000 $)] = 26 600 $

	Débit	Crédit
Économie d'impôts différés découlant du report en avant de la perte fiscale	26 600	
Provision pour réduire l'actif d'impôts différés à la valeur de réalisation prévue		26 600

2004

	Débit	Crédit
Provision pour réduire l'actif d'impôts différés à la valeur de réalisation prévue	26 600	
Économie d'impôts différés découlant du report en avant de la perte fiscale		26 600

Charge d'impôts	83 600	
Passif d'impôts exigibles		57 000[a]
Actif d'impôts exigibles (70 000 $ × 38 %)		26 600

a. [(220 000 $ – 70 000 $) × 38 %] = 57 000 $

b) Présentation de la charge d'impôt dans l'état des résultats – 2003

Perte d'exploitation avant impôts		(280 000) $
Économie d'impôts		
Économie d'impôts exigibles découlant du report en arrière de la perte fiscale	71 400 $	
Économie d'impôts différés découlant du report en avant de la perte fiscale	0	71 400
Perte nette		(208 600) $

c) Écritures de journal – 2003 et 2004

2003

Impôts à recouvrer	71 400	
Actif d'impôts différés	26 600	
Économie d'impôts exigibles découlant du report en arrière de la perte fiscale		71 400[a]
Économie d'impôts différés découlant du report en avant de la perte fiscale		26 600[b]

a. [34 % × (120 000)$] + [34 % × (90 000)$] = 71 400 $

b. [38 % × (280 000 $ – 120 000 $ – 90 000 $)] = 26 600 $

Économie d'impôts différés découlant du report en avant de la perte fiscale (Charge d'impôts)	6 650	
Provision pour réduire l'actif d'impôts différés à la valeur de réalisation prévue (25 % × 26 600 $)		6 650

2004

Charge d'impôts	83 600	
Actif d'impôts différés		26 600
Passif d'impôts exigibles [(220 000 $ – 70 000 $) × 38 %]		57 000

Provision pour réduire l'actif d'impôts différés à la valeur de réalisation prévue	6 650	
Économie d'impôts différés découlant du report en avant de la perte fiscale (Charge d'impôts)		6 650

d) Présentation de la charge (ou de l'économie) d'impôts – 2003

Perte d'exploitation avant impôts	(280 000) $
Économie d'impôts	

Économie d'impôts exigibles découlant du report en arrière de la perte fiscale	71 400 $	
Économie d'impôts différés découlant du report en avant de la perte fiscale	19 950 [c]	91 350
Perte nette		(188 650) $

c. 26 600 $ – 6 650 $ = 19 950 $

Note: Si on utilise l'hypothèse de la partie a), la rubrique Impôts de l'état des bénéfices de 2004 sera la suivante:

Bénéfice avant impôts		220 000 $
Charge d'impôts		
Exigibles	57 000 $	
Différés	26 600	83 600
Bénéfice net		136 400 $

Note: Si on utilise l'hypothèse de la partie c), la rubrique Impôts de l'état des bénéfices de 2004 sera la suivante:

Bénéfice avant impôts		220 000 $
Charge d'impôts		
Exigibles	57 000 $	
Différés	19 950	76 950
Bénéfice net		143 050 $

Exercice 1-27 (30-35 minutes)

a) Écriture de journal – 2001 à 2004

2001		
Charge d'impôts	38 000	
Passif d'impôts exigibles (100 000 $ × 38 %)		38 000
2002		
Charge d'impôts	48 000	
Passif d'impôts exigibles (120 000 $ × 40 %)		48 000
2003		
Charge d'impôts	36 000	
Passif d'impôts exigibles (90 000 $ × 40 %)		36 000

2004

Impôts à recouvrer	122 000	
Actif d'impôts différés	31 500	
Économie d'impôts exigibles découlant du report en arrière de la perte fiscale		122 000 [a]
Économie d'impôts différés découlant du report en avant de la perte fiscale		31 500 [b]

a. [(38 % × 100 000 $) + (40 % × 210 000 $)] = 122 000 $

b. [45 % × (380 000 $ – 100 000 $ – 120 000 $ – 90 000 $)] = 31 500 $

Économie d'impôts différés découlant du report en avant de la perte fiscale (Charge d'impôts)	15 750	
Provision pour réduire l'actif d'impôts différés à la valeur de réalisation prévue (50 % × 31 500 $)		15 750

2005

Charge d'impôts	54 000	
Actif d'impôts différés (70 000 $ × 45 %)		31 500
Passif d'impôts exigibles		22 500 [a]

a [(120 000 $ – 70 000 $) × 45 %] = 22 500 $

Provision pour réduire l'actif d'impôts différés à la valeur de réalisation prévue	15 750	
Économie d'impôts différés découlant du report en avant de la perte fiscale (Charge d'impôts)		15 750

b) Présentation de la charge (ou de l'économie) d'impôts – 2003

Perte d'exploitation avant impôts		(380 000) $
Économie d'impôts		
Économie d'impôts exigibles découlant du report en arrière de la perte fiscale	122 000 $	
Économie d'impôts différés découlant du report en avant de la perte fiscale	15 750	137 750
Perte nette		(242 250) $

c) Présentation de la charge (ou de l'économie) d'impôts dans l'état des résultats – 2005

Bénéfice avant impôts		120 000 $
Charge d'impôts		
Exigibles	22 500 $	
Différés	15 750	38 250
Bénéfice net		81 750 $

Exercice 1-28 (15-20 minutes)

a) Écritures de journal – 2003 à 2005

2003		
Charge d'impôts	48 000	
Passif d'impôts exigibles (120 000 $ × 40 %)		48 000
2004		
Impôts à recouvrer	167 000	
Actif d'impôts différés	40 000	
Économie d'impôts exigibles découlant du report en arrière de la perte fiscale		167 000 [a]
Économie d'impôts différés découlant du report en avant de la perte fiscale		40 000 [b]

[a] [(100 000 $ × 34 % + 250 000 × 34 %) + (120 000 $ × 40 %)] = 167 000 $

[b] [40 % × (570 000 $ – 100 000 $ – 250 000 $ – 120 000 $)] = 40 000 $

Économie d'impôts différés découlant du report en avant de la perte fiscale	8 000	
Provision pour réduire l'actif d'impôts différés à la valeur de réalisation prévue (1/5 × 40 000 $)		8 000
2005		
Charge d'impôts (180 000 $ × 40 %)	72 000	
Passif d'impôts exigibles [(180 000 – 100 000 $) × 40 %]		32 000
Actif d'impôts différés (100 000 $ × 40 %)		40 000
Provision pour réduire l'actif d'impôts différés à la valeur de réalisation prévue	8 000	
Économie d'impôts différés découlant du report en avant de la perte fiscale		8 000

b) Présentation de la charge (ou de l'économie) d'impôts dans l'état des résultats – 2004

Perte avant impôts		(570 000) $
Économie d'impôts		
Économie d'impôts exigibles découlant du report en arrière de la perte fiscale	167 000 $	
Économie d'impôts différés découlant du report en avant de la perte fiscale	32 000	199 000
Perte nette		(371 000) $

DURÉES ET OBJECTIFS DES PROBLÈMES

Problème 1-1 (40-45 minutes)

Objectif – Permettre à l'étudiant de comprendre la façon de calculer et de classer adéquatement les impôts différés en fonction de trois types d'écarts temporaires. Un taux d'imposition unique s'applique. L'étudiant doit utiliser les données fournies pour déterminer à la fois le résultat fiscal et le résultat comptable. Le calcul du résultat comptable est plus complexe parce qu'il y a des impôts différés à l'ouverture de l'exercice.

Problème 1-2 (50-60 minutes)

Objectif – Donner à l'étudiant l'occasion de résoudre des problèmes liés aux situations suivantes: 1) un nouvel écart temporaire s'échelonne sur une période de 3 exercices et commence à se résorber dans le 4e exercice; 2) un changement du taux d'imposition en vigueur survient dans l'exercice au cours duquel se produit une variation du montant de l'écart temporaire; 3) il faut calculer le montant du nouvel écart temporaire ou de la résorption pour chaque exercice afin de déterminer l'écart temporaire à la fin de chaque exercice; 4) on observe un écart permanent ainsi qu'un écart temporaire pour chacun des exercices. Pour l'ensemble du problème, l'étudiant doit passer les écritures pour chacun des quatre exercices, incluant l'écriture d'ajustement des impôts différés résultant du changement de taux d'imposition en vigueur.

Problème 1-3 (40-45 minutes)

Objectif – Permettre à l'étudiant de comprendre l'effet du calendrier de résorption de l'écart temporaire sur le calcul des impôts différés à la clôture de l'exercice considéré. Le problème fournit à l'étudiant des informations au sujet du bénéfice comptable, d'un écart temporaire ou d'un écart permanent. Il doit calculer tous les montants relatifs aux impôts pour l'exercice considéré et passer l'écriture nécessaire pour les inscrire. Pour déterminer le solde d'ouverture d'un compte d'impôts différés, il doit calculer les impôts différés à la clôture de l'exercice précédent. Il doit également présenter l'état des résultats partiels pour l'exercice considéré, incluant un profit extraordinaire.

Problème 1-4 (40-50 minutes)

Objectif – Illustrer l'effet sur les impôts différés de pertes futures prévues, par opposition à l'effet qu'aurait un bénéfice fiscal futur prévu. Deux écarts temporaires donnent lieu à l'inscription d'un actif d'impôts différés. L'étudiant doit calculer les montants de la charge d'impôts, du passif d'impôts exigibles et des impôts différés (il doit également indiquer quel classement il faudrait leur réserver).

Problème 1-5 (20-25 minutes)

Objectif – Présenter à l'étudiant une situation comportant une perte fiscale d'exploitation, que l'entreprise décide de déduire des bénéfices imposables des exercices précédents. L'étudiant doit passer les écritures de l'exercice au cours duquel la perte s'est produite et des deux exercices subséquents. Les économies d'impôts résultant du report de perte en avant sont réalisées dans l'exercice suivant l'exercice déficitaire. La présentation dans l'état des bénéfices est requise pour l'exercice au cours duquel les économies d'impôts découlant des reports de perte en arrière et en avant sont constatées, et pour l'exercice au cours duquel les économies d'impôts résultant du report de perte en avant sont réalisées.

Problème 1-6 (20-25 minutes)

Objectif – Permettre à l'étudiant de comprendre l'effet du calendrier de résorption des écarts temporaires futurs et celui du taux d'imposition en vigueur sur le calcul et le classement des impôts différés, et ce pour chacun des exercices à venir. L'étudiant doit calculer et classer les impôts différés pour chacune des deux situations présentées. Dans chaque cas, les écarts temporaires donnent lieu à un actif d'impôts différés net.

Problème 1-7 (45-50 minutes)

Objectif – Présenter à l'étudiant les situations suivantes: 1) un nouvel écart temporaire apparaît lors d'un exercice et se résorbe lors des deux exercices subséquents; 2) un changement du taux d'imposition se produit dans l'exercice au cours duquel il y a un changement du montant de l'écart temporaire; 3) il faut calculer le montant du nouvel écart ou de la résorption de l'écart pour chaque exercice afin de déterminer l'écart temporaire à la clôture de chaque exercice. L'étudiant doit passer les écritures de journal pour chacune de ces trois situations, incluant l'écriture d'ajustement des impôts différés résultant du changement de taux d'imposition en vigueur.

Problème 1-8 (40-50 minutes)

Objectif – S'assurer que l'étudiant comprend la relation qui existe entre le résultat comptable et le résultat fiscal dans la comptabilisation des impôts sur les bénéfices. L'étudiant doit calculer et classer les impôts différés pour deux exercices successifs. Il doit également passer les écritures pour inscrire les impôts, pour chaque exercice. Une variante intéressante à ce problème consiste pour l'étudiant à établir le résultat imposable pour chaque exercice en tenant compte du taux d'imposition et du montant d'impôts à payer, puis à calculer le résultat comptable en combinant cette information avec les données sur les écarts temporaires.

Problème 1-9 (40-50 minutes)

Objectif – S'assurer que l'étudiant est en mesure de calculer et de classer les impôts différés pour cinq écarts temporaires, et de préparer l'état des résultats partiels de l'exercice.

SOLUTIONS DES PROBLÈMES

Problème 1-1

a) Bénéfice imposable – 2001

X (0,40) = 360 000 $, soit les impôts exigibles pour 2001
X = 360 000 $ ÷ 0,40
X = 900 000 $ = bénéfice imposable pour 2001

b) Bénéfice avant impôts – 2001

Bénéfice avant impôts (par différence)	970 000 $
Excédent de l'amortissement	(100 000)
Dividendes reçus	(10 000)
Loyer reçu d'avance	40 000
Bénéfice imposable pour 2001[voir en a)]	900 000 $

c) Écriture de journal – 2001 et 2002

2001		
Charge d'impôts (par différence)	381 000	
Actif d'impôts différés (40 000 $ × 35 %)	14 000	
Passif d'impôts exigibles (900 000 $ × 40 %)		360 000
Passif d'impôts différés (100 000 $ × 35 %)		35 000
2002		
Charge d'impôts	341 250	
Passif d'impôts différés [(100 000 $ ÷ 4) × 35 %]	8 750	
Passif d'impôts exigibles (980 000 $ × 35 %)		343 000
Actif d'impôts différés [(40 000 $ ÷ 2) × 35 %]		7 000

d) Présentation de la charge d'impôts dans l'état des résultats – 2001

Bénéfice avant impôts		970 000 $
Charge d'impôts		
Exigibles	360 000 $	
Différés	21 000	
Totale (voir note 1)		381 000
Bénéfice net		589 000 $

Note 1

La charge fiscale de l'exercice 2001 se compose des éléments suivants:

Charge d'impôts selon le taux d'imposition en vigueur en 2001 (970 000 $ × 40 %)	388 000 $
Diminution des impôts différés résultant d'une diminution des taux d'imposition futurs (60 000 $ × 5 %)	(3 000)
Incidence fiscale des produits non imposables (10 000 $ × 40 %)	(4 000)
Charge d'impôts totale de l'exercice	381 000 $

Problème 1-2

a) Écriture de journal – 2001

Avant de calculer les impôts différés, on doit calculer le montant du nouvel écart temporaire (résorption d'écart) ainsi que l'écart temporaire qui en résulte à la clôture de chaque exercice:

	2001	2002	2003	2004
Bénéfice avant impôts	280 000 $	320 000 $	350 000 $	420 000 $
Charge non déductible	30 000	30 000	30 000	30 000
Total partiel	310 000	350 000	380 000	450 000
(Nouvel écart temporaire imposable) ou résorption d'écart temporaire	(130 000)	(125 000)	(110 000)	130 000
Bénéfice imposable	180 000 $	225 000 $	270 000 $	580 000 $

	Écart temporaire à la clôture de l'exercice	
2001	130 000 $	
2002	255 000 $	(130 000 $ + 125 000 $)
2003	365 000 $	(255 000 $ + 110 000 $)
2004	235 000 $	(365 000 $ – 130 000 $)

Étant donné que l'écart temporaire entraîne un excédent du bénéfice comptable sur le bénéfice imposable dans l'exercice où il survient, cet écart produira des montants imposables futurs.

Bénéfice imposable pour 2001	180 000 $
Taux d'imposition en vigueur	× 35 %
Charge d'impôts exigibles pour 2001 (passif d'impôts exigibles)	63 000 $

On calcule les impôts différés à la clôture de 2001 de la façon suivante:

Écart temporaire	Montants imposables (déductions fiscales) futurs	Taux d'imposition	Impôts différés (Actif)	Impôts différés Passif
Amortissement	130 000 $	35 %		45 500 $

Passif d'impôts différés à la clôture de 2001	45 500 $
Passif d'impôts différés à l'ouverture de 2001	0
Charge d'impôts différés pour 2001	45 500 $

Charge d'impôts différés pour 2001	45 500 $
Charge d'impôts exigibles pour 2001	63 000
Charge totale d'impôts pour 2001	108 500 $

Écriture de journal – 2001

Charge d'impôts	108 500	
Passif d'impôts exigibles		63 000
Passif d'impôts différés		45 500

Écriture de journal – 2002

L'ajustement résultant du changement de taux d'imposition se calcule de la façon suivante:

Écart temporaire à la clôture de 2001	130 000 $
Nouveau taux d'imposition en vigueur pour l'exercice 2002	× 40 %
Solde du passif d'impôts différés ajusté à la clôture de 2001	52 000 $
Solde du passif d'impôts différés présenté antérieurement	45 500
Ajustement du solde du passif d'impôts différés résultant de l'augmentation du taux d'imposition	6 500 $

Bénéfice imposable pour 2002	225 000 $
Taux d'imposition en vigueur	× 40 %
Charge d'impôts exigibles pour 2002 (passif d'impôts exigibles)	90 000 $

On calcule les impôts différés à la clôture de 2002 de la façon suivante:

Écart temporaire	Montants imposables (déductions fiscales) futurs	Taux d'imposition	Impôts différés (Actif)	Impôts différés Passif
Amortissement	255 000 $	40 %		102 000 $

Passif d'impôts différés à la clôture de 2002	102 000 $
Passif d'impôts différés à l'ouverture de 2002 après régularisation	52 000
Charge d'impôts différés pour 2002, à l'exclusion de l'ajustement résultant du taux d'imposition	50 000 $

Charge d'impôts différés pour 2002	50 000 $
Charge d'impôts exigibles pour 2002	90 000
Charge totale d'impôts pour 2002, à l'exclusion de l'ajustement résultant du taux d'imposition	140 000 $

Écritures de journal – 2002

Charge d'impôts	6 500	
Passif d'impôts différés		6 500
(Pour inscrire l'ajustement relatif à l'augmentation du taux d'imposition en vigueur)		
Charge d'impôts	140 000	
Passif d'impôts exigibles		90 000
Passif d'impôts différés		50 000
(Pour inscrire les impôts de 2002)		

Écriture de journal – 2003

Bénéfice imposable pour 2003	270 000 $
Taux d'imposition en vigueur	× 40 %
Charge d'impôts exigibles pour 2003 (passif d'impôts exigibles)	108 000 $

On calcule les impôts différés à la clôture de 2003 de la façon suivante:

Écart temporaire	Montants imposables (déductions fiscales) futurs	Taux d'imposition	Impôts différés (Actif)	Impôts différés Passif
Amortissement	365 000 $	40 %		146 000 $

Passif d'impôts différés à la clôture de 2003	146 000 $
Passif d'impôts différés à l'ouverture de 2003	102 000
Charge d'impôts différés pour 2003	44 000 $
Charge d'impôts différés pour 2003	44 000 $
Charge d'impôts exigibles pour 2003	108 000
Charge totale d'impôts pour 2003	152 000 $

Écriture de journal – 2003

Charge d'impôts	152 000	
Passif d'impôts exigibles		108 000
Passif d'impôts différés		44 000

Écriture de journal – 2004

Bénéfice imposable pour 2004	580 000 $
Taux d'imposition en vigueur	× 40 %
Charge d'impôts exigibles pour 2004 (passif d'impôts exigibles)	232 000 $

On calcule les impôts différés à la clôture de 2004 de la façon suivante:

Écart temporaire	Montants imposables (déductions fiscales) futurs	Taux d'imposition	Impôts différés (Actif)	Passif
Amortissement	235 000 $	40 %		94 000 $

Passif d'impôts différés à la clôture de 2004	94 000 $
Passif d'impôts différés à l'ouverture de 2004	146 000
Économie d'impôts différés pour 2004	(52 000)$

Économie d'impôts différés pour 2004	(52 000)$
Charge d'impôts exigibles pour 2004	232 000
Charge totale d'impôts pour 2004	180 000 $

Écriture de journal – 2004		
Charge d'impôts	180 000	
Passif d'impôts différés	52 000	
Passif d'impôts exigibles		232 000

b) Présentation de la charge d'impôts dans l'état des résultats – 2002

Bénéfice avant impôts		320 000 $
Charge d'impôts		
Exigibles	90 000 $	
Différés	56 500	
Totale (voir note 1)	146 500	146 500
Bénéfice net		173 500 $

Note 1

La charge fiscale de l'exercice 2002 se compose des éléments suivants:

Charge d'impôts selon le taux d'imposition en vigueur en 2002 (320 000 $ × 40 %)	128 000 $
Augmentation des impôts différés résultant d'une variation des taux d'imposition futurs (130 000 $ × 5 %)	6 500
Incidence fiscale de charges non déductibles (30 000 $ × 40 %)	12 000
Charge d'impôts totale de l'exercice	146 500 $

Problème 1-3

	Amortissement comptable	Amortissement fiscal	Écart temporaire
2001	125 000 $	100 000 $	25 000 $
2002	125 000	200 000	(75 000)
2003	125 000	200 000	(75 000)
2004	125 000	200 000	(75 000)
2005	125 000	200 000	(75 000)
2006	125 000	100 000	25 000
2007	125 000	0	125 000
2008	125 000	0	125 000
Total	1 000 000 $	1 000 000 $	0 $

a) Bénéfice imposable et impôts à payer – 2002

Bénéfice avant impôts pour 2002	1 400 000 $
Dividende non imposable	(60 000)
Excédent de l'amortissement	(75 000)
Bénéfice imposable de 2002	1 265 000
Taux d'imposition	× 35 %
Passif d'impôts exigibles de 2002	442 750 $

b) Écriture de journal – 2002

Calendrier de résorption de l'écart temporaire – clôture de 2002

	Exercices futurs		
	2003	2004	2005
Montants imposables futurs	(75 000) $	(75 000) $	(75 000) $
Taux d'imposition en vigueur	× 35 %	× 35 %	× 35 %
Passif d'impôts différés	(26 250) $	(26 250) $	(26 250) $

	Exercices futurs			
	2006	2007	2008	Total
Montants imposables futurs	25 000 $	125 000 $	125 000 $	50 000 $
Taux d'imposition en vigueur	× 35 %	× 35 %	× 35 %	
Passif d'impôts différés	8 750 $	43 750 $	43 750 $	17 500 $

Le passif d'impôts différés au 31 décembre 2002 s'élève à 17 500 $.

Calendrier de résorption de l'écart temporaire – clôture de 2001

	Exercices futurs			
	2002	2003	2004	2005
Montants imposables futurs	(75 000) $	(75 000) $	(75 000) $	(75 000) $
Taux d'imposition en vigueur	× 35 %	× 35 %	× 35 %	× 35 %
Passif d'impôts différés	(26 250) $	(26 250) $	(26 250) $	(26 250) $

	Exercices futurs			
	2006	2007	2008	Total
Montants imposables futurs	25 000 $	125 000 $	125 000 $	(25 000) $
Taux d'imposition en vigueur	× 35 %	× 35 %	× 35 %	
Passif d'impôts différés	8 750 $	43 750 $	43 750 $	(8 750) $

L'actif d'impôts différés au 31 décembre 2001 s'élève à 8 750 $.

Passif d'impôts différés à la clôture de 2002	17 500 $
Passif d'impôts différés à l'ouverture de 2002	0
Charge d'impôts différés pour 2002	17 500 $

Actif d'impôts différés à la clôture de 2002	0 $
Actif d'impôts différés à l'ouverture de 2002	8 750 $
Charge d'impôts différés pour 2002	8 750 $

Charge d'impôts différés pour 2002	17 500 $
Charge d'impôts différés pour 2002	8 750
Charge nette d'impôts différés pour 2002	26 250 $

Charge d'impôts exigibles pour 2002	442 750 $
Charge d'impôts différés pour 2002	26 250
Charge totale d'impôts pour 2002	469 000 $

Écriture de journal – 2002

Charge d'impôts	469 000	
Passif d'impôts exigibles		442 750
Passif d'impôts différés		17 500
Actif d'impôts différés		8 750

c) Présentation de la charge d'impôts dans l'état des résultats – 2002

Bénéfice avant impôts et élément extraordinaire	1 200 000$[a]
Charge d'impôts	
Exigibles	372 750 [b]
Différés	26 250
Totale (voir note 1)	399 000
Bénéfice avant profit extraordinaire	801 000
Profit extraordinaire	200 000
Impôts exigibles correspondants (200 000 $ × 35 %)	70 000
Profit extraordinaire net d'impôts	130 000
Bénéfice net	931 000 $

Note 1

La charge fiscale liée aux activités d'exploitation de l'exercice 2002 se compose des éléments suivants:

Charge d'impôts selon le taux d'imposition en vigueur en 2002 (1 200 000 $ × 35 %)	420 000 $
Incidence fiscale des produits non imposables (60 000 $ × 35 %)	(21 000)
Charge d'impôts totale de l'exercice	399 000 $

[a] Bénéfice avant impôts (1 400 000 $) – élément extraordinaire (200 000 $) = 1 200 000 $.

[b] Charge d'impôts exigibles sur les opérations normales:
[442 750 $ – (200 000 $ × 35 %)] = 372 750 $

d) Présentation des impôts différés dans le bilan – 2002

Passifs à long terme

Passif d'impôts différés (voir note 2)	17 500 $

Note 2

Le passif d'impôts différés à long terme à la clôture de 2002 provient de l'écart temporaire suivant:

Excédent de la valeur comptable sur la valeur fiscale des actifs immobilisés	17 500 $

Problème 1-4

a) Impôts exigibles, impôts différés et charge d'impôts – 2001

Bénéfice imposable pour 2001	29 000 000 $
Taux d'imposition en vigueur	× 35 %
Charge d'impôts exigibles pour 2001	10 150 000 $

Les montants imposables (déductions fiscales) futurs seront les suivants:

(en milliers de dollars)

	Exercices futurs					
	2002	2003	2004	2005	2006	Total
Montants imposables futurs						
Perte éventuelle sur litiges					(8 000) $	(8 000)$
Amortissement	1 000 $	1 000 $	1 000 $			3 000 $
Taux d'imposition en vigueur	35 %	40 %	40 %	40 %	40 %	

(en milliers de dollars)

Écart temporaire	Montants imposables (déductions fiscales) futurs	Taux d'imposition	Impôts différés (Actif)	Impôts différés Passif
Perte éventuelle sur litiges	(8 000) $	40 %	(3 200) $	
Amortissement	1 000	35 %		350 $
Amortissement	2 000	40 %		800
Total	(5 000) $		(3 200) $	1 150 $

La charge d'impôts pour 2001 se calcule de la façon suivante:

Actif d'impôts différés à la clôture de 2001	3 200 000 $
Actif d'impôts différés à l'ouverture de 2001	0
Économie d'impôts différés pour 2001	(3 200 000)$
Passif d'impôts différés à la clôture de 2001	1 150 000 $
Passif d'impôts différés à l'ouverture de 2001	0
Charge d'impôts différés pour 2001	1 150 000 $
Économie d'impôts différés pour 2001	(3 200 000)$
Charge d'impôts différés pour 2001	1 150 000
Économie nette d'impôts différés pour 2001	(2 050 000)$
Économie d'impôts différés pour 2001	(2 050 000)$
Charge d'impôts exigibles pour 2001	10 150 000
Charge totale d'impôts pour 2001	8 100 000 $

b) Présentation des impôts différés dans le bilan – 2001

On doit classer tous les impôts différés liés à la perte éventuelle sur litiges dans l'actif à long terme parce que le passif correspondant est classé dans le passif à long terme. Ce passif constitue un élément à long terme parce que le règlement n'en est pas prévu avant 2006, ce qui va au-delà de l'exercice subséquent à la clôture des comptes.

On doit classer tous les impôts différés liés à l'écart temporaire de l'amortissement dans le passif à long terme parce que l'actif correspondant est une immobilisation qui apparaît dans l'actif à long terme.

Les impôts différés seront classés dans les éléments nets à long terme du bilan du 31 décembre 2001 de la façon suivante:

Autres actifs (long terme)	
Actif d'impôts différés	2 050 000 $

c) Impôts exigibles, impôts différés et charge d'impôts – 2001

Bénéfice imposable pour 2001	29 000 000 $
Taux d'imposition en vigueur	× 35 %
Charge d'impôts exigibles pour 2001	10 150 000 $

(en milliers de dollars)

Écart temporaire	Montants imposables (déductions fiscales) futurs	Taux d'imposition	Impôts différés (Actif)	Impôts différés Passif
Perte éventuelle sur litiges	(8 000)$	40 %[a]	(3 200) $	
Amortissement	2 000	35 %[b]		700 $
Amortissement	1 000	40 %[b]		400
Total	(5 000)$		(3 200) $	1 100 $

a. Des pertes fiscales sont prévues pour les exercices 2002 à 2006. Par conséquent, on suppose que les économies d'impôts résultant des déductions fiscales futures de 8 000 000 $ pour 2006 se réaliseront grâce à un report de perte en avant pour l'exercice subséquent à 2006, au moment où le taux d'imposition en vigueur sera de 40 %. Dans le cas présent, on ne peut supposer de report de perte en arrière parce qu'aucun bénéfice fiscal n'est prévu pour les trois exercices qui précèdent 2006. On utilise donc le taux d'imposition de 40 % pour calculer l'effet fiscal des déductions fiscales futures de 8 000 000 $.

b. Le taux d'imposition en vigueur pour 2001 a un effet sur les pertes prévues pour 2002 et 2003, si on suppose que ces pertes seront reportées en arrière et déduites du bénéfice imposable de 2001. Le taux d'imposition de 2004 aura un effet sur les pertes prévues pour cet exercice, si on suppose que la perte sera reportée en avant et déduite du bénéfice imposable de 2007.

Charge d'impôts différés pour 2001	1 100 000 $
Économie d'impôts différés pour 2001	(3 200 000)
Économie nette d'impôts différés pour 2001	(2 100 000)
Charge d'impôts exigibles pour 2001	10 150 000
Charge totale d'impôts pour 2001	8 050 000 $

d) Présentation des impôts différés dans le bilan – 2001

Suivant le raisonnement que nous avons présenté en b), les impôts différés seront inscrits dans les éléments nets à long terme du bilan du 31 décembre 2001 de la façon suivante:

Autres actifs (long terme)	
Actif d'impôts différés	2 100 000 $

Problème 1-5

a) Écritures de journal – 2005 à 2007

2005

Impôts à recouvrer – 2002 (25 000 $ × 30 %)	7 500	
Impôts à recouvrer – 2003 (60 000 $ × 30 %)	18 000	
Impôts à recouvrer – 2004 (80 000 $ × 40 %)	32 000	
Économie d'impôts exigibles découlant du report en arrière de la perte fiscale		57 500

Note: Une autre méthode acceptable consiste à inscrire uniquement un compte Impôts à recouvrir, dont le solde s'élèverait à 57 500 $.

Actif d'impôts différés	24 000	
Économie d'impôts différés découlant du report en arrière de la perte fiscale		24 000 [a]

a. [(225 000 $ – 25 000 $ – 60 000 $ – 80 000 $) × 40 %]

2006

Charge d'impôts	28 000	
Actif d'impôts différés (60 000 $ × 40 %)		24 000
Passif d'impôts exigibles [(70 000 $ – 60 000 $) × 40 %]		4 000

2007

Charge d'impôts	31 500	
Passif d'impôts exigibles [90 000 $ × 35 %]		31 500

b) Présentation dans le bilan – 2005

On inscrira dans la section Actifs à court terme du bilan, au 31 décembre 2001, un ou plusieurs comptes Impôts à recouvrer totalisant 57 500 $. Habituellement, ce compte précède immédiatement le compte Stocks, dans la section Actifs à court terme. En règle générale, il est possible de recouvrer ce compte en moins de deux mois après que la déclaration fiscale ait été modifiée pour tenir compte du report de perte en arrière. Un actif d'impôts différés de 24 000 $ devrait également être classé à titre d'actif à court terme parce qu'on prévoit que les économies résultant du report de perte en avant se réaliseront lors de l'exercice subséquent à l'exercice au cours duquel la perte s'est produite, c'est-à-dire que la réalisation des économies est prévue en 2002. Un compte Actif d'impôts différés à court terme est habituellement inscrit au bilan à la fin ou près de la fin de la section Actifs à court terme. De plus, étant donné les écritures passées pour inscrire les économies résultant des reports de perte en arrière et en avant, les résultats augmentent de 81 500 $ (57 500 $ + 24 000 $).

c) Présentation de l'économie d'impôts dans l'état des résultats de 2005

Perte avant impôts	(225 000) $
Économie d'impôts	
Économie d'impôts exigibles découlant d'un report de perte en arrière	(57 500)
Économie d'impôts différés découlant d'un report de perte en avant	(24 000)
Économie d'impôts totale (voir note 1)	(81 500)
Perte nette	(143 500) $

Note 1

L'économie d'impôts de l'exercice 2005 se compose des éléments suivants:

Économie d'impôts selon le taux d'imposition en vigueur en 2005 (225 000 $ × 45 %)	(101 250)$
Diminution de l'économie d'impôts due à une variation des taux d'imposition des exercices précédents [(25 000 $ × 15 %) + (60 000 $ × 15 %) + (80 000 $ × 5 %)]	16 750
Diminution de l'économie d'impôts due à une variation des taux d'imposition de l'exercice suivant [60 000 $ × (45 % – 40 %)]	3 000
Économie d'impôts totale de l'exercice	(81 500)$

d) Présentation de la charge d'impôts dans l'état des résultats de 2006

Bénéfice avant impôts		70 000 $
Charge d'impôts		
Exigibles	4 000 $[a]	
Différés	24 000	28 000
Bénéfice net		42 000 $

[a] Perte fiscale de 2005	225 000 $
Report de perte en arrière – 2002	(25 000)
Report de perte en arrière – 2003	(60 000)
Report de perte en arrière – 2004	(80 000)
Report de perte en avant – 2006	(60 000)
Bénéfice imposable de 2006 avant report de perte en avant	70 000
Bénéfice imposable de 2006	10 000
Taux d'imposition en vigueur pour 2006	× 40 %
Passif d'impôts exigibles pour 2006	4 000 $

Aucune note complémentaire aux états financiers n'est requise en 2006 puisque le montant de la charge fiscale calculée en fonction du taux d'imposition en vigueur pour 2006 correspond au montant de la charge d'impôts totale figurant dans l'état des résultats de l'exercice considéré.

Problème 1-6

1. Impôts différés portés au bilan de la société Pivert ltée pour 2001

Écart temporaire	Montants imposables (déductions fiscales) futurs	Taux d'imposition	Impôts différés (Actif)	Impôts différés Passif
Premier	300 $	30 %[a]		90 $
Premier	300	30 %[b]		90
Premier	300	30 %[c]		90
Premier	300	35 %[d]		105
Premier	300	35 %[e]		105
Deuxième	(1 400)	35 %[d]	(490) $	____
Total	100 $		(490) $	480 $

a. Taux d'imposition pour 2002.
b. Taux d'imposition pour 2003.
c. Taux d'imposition pour 2004.
d. Taux d'imposition pour 2005.
e. Taux d'imposition pour 2006.

Présentation des impôts différés dans le bilan – 2001

Autres actifs (long terme)

Actif d'impôts différés 10 $

2. Impôts différés portés au bilan de la société Bec-croisé ltée pour 2001

Écart temporaire	Montants imposables (déductions fiscales) futurs	Taux d'imposition	Impôts différés (Actif)	Impôts différés Passif
Premier	300 $	30 %[a]		90 $
Premier	300	30 %[b]		90
Premier	300	30 %[c]		90
Premier	300	35 %[d]		105
Deuxième	(2 000)	30 %[c]	(600) $	____
Total	(800) $		(600) $	375 $

a. Taux d'imposition pour 2002.
b. Taux d'imposition pour 2003.
c. Taux d'imposition pour 2004.
d. Taux d'imposition pour 2005.

Présentation des impôts différés dans le bilan – 2001

Autres actifs (long terme)

Actif d'impôts différés 225 $

Problème 1-7

a) Écriture de journal – 2001 à 2003

Avant de calculer les impôts différés, on doit calculer le montant de l'écart temporaire existant à la clôture de chaque exercice:

	2001	2002	2003
Bénéfice comptable	130 000 $	70 000 $	70 000 $
Bénéfice imposable	90 000	90 000	90 000
Nouvel écart temporaire (résorption)	40 000	(20 000)	(20 000)
Écart temporaire à l'ouverture de l'exercice	0	40 000	20 000
Écart temporaire à la clôture de l'exercice	40 000 $	20 000 $	0

Bénéfice imposable pour 2001	90 000 $
Taux d'imposition en vigueur	× 35 %
Charge d'impôts exigibles pour 2001 (passif d'impôts exigibles)	31 500 $

Écart temporaire	Montants imposables (déductions fiscales) futurs	Taux d'imposition	Impôts différés (Actif)	Impôts différés Passif
Créances à tempérament	40 000 $	35 %		14 000 $

Passif d'impôts différés à la clôture de 2001	14 000 $
Passif d'impôts différés à l'ouverture de 2001	0
Charge d'impôts différés pour 2001	14 000 $

Charge d'impôts différés pour 2001	14 000 $
Charge d'impôts exigibles pour 2001	31 500
Charge totale d'impôts pour 2001	45 500 $

Écriture de journal – 2001

Charge d'impôts	45 500	
Passif d'impôts exigibles		31 500
Passif d'impôts différés		14 000

Écritures de journal – 2002

Écart temporaire à la clôture de 2001	40 000 $
Nouveau taux d'imposition en vigueur pour l'exercice suivant	× 30 %
Solde redressé du passif d'impôts à la clôture de 2001	12 000 $
Solde du passif d'impôts différés présenté antérieurement	14 000
Ajustement résultant de la diminution du taux d'imposition	(2 000)$

Bénéfice imposable pour 2002	90 000 $
Taux d'imposition en vigueur pour 2002	× 30 %
Charge d'impôts exigibles pour 2002 (passif d'impôts exigibles)	27 000 $

Écart temporaire	Montants imposables (déductions fiscales) futurs	Taux d'imposition	Impôts différés (Actif)	Passif
Créances à tempérament	20 000 $	30 %[b]		6 000 $

[b] Taux d'imposition en vigueur pour 2002

Passif d'impôts différés à la clôture de 2002	6 000 $
Passif d'impôts différés à l'ouverture de 2002 après ajustement (14 000 $ – 2 000 $)	12 000
Économie d'impôts différés pour 2002	(6 000)$

Économie d'impôts différés pour 2002	(6 000)$
Charge d'impôts exigibles pour 2002	27 000
Charge totale d'impôts pour 2002	21 000 $

Écritures de journal – 2002

Passif d'impôts différés	2 000	
Charge d'impôts		2 000

(Pour inscrire l'ajustement du solde du passif d'impôts différés causé par la diminution du taux d'imposition en vigueur)

Charge d'impôts	21 000	
Passif d'impôts différés	6 000	
Passif d'impôts exigibles		27 000

Écriture de journal – 2003

Bénéfice imposable pour 2003	90 000 $
Taux d'imposition en vigueur pour 2003	× 30 %
Charge d'impôts exigibles pour 2003 (passif d'impôts exigibles)	27 000 $

Écart temporaire	Montants imposables (déductions fiscales) futurs	Taux d'imposition	Impôts différés (Actif)	Passif
Créance à tempérament	– 0 –	30 %		– 0 – $

Passif d'impôts différés à la clôture de 2003	0 $
Passif d'impôts différés à l'ouverture de 2003	6 000
Économie d'impôts différés pour 2003	(6 000)$

Économie d'impôts différés pour 2003	(6 000)$
Charge d'impôts exigibles pour 2003	27 000
Charge totale d'impôts pour 2003	21 000 $

Écriture de journal – 2003

Charge d'impôts	21 000	
Passif d'impôts différés	6 000	
Passif d'impôts exigibles		27 000

b) Présentation des impôts dans le bilan au 31 décembre

2001

Passifs à court terme

Passif d'impôts différés (voir note 1) 14 000 $

Note 1

Le passif d'impôts différés à court terme à la clôture de 2001 provient de l'écart temporaire suivant:

Créances à tempérament 14 000 $

2002

Passifs à court terme

Passif d'impôts différés (voir note 1) 6 000 $

Note 1

Le passif d'impôts différés à court terme à la clôture de 2002 provient de l'écart temporaire suivant:

Créances à tempérament 6 000 $

2003

Il n'y a aucun passif d'impôts différés à inscrire à cette date.

c) Présentation de la charge d'impôts dans l'état des résultats – 2001 à 2003

2001

Bénéfice d'exploitation		130 000 $
Charge d'impôts		
Exigibles	31 500 $	
Différés	14 000	45 500
Bénéfice net		84 500 $

Aucune note complémentaire aux états financiers n'est requise en 2001 puisque le montant de la charge fiscale calculée en fonction du taux d'imposition en vigueur pour 2001 correspond au montant de la charge d'impôts totale figurant dans l'état des résultats de l'exercice considéré.

2002

Bénéfice d'exploitation		70 000 $
Charge d'impôts		
Exigibles	27 000 $	
Différés	(8 000)	
Totale (voir note 1)		19 000
Bénéfice net		51 000 $

Note 1

La charge fiscale de l'exercice 2002 se compose des éléments suivants:

Charge d'impôts selon le taux d'imposition en vigueur en 2002 (70 000 $ × 30 %)	21 000 $
Diminution des impôts différés résultant d'une diminution des taux d'imposition futurs (40 000 $ × 5 %)	(2 000)
Charge d'impôts totale de l'exercice	19 000 $

2003

Bénéfice d'exploitation		70 000 $
Charge d'impôts		
Exigibles	27 000 $	
Différés	(6 000)	21 000
Bénéfice net		49 000 $

Aucune note complémentaire aux états financiers n'est requise en 2003 puisque le montant de la charge fiscale calculée en fonction du taux d'imposition en vigueur pour 2003 correspond au montant de la charge d'impôts totale figurant dans l'état des résultats de l'exercice considéré.

Problème 1-8

a) Impôts différés portés au bilan de 2001

Écart temporaire	Montants imposables (déductions fiscales) futurs	Taux d'imposition	Impôts différés (Actif)	Impôts différés Passif
Amortissement	(40 000) $ [a]	40 %	(16 000) $	

[a]

	Amortissement comptable	Amortissement fiscal	Écart temporaire
2001	80 000 $	40 000 $	40 000 $ [b]
2002	80 000	80 000	0
2003	80 000	80 000	0
2004	80 000	80 000	0
2005	80 000	80 000	0
2006	0	40 000	(40 000)
Total	400 000 $	400 000 $	0 $

Note complémentaire aux états financiers:

1. L'actif d'impôts différés à long terme à la clôture de 2001 provient de l'écart temporaire suivant:

Excédent de la valeur fiscale sur la valeur comptable des actifs immobilisés	16 000 $

Habituellement, l'amortissement s'effectue plus rapidement à des fins fiscales; dans le cas présent, il y a un excédent de l'amortissement comptable lors de la première année d'amortissement (2001).

b) Écriture de journal – 2001

Le bénéfice imposable de 2001 s'élève à 350 000 $, soit les impôts exigibles de 140 000 $ pour 2001 divisé par le taux d'imposition de 2001, c'est-à-dire 40 %.

Bénéfice imposable pour 2001	350 000 $
Taux d'imposition en vigueur	× 40 %
Charge d'impôts exigibles pour 2001	140 000 $

Actif d'impôts différés à la clôture de 2001	16 000 $
Actif d'impôts différés à l'ouverture de 2001	0
Économie d'impôts différés pour 2001	(16 000) $
Charge d'impôts exigibles pour 2001	140 000
Charge totale d'impôts pour 2001	124 000 $

Écriture de journal – 2001

Charge d'impôts	124 000	
Actif d'impôts différés	16 000	
Passif d'impôts exigibles		140 000

c) Présentation de la charge d'impôts dans l'état des résultats – 2001

Bénéfice avant impôts		310 000 $[a]
Charge d'impôts		
Exigibles	140 000 $	
Différés	(16 000)	124 000
Bénéfice net		186 000 $

a	Bénéfice comptable (par différence)	310 000 $
	Excédent de l'amortissement à des fins comptables	40 000 [b]
	Bénéfice imposable [à partir de b) ci-dessus]	350 000 $

Aucune note complémentaire aux états financiers n'est requise en 2001 puisque le montant de la charge fiscale calculée en fonction du taux d'imposition en vigueur pour 2001 correspond au montant de la charge d'impôts totale figurant dans l'état des résultats de l'exercice considéré.

d) Impôts différés portés au bilan – 2002

Écart temporaire	Montants imposables (déductions fiscales) futurs	Taux d'imposition	Impôts différés (Actif)	Passif
Amortissement	(40 000) $	40 %	(16 000) $	
Loyer reçu d'avance	(75 000)	40 %	(30 000)	
Loyer reçu d'avance	(75 000)	40 %	(30 000)	
Total	(190 000) $		(76 000) $	

Écart temporaire	Impôts différés (Actif)	Passif	Compte du bilan	Classement
Amortissement	(16 000) $		Immobilisations	Long terme
Loyer reçu d'avance	(30 000) $		Loyer reçu d'avance	Court terme
Loyer reçu d'avance	(30 000)		Loyer reçu d'avance	Long terme
Total	(76 000) $			

Actifs à court terme

Actif d'impôts différés (voir note 1) 30 000 $

Autres actifs (long terme)

Actif d'impôts différés (voir note 1) 46 000 $[a]

a 30 000 $ + 16 000 $ = 46 000 $

Note 1

L'actif d'impôts différés à court terme et à long terme à la clôture de 2001 provient des écarts temporaires suivants:

Actif d'impôts différés à court terme

Excédent du produit de location inclus dans les déclarations fiscales	30 000 $

Actif d'impôts différés à long terme

Excédent du produit de location inclus dans les déclarations fiscales	30 000 $
Excédent de la valeur fiscale sur la valeur comptable des actifs immobilisés	16 000
Actif d'impôts différés à long terme	46 000 $

e) Écriture de journal – 2002

Le bénéfice imposable se chiffre à 280 000 $, soit les impôts exigibles de 112 000 $ pour 2002 divisé par le taux d'imposition de 2002, c'est-à-dire 40 %.

Bénéfice imposable pour 2002	280 000 $
Taux d'imposition pour 2002	× 40 %
Passif d'impôts exigibles pour 2002	112 000 $

Actif d'impôts différés à la clôture de 2002		76 000 $
Actif d'impôts différés à l'ouverture de 2002		16 000
Économie d'impôts différés pour 2002		(60 000)$

Économie d'impôts différés pour 2002		(60 000)$
Charge d'impôts exigibles pour 2002		112 000
Charge d'impôts pour 2002		52 000 $

Écriture de journal – 2002

Charge d'impôts	52 000	
Actif d'impôts différés	60 000	
Passif d'impôts exigibles		112 000

f) Présentation de la charge d'impôts dans l'état des résultats – 2002

Bénéfice avant impôts		130 000$[a]
Charge d'impôts		
Exigibles	112 000 $	
Différés	(60 000)	52 000
Bénéfice net		78 000 $

a Bénéfice avant impôts (par différence)	130 000 $
Excédent du loyer reçu sur le loyer non reçu	150 000
Bénéfice imposable [à partir de e)]	280 000 $

Aucune note complémentaire aux états financiers n'est requise en 2002 puisque le montant de la charge fiscale calculée en fonction du taux d'imposition en vigueur pour 2002 correspond au montant de la charge d'impôts totale figurant dans l'état des résultats de l'exercice considéré.

Problème 1-9

a) Bénéfice imposable – 2001

Bénéfice avant impôts	100 000 $
Écarts permanents:	
Amende relative à une effraction à la loi antipollution	3 500
Dividendes non imposables	(1 400)
Nouveaux écarts temporaires	
Excédent de la provision pour garanties (5 000 $ – 2 000 $)	3 000
Excédent de la marge brute comptable relative à des contrats de construction (92 000 $ – 62 000 $)	(30 000)
Excédent de la déduction pour amortissement fiscal (80 000 $ – 60 000 $)	(20 000)
Bénéfice imposable	55 100 $

b) Impôts différés portés au bilan de 2001

Écart temporaire	Montants imposables (déductions fiscales) futurs	Taux d'imposition	Impôts différés (Actif)	Impôts différés Passif
Frais de garantie	(3 000) $	40 %	(1 200) $	
Contrats de construction	30 000	40 %		12 000 $
Amortissement	20 000	40 %		8 000
Total	47 000 $		(1 200) $	20 000 $[a]

a. Étant donné le taux d'imposition uniforme, ces totaux peuvent être rapprochés: 47 000 $ × 40 % = (1 200) $ + 20 000 $.

c) Écriture de journal – 2001

Bénéfice imposable pour 2001	55 100 $
Taux d'imposition en vigueur	× 40 %
Passif d'impôts exigibles pour 2001	22 040 $
Passif d'impôts différés à la clôture de 2001	20 000 $
Passif d'impôts différés à l'ouverture de 2001	0
Charge d'impôts différés pour 2002	20 000 $
Actif d'impôts différés à la clôture de 2001	1 200 $
Actif d'impôts différés à l'ouverture de 2001	0
Économie d'impôts différés pour 2001	(1 200) $
Charge d'impôts différés pour 2001	20 000 $
Économie d'impôts différés pour 2001	(1 200)
Charge nette d'impôts différés pour 2001	18 800 $
Charge d'impôts exigibles pour 2001	22 040 $
Charge nette d'impôts différés pour 2001	18 800
Charge totale d'impôts pour 2001	40 840 $

Écriture de journal – 2001

	Débit	Crédit
Charge d'impôts	40 840	
Actif d'impôts différés	1 200	
Passif d'impôts différés		20 000
Passif d'impôts exigibles		22 040

d) Présentation de la charge d'impôts dans l'état des résultats de 2001

Bénéfice avant impôts		100 000 $
Charge d'impôts		
Exigibles	22 040 $	
Différés	18 800	
Totale (voir note 1)		40 840
Bénéfice net		59 160 $

Note 1

La charge fiscale de l'exercice 2001 se compose des éléments suivants:

Impôts selon le taux d'imposition prévu en 2001 (100 000 $ × 40 %)	40 000 $
Incidence fiscale des charges non déductibles (3 500 $ × 40 %)	1 400
Incidence fiscale des produits non imposables (1 400 $ × 40 %)	(560)
Charge d'impôts totale de l'exercice	40 840 $

DURÉES ET OBJECTIFS DES ÉTUDES DE CAS

Étude de cas 1-1 (15-20 minutes)

Objectif – Vérifier que l'étudiant est en mesure d'expliquer les objectifs de la comptabilisation des impôts dans les états financiers ainsi que les principes de base relatifs à l'atteinte de ces objectifs. L'étudiant doit également énumérer les différentes étapes du calcul annuel des impôts différés.

Étude de cas 1-2 (20-25 minutes)

Objectif – Vérifier que l'étudiant comprend les principes de la méthode des actifs et des passifs d'impôts et qu'il peut les appliquer, notamment en calculant et en classant dans le bilan des actifs et des passifs d'impôts différés.

Étude de cas 1-3 (20-25 minutes)

Objectif – Vérifier que l'étudiant comprend les notions d'écart temporaire et d'écart permanent. L'étudiant doit expliquer la nature de quatre écarts et pourquoi un écart est permanent ou temporaire. Il doit également examiner la nature et le classement des comptes d'impôts différés.

Étude de cas 1-4 (20-25 minutes)

Objectif – Vérifier que l'étudiant comprend les impôts différés qui résultent des écarts existants entre le bénéfice imposable et le bénéfice comptable. Cette étude de cas comporte une série d'éléments que l'étudiant doit classer comme écart temporaire ou écart permanent. De plus, pour chaque écart temporaire, l'étudiant doit indiquer s'il en résultera un montant imposable ou une déduction fiscale, et s'il en résultera un passif d'impôts différés ou un actif d'impôts différés.

Étude de cas 1-5 (20-25 minutes)

Objectif – Vérifier que l'étudiant comprend les impôts différés et leur présentation dans le bilan. Cette étude de cas est divisée en deux parties. Dans la première partie, l'étudiant doit indiquer, pour chacun des quatre éléments, si les impôts différés devraient être constatés. Dans la deuxième partie, il doit expliquer en vertu de quelles conditions les impôts différés seront classés dans le bilan comme un élément à long terme.

Étude de cas 1-6 (20-25 minutes)

Objectif – Vérifier que l'étudiant comprend la méthode servant à déterminer le taux d'imposition à utiliser dans le calcul des impôts différés, lorsque différents taux d'imposition sont promulgués pour divers exercices touchés par des écarts temporaires.

Étude de cas 1-7 (20-25 minutes)

Objectif – Vérifier que l'étudiant comprend les notions de montants imposables futurs et de déductions fiscales futures. Vérifier qu'il comprend également comment le report de perte en avant et le report de perte en arrière influent sur le calcul de l'actif et du passif d'impôts différés lorsque plusieurs taux d'imposition sont promulgués pour divers exercices touchés par des écarts temporaires.

SOLUTIONS DES ÉTUDES DE CAS

Étude de cas 1-1

a) Les objectifs de la comptabilisation des impôts sur les bénéfices sont:

1. Constater le montant d'impôts à payer ou à recouvrer pour l'exercice considéré;
2. Constater le passif et l'actif d'impôts différés qui représentent les effets fiscaux futurs d'événements pris en compte dans les états financiers ou dans les déclarations fiscales.

b) Pour atteindre ces objectifs, il faut appliquer les principes suivants:

1. On constate un passif ou un actif d'impôts exigibles correspondant au montant estimatif des impôts à payer ou à recouvrer d'après la déclaration fiscale de l'exercice considéré.
2. On constate un passif ou un actif d'impôts différés correspondant au montant estimatif des effets fiscaux futurs attribuables aux écarts temporaires et aux reports de perte en avant établis en fonction du taux d'imposition en vigueur pour chacun des exercices futurs.
3. On établit l'évaluation des actifs et des passifs d'impôts exigibles et d'impôts différés sur la base des lois fiscales et des taux d'imposition en vigueur; on ne peut prévoir les effets des amendements aux lois fiscales ainsi que les variations des taux d'imposition.
4. Au besoin, on réduit l'actif d'impôts différés afin de ne pas constater des économies d'impôts dont la réalisation n'est pas probable sur la base des données disponibles.

c) Les étapes du calcul annuel des impôts différés sont les suivantes:

1. Déterminer: 1) les types et les montants des écarts temporaires existants; 2) la nature et le montant de chaque type de perte d'exploitation et de report en avant de crédit d'impôt, et la durée restante de la période de report de perte en avant.
2. Mesurer le total du passif d'impôts différés découlant des écarts temporaires imposables, à l'aide du taux d'imposition moyen en vigueur.
3. Mesurer le total de l'actif d'impôts différés découlant des écarts temporaires déductibles et des reports en avant de perte d'exploitation, à l'aide du taux d'imposition moyen en vigueur.
4. Mesurer l'actif d'impôts différés pour chaque type de report en avant de crédit d'impôt.
5. Réduire l'actif d'impôts différés en constituant une provision pour moins-value, si, sur la base des données disponibles, il est plus probable qu'improbable qu'une partie ou que la totalité de l'actif d'impôts différés ne se réalisera pas. La moins-value devrait suffire à réduire l'actif d'impôts différés au montant dont la réalisation est jugée plus probable qu'improbable.

Étude de cas 1-2

a) Les principes de la méthode des actifs et passifs d'impôts sont les suivants:

1. On constate un passif ou un actif d'impôts exigibles correspondant au montant estimatif des impôts à payer ou à recouvrer d'après la déclaration fiscale de l'exercice considéré.
2. On constate un passif ou un actif d'impôts différés correspondant au montant estimatif des effets fiscaux futurs attribuables aux écarts temporaires et aux reports de perte en avant établis en fonction du taux d'imposition en vigueur pour chacun des exercices futurs.

3. On établit l'évaluation des actifs et des passifs d'impôts exigibles et d'impôts différés sur la base des lois fiscales et des taux d'imposition en vigueur; on ne peut prévoir les effets des amendements aux lois fiscales ainsi que les variations des taux d'imposition.

4. Au besoin, on réduit l'actif d'impôts différés afin de ne pas constater des économies d'impôts dont la réalisation n'est pas probable sur la base des données disponibles.

b) Poule d'eau ltée doit comptabiliser les écarts temporaires de la façon suivante:

1. Déterminer: 1) les types et les montants des écarts temporaires existants; 2) la nature et le montant de chaque type de perte d'exploitation et de report en avant de crédit d'impôt, et la durée restante de la période de report de perte en avant.

2. Mesurer le total du passif d'impôts différés découlant des écarts temporaires imposables, à l'aide du taux d'imposition moyen en vigueur.

3. Mesurer le total de l'actif d'impôts différés découlant des écarts temporaires déductibles et des reports en avant de perte d'exploitation, à l'aide du taux d'imposition moyen en vigueur.

4. Mesurer l'actif d'impôts différés pour chaque type de report en avant de crédit d'impôt.

5. Réduire l'actif d'impôts différés en constituant une provision pour moins-value, si, sur la base des données disponibles, il est plus probable qu'improbable qu'une partie ou que la totalité de l'actif d'impôts différés ne se réalisera pas. La moins-value devrait suffire à réduire l'actif d'impôts différés au montant dont la réalisation est jugée plus probable qu'improbable.

c) On doit inscrire dans le bilan les comptes d'impôts différés comme des actifs et des passifs. Il faut les classer comme un montant net à court terme et un montant net à long terme. À des fins de présentation de l'information financière, un passif ou un actif d'impôts différés est classé à court ou à long terme en fonction du classement de l'actif ou du passif correspondant. On estime qu'un actif ou un passif d'impôts différés est rattaché à un actif ou à un passif si la réduction de l'actif ou du passif entraîne une résorption de l'écart temporaire. Un actif ou un passif d'impôts différés qui n'est pas rattaché à un actif ou à un passif à des fins de présentation de l'information financière, incluant les actifs d'impôts différés rattachés à des reports de perte en avant, doit être classé en fonction de la date de résorption prévue de l'écart temporaire.

Poule d'eau ltée doit inscrire le passif d'impôts différés qui résulte de l'écart d'amortissement comme un passif à long terme, parce que l'actif correspondant (l'actif faisant l'objet d'un amortissement) est classé à long terme.

Enfin, pour ce qui est de l'actif d'impôts différés qui résulte du recouvrement à l'avance des loyers, Poule d'eau ltée doit l'inscrire comme un actif à court terme parce que l'obligation correspondante (produit comptabilisé d'avance) est classée comme un passif à court terme.

Étude de cas 1-3

a) 1. Écart temporaire. Les charges estimatives pour garanties pour une période de trois années réduiront non seulement le bénéfice comptable de l'exercice considéré, mais également le bénéfice imposable, selon des montants variables, de chaque exercice respectif au fur et à mesure que les frais seront engagés. Si l'estimation des charges pour garanties est valide, le total des montants déduits à des fins comptables et à des fins fiscales sera identique pour chaque période de trois ans d'une garantie donnée. Cela est un exemple de charge qui, au cours du premier exercice, réduit davantage le bénéfice comptable que le bénéfice imposable et qui, lors des exercices subséquents, donne lieu à une résorption. Ce type d'écart temporaire produira des déductions fiscales futures qui entraîneront la constatation d'un actif d'impôts différés.

Une autre façon d'évaluer cette situation consiste à comparer la valeur comptable du passif associé à la provision pour garanties avec sa valeur fiscale (qui est de zéro). Lorsque le passif fait l'objet d'un règlement lors d'un exercice futur, une charge sera reconnue à des fins fiscales, mais aucune ne sera constatée à des fins comptables. Par conséquent, le règlement futur du passif entraînera des économies résultant de déductions fiscales.

2. Écart temporaire. S'il y a recouvrement du montant inscrit relatif à l'actif (par l'utilisation ou la vente du bien), la différence entre la valeur fiscale et le montant porté au bilan (valeur comptable) du bien amortissable résultera en des montants imposables ou en des déductions fiscales lors d'exercices futurs; par conséquent, il s'agit d'un écart temporaire.

3. Écart temporaire et écart permanent. La quote-part de la société participante lui donnant droit aux bénéfices qu'a réalisés la société émettrice (autre qu'une filiale ou une coentreprise) est comptabilisée selon la méthode de comptabilisation à la valeur de consolidation (mise en équivalence) et est incluse dans le bénéfice comptable. Toutefois, le profit ou la perte résultant de la participation dans la société émettrice ne sera inclus dans le bénéfice imposable qu'au moment de la cession du placement. Du montant inclus dans le bénéfice comptable, 50 % constitue un écart permanent correspondant à la portion non imposable de la plus-value et 50 % représente un écart temporaire correspondant à la portion de la plus-value qui sera imposable dans le futur lorsque le placement sera cédé. À l'heure actuelle, les lois fiscales canadiennes exonèrent la plus-value de 50 %. De plus, toujours en vertu des lois fiscales canadiennes, les dividendes reçus de sociétés canadiennes imposables sont exonérés d'impôts. Comme ils sont inclus dans le calcul du résultat comptable, ils constituent un écart permanent.

4. Écart permanent. Une amende n'est pas déductible du point de vue de la fiscalité, car cela ne constitue pas une charge encourue dans le but de gagner un revenu. Par conséquent, il n'y a pas lieu de créer un compte d'actif ou de passif d'impôts différés, puisque cet écart ne se résorbera jamais.

b) On inscrit dans le bilan les comptes d'impôts différés comme des actifs et des passifs. Les passifs d'impôts différés représentent les effets fiscaux futurs des écarts temporaires imposables, tandis que les actifs d'impôts différés représentent les effets fiscaux futurs des écarts temporaires déductibles. Il faut les classer comme un montant net à court terme et un montant net à long terme. À des fins de présentation de l'information financière, un passif ou un actif d'impôts différés est classé à court ou à long terme en fonction du classement de l'actif ou du passif correspondant. On estime qu'un actif ou un passif d'impôts différés est rattaché à un actif ou à un passif si la réduction de l'actif ou du passif entraîne une résorption de l'écart temporaire. Un actif ou un passif d'impôts différés qui n'est pas rattaché à un actif ou à un passif à des fins de présentation de l'information financière, incluant les actifs d'impôts différés rattachés à des reports de perte en avant, doit être classé en fonction de la date prévue de résorption de l'écart temporaire.

Par la suite, on additionne les différents actifs et passifs d'impôts différés classés dans le court terme. Si le résultat net est un actif, on inscrit ce résultat dans l'actif à court terme. Si le résultat net est un passif, on inscrit ce résultat dans le passif à court terme. D'autre part, on additionne les différents actifs et passifs classés dans le long terme. Si le résultat net est un actif, on inscrit ce résultat dans l'actif à long terme. Si le résultat net est un passif, on inscrit ce montant dans le passif à long terme.

Étude de cas 1-4

	a)	b)	c)
1.	Écart temporaire	Déductions fiscales futures	Actif d'impôts différés
2.	Écart temporaire	Déductions fiscales futures	Actif d'impôts différés
3.	Écart permanent	Aucun effet futur	Aucun effet fiscal futur
4.	Écart temporaire	Montants imposables futurs	Passif d'impôts différés
5.	Écart permanent	Aucun effet futur	Aucun effet fiscal futur
6.	Écart temporaire	Montants imposables futurs	Passif d'impôts différés
7.	Écart temporaire	Montants imposables futurs	Passif d'impôts différés
8.	Écart permanent	Aucun effet futur	Aucun effet fiscal futur
9.	Écart permanent	Aucun effet futur	Aucun effet fiscal futur
10.	Écart permanent	Aucun effet futur	Aucun effet fiscal futur

11.	Écart permanent	Aucun effet futur	Aucun effet fiscal futur
12.	Écart permanent	Aucun effet futur	Aucun effet fiscal futur
13.	Écart temporaire	Montants imposables futurs	Passif d'impôts différés
14.	Écart temporaire	Montants imposables futurs	Actif d'impôts différés
15.	Écart temporaire	Montants imposables futurs	Passif d'impôts différés

Étude de cas 1-5

Première partie

a) On inscrit les impôts différés dans les états financiers lorsqu'il existe des écarts temporaires à la date de clôture des comptes. Les écarts permanents n'entraînent jamais l'inscription d'impôts différés.

Les incidences fiscales découlant de la plupart des événements constatés dans les états financiers lors d'un exercice sont incluses dans le calcul des impôts exigibles. Toutefois, il existe souvent un écart entre les lois fiscales et les normes comptables (les PCGR), et des différences peuvent se produire entre: 1) le montant du bénéfice imposable et celui du bénéfice comptable pour un exercice, et 2) la valeur fiscale des actifs ou des passifs et leur valeur comptable. Un principe fondamental sous-jacent à l'établissement du bilan préparé conformément aux PCGR suppose que les montants d'actif et de passif inscrits seront recouvrés ou réglés, selon le cas, pour une valeur au moins égale à leur valeur comptable. Ainsi, une différence entre la valeur fiscale d'un actif ou d'un passif et sa valeur comptable produira lors d'exercices futurs des montants imposables ou des déductions fiscales au moment du recouvrement des montants d'actif et du règlement des montants de passif.

L'augmentation des impôts exigibles lors d'exercices futurs qui résulte d'écarts temporaires imposables existants à la date de clôture des comptes entraîne l'inscription d'un passif d'impôts différés. Les écarts temporaires les plus fréquents se produisent lors de l'inclusion des produits ou des charges dans le bénéfice imposable de l'exercice qui précède ou qui suit l'exercice au cours duquel ces produits ou charges sont inclus dans le bénéfice comptable.

b) 1. Les profits sur ventes à tempérament sont constatés dans l'exercice au cours duquel la vente a eu lieu, alors qu'ils sont inclus dans le bénéfice imposable de l'exercice au cours duquel le recouvrement se produit. Tant qu'il existe des écarts temporaires imposables à la clôture des comptes, on doit inscrire des passifs d'impôts différés dans le bilan.

2. Produits issus de contrats de construction à long terme. On doit constater des impôts différés dès que les produits sur les contrats de construction à long terme sont constatés selon la méthode de l'avancement des travaux, alors qu'ils sont reportés à des fins fiscales.

3. Provision pour frais de garantie sur les produits. Habituellement, on doit constater des impôts différés parce qu'on comptabilise les frais estimatifs des contrats de garantie de produits dans l'exercice au cours duquel la vente a eu lieu, alors que les autorités fiscales les admettent en déduction du bénéfice fiscal au moment où le versement a lieu.

4. Primes versées pour l'assurance-vie des dirigeants de la société Roitelet ltée, qui en est la bénéficiaire. Comme il s'agit d'un écart permanent, on ne doit constater aucun impôt différé. Les primes versées pour l'assurance-vie des dirigeants de la société Roitelet ltée, qui en est la bénéficiaire, sont portées en charges pour l'exercice considéré, mais ne constituent pas une charge déductible à des fins fiscales.

Deuxième partie

On classe dans le bilan les impôts différés qui sont rattachés à un actif ou à un passif à court terme comme un élément à court terme et ceux qui sont rattachés à un actif ou à un passif à long terme comme un élément à long terme. Les impôts différés sont rattachés à un actif ou à un passif si une réduction de l'actif ou du passif en question entraîne une résorption de l'écart temporaire sous-jacent.

En revanche, pour ce qui est des impôts différés qui ne sont pas rattachés à un actif ou à un passif parce 1) qu'il n'y a aucun actif ou passif correspondant ou 2) que la réduction de l'actif ou du passif correspondant n'entraîne aucune résorption de l'écart temporaire, on les classera en fonction de la date prévue de la résorption de cet écart temporaire. Si la date prévue de résorption va au-delà d'un exercice (ou du cycle d'exploitation normal), il faut alors classer les impôts différés à long terme. On classe dans le bilan les soldes des comptes d'impôts différés en deux catégories : le montant net à court terme et le montant net à long terme. On additionne d'une part les différents actifs et passifs d'impôts différés à court terme. Si le résultat net est un actif, on l'inscrit dans l'actif à court terme. Si le résultat net est un passif, on l'inscrit dans le passif à court terme. On procède de la même manière pour les différents actifs et passifs d'impôts différés à long terme.

Étude de cas 1-6

a) On utiliserait le taux d'imposition de 45 % dans le calcul du passif d'impôts différés au 31 décembre 2001, si une perte fiscale d'exploitation qui est prévue en 2002 était reportée en 2001 (le taux d'imposition en vigueur en 2001 est de 45 %).

   (Voir la section «Commentaire», ci-dessous.)

b) On utiliserait le taux d'imposition de 40 % dans le calcul du passif d'impôts différés au 31 décembre 2001, si un bénéfice imposable était prévu en 2002 (le taux d'imposition en vigueur pour 2002 est de 40 %, et 2002 est l'exercice au cours duquel on prévoit un montant imposable futur).

   (Voir la section «Commentaire», ci-dessous.)

c) On utiliserait un taux d'imposition de 34 % dans le calcul du passif d'impôts différés au 31 décembre 2001, si une perte fiscale d'exploitation survenue en 2002 était reportée en 2003 (le taux d'imposition en vigueur pour 2004 est de 34 %).

   (Voir la section «Commentaire», ci-dessous.)

Commentaire:

Au moment de déterminer les effets fiscaux des écarts temporaires, il est utile de préparer un tableau qui indique dans quels exercices futurs les écarts temporaires existants donneront lieu à des montants imposables ou à des déductions fiscales. On applique le taux d'imposition en vigueur approprié à ces montants imposables futurs et à ces déductions fiscales futures. Pour déterminer le taux d'imposition approprié, on doit se demander si l'entité inscrira un bénéfice imposable ou des pertes fiscales dans les différents exercices futurs au cours desquels on prévoit que l'effet de la résorption des écarts temporaires existants se fera sentir. Par conséquent, on calcule les impôts à payer ou à recouvrer au cours des exercices futurs en raison d'écarts temporaires existants à la clôture de l'exercice considéré. Ces calculs tiennent compte des lois fiscales et des taux d'imposition en vigueur pour les exercices appropriés.

Pour les montants imposables futurs:

1. Si un bénéfice imposable est prévu dans l'exercice au cours duquel un montant imposable futur est prévu, on utilise le taux en vigueur pour cet exercice dans le calcul du passif d'impôts différés correspondant.

2. Si une perte fiscale d'exploitation est prévue dans l'exercice au cours duquel un montant imposable futur est prévu, on utilise le taux le plus approprié pour calculer le passif d'impôts différés correspondant, c'est-à-dire le taux en vigueur de l'exercice précédent si l'entreprise décide de procéder à un report en arrière de cette perte ou le taux en vigueur de l'exercice suivant si l'entreprise décide de procéder à un report de perte en avant.

Pour les déductions fiscales futures:

1. Si un bénéfice imposable est prévu dans l'exercice au cours duquel une déduction fiscale future est prévue, on utilise le taux en vigueur pour cet exercice dans le calcul de l'actif d'impôts différés correspondant.

2. Si une perte fiscale d'exploitation est prévue dans l'exercice au cours duquel une déduction fiscale future est prévue, on utilise le taux le plus approprié pour calculer l'actif d'impôts différés correspondant, c'est-à-dire le taux en vigueur de l'exercice précédent si l'entreprise décide de procéder à un report en arrière de cette perte ou le taux en vigueur de l'exercice suivant si l'entreprise décide de procéder à un report de perte en avant.

Étude de cas 1-7

a) Les montants imposables futurs font augmenter le résultat fiscal par rapport au résultat comptable au cours des exercices futurs. Les déductions fiscales futures diminueront le résultat fiscal par rapport au résultat comptable au cours des exercices futurs.

Les effets fiscaux attribuables aux montants imposables futurs prévus entraînent l'inscription d'un passif d'impôts différés, et les effets fiscaux attribuables aux déductions fiscales futures prévues entraînent l'inscription d'un actif d'impôts différés.

b) Le report en arrière et le report en avant ont un effet sur les montants à inscrire pour l'actif et le passif d'impôts différés.

Pour mesurer les comptes d'impôts différés à la date de clôture des comptes, on applique le taux d'imposition approprié aux montants imposables et aux déductions fiscales futurs découlant des écarts temporaires existants à la date de clôture des comptes. Pour déterminer le taux d'imposition approprié, on doit se demander si l'entité réalisera un bénéfice imposable ou subira une perte fiscale dans les différents exercices futurs au cours desquels il est prévu que l'effet de la résorption des écarts temporaires existants se fera sentir. Par conséquent, on calcule le passif d'impôts à payer ou à recouvrer au cours des exercices futurs en raison d'écarts temporaires existants. Ces calculs tiennent compte des lois fiscales et des taux d'imposition en vigueur pour les exercices appropriés.

Pour les montants imposables futurs:

1. Si un bénéfice imposable est prévu dans l'exercice au cours duquel un montant imposable futur est prévu, on utilise le taux en vigueur pour cet exercice dans le calcul du passif d'impôts différés correspondant.
2. Si une perte fiscale d'exploitation est prévue dans l'exercice au cours duquel un montant imposable futur est prévu, on utilise le taux le plus approprié pour calculer le passif d'impôts différés correspondant, c'est-à-dire le taux en vigueur de l'exercice précédent si l'entreprise décide de procéder à un report en arrière de cette perte ou le taux en vigueur de l'exercice suivant si l'entreprise décide de procéder à un report de perte en avant.

Pour les déductions fiscales futures:

1. Si un bénéfice imposable est prévu dans l'exercice au cours duquel une déduction fiscale future est prévue, on utilise le taux en vigueur pour cet exercice dans le calcul de l'actif d'impôts différés correspondant.
2. Si une perte fiscale d'exploitation est prévue dans l'exercice au cours duquel une déduction fiscale future est prévue, on utilise le taux le plus approprié pour calculer l'actif d'impôts différés correspondant, c'est-à-dire le taux en vigueur de l'exercice précédent si l'entreprise décide de procéder à un report en arrière de cette perte ou le taux en vigueur de l'exercice suivant si l'entreprise décide de procéder à un report de perte en avant.

EXERCEZ VOTRE JUGEMENT

PROBLÈME DE COMPTABILITÉ: LA SOCIÉTÉ NESTLÉ

(Tous les chiffres sont en millions de CHF.)

a) 1. État des résultats de 2001

Charge d'impôts	2 429 $

2. Bilan de 2001

Actifs à long terme	
Actifs d'impôts différés à long terme	1 918
Passifs à court terme	
Impôts à payer	854
Passifs à long terme	
Passifs d'impôts différés	1 301

3. État des flux de trésorerie de 2001

Activités d'exploitation	
Augmentation/(diminution) des provisions et des impôts différés	(92)

b)

	2001	2000
Taux d'imposition effectif:	$\frac{2\,429}{8\,767} = 27{,}7\ \%$	$\frac{2\,761}{8\,341} = 33{,}1\ \%$
Taux d'imposition moyen en vigueur:	$\frac{2\,235}{8\,767} = 22{,}5\ \%$	$\frac{2\,390}{8\,341} = 28{,}6\ \%$

Les deux éléments qui ont contribué à faire augmenter le taux d'imposition effectif en 2000 et 2001 sont l'amortissement non déductible de l'écart d'acquisition et les autres impôts, incluant l'impôt sur les transferts de revenus. Certains éléments non imposables ont cependant contribué à amoindrir l'augmentation du taux d'imposition effectif.

On note toutefois que le taux d'imposition effectif de la société a diminué de presque 5 % en 2001, en raison d'une diminution des autres impôts et d'une augmentation des éléments non imposables par rapport à l'exercice 2000.

c) Une portion importante de la charge totale d'impôts (qui est de 2 429 CHF) est exigible, soit 2 167 CHF, alors que l'autre est différée.

d) La société Nestlé mentionne dans les notes complémentaires la nature et les effets fiscaux des écarts temporaires des pertes fiscales inutilisées ainsi que tous les éléments de compensation significatifs pris en compte dans la détermination du solde net des actifs et des passifs d'impôts différés.

On constate toutefois que les actifs et passifs d'impôts différés ne sont pas ventilés entre le court terme et le long terme.

Notons enfin le fait qu'une partie importante des écarts temporaires tant imposables que déductibles n'ont pas été comptabilisés en 2001 dont:

- 7 357 M CHF sur participation dans les sociétés affiliées;
- 1 467 M CHF sur pertes fiscales et crédits d'impôt non récupérés.

Des sommes semblables n'ont pas été constatées en 2000.

ANALYSE D'ÉTATS FINANCIERS

Bilan du 31 décembre 2000

a) Microcell a inscrit 4 589 000 $ de passif d'impôts différés à long terme et aucun passif d'impôts différés à court terme. Elle n'a donc que des actifs et des passifs d'impôts différés à long terme.

b) D'après la note 2, «Sommaire des principales conventions comptables», la société utilise la méthode indirecte ou «approche de la moins-value», pour comptabiliser ses actifs d'impôts différés. Elle consiste à comptabiliser la totalité de l'actif d'impôts différés et à inscrire une provision pour moins-value afin de ramener l'actif d'impôts différés au montant dont la réalisation est jugée plus probable qu'improbable. Cette méthode donne davantage d'informations aux utilisateurs des états financiers.

Microcell indique que la totalité de ses actifs d'impôts différés se chiffre à 562 864 000 $ et qu'une provision de 543 631 000 $ est nécessaire pour ramener l'actif d'impôts différés à sa valeur de réalisation. Elle ne constate donc que 19 233 000 $ de ses actifs d'impôts différés.

c) Au 31 décembre 2000, à des fins fiscales, la société disposait de pertes d'exploitation nettes reportées qui venaient à échéance comme suit: 33 100 000 $ en 2002; 149 300 000 $ en 2003; 288 700 000 $ en 2004; 288 900 000 $ en 2005; 57 900 000 $ en 2006; 278 900 000 $ en 2007. De plus, au 31 décembre 2000, la société bénéficiait d'écarts temporaires déductibles d'environ 402 007 000$.

Taux d'imposition prévu: 37,5 % × 1 498 807 000 = 562 052 625 $

Elle n'a pas constaté tous les effets fiscaux des reports de perte et des écarts temporaires déductibles, car il est plus probable qu'improbable qu'une partie seulement de ces éléments se matérialiseront dans le futur. L'échéance des reports de perte en avant s'échelonne de 2002 à 2007.

État des résultats du 31 décembre 2000

a) La société présente une économie totale d'impôts de 115 515 000 $ pour l'exercice 2000 et une charge d'impôts exigibles de 1 453 000 $. Elle a donc bénéficié d'une économie d'impôts différés de 116 968 000 $ découlant d'un report en arrière.

b)

$$\text{Taux d'imposition effectif: } \frac{(115\,515\,000)}{(365\,899\,000)} = 31{,}6\ \%$$

La société fournit dans des notes complémentaires tous les éléments qui permettent de rapprocher le taux d'imposition prévu par la loi, soit 37,5 %, du taux d'imposition effectif de 31,6 %. Les principaux éléments qui ont contribué à faire augmenter l'économie d'impôts de 2000 sont des écarts permanents liés à l'acquisition d'éléments d'actifs et de biens immobilisés. Les principaux éléments qui ont contribué à réduire l'économie d'impôts de 2000 sont les économies d'impôts non constatées découlant de reports de perte en avant.

ANALYSE COMPARATIVE

(Tous les chiffres sont en millions de dollars américains)

a) État des résultats (partiel) de 2001

	Coca-Cola	PepsiCo
Charge d'impôts		
Exigibles	1 635 $	1 205 $
Différés	56	162
Charge totale d'impôts	1 691 $	1 367 $

b) En 2001, le taux d'imposition fédéral américain en vigueur s'élevait à 35 %; celui de Coca-Cola s'élevait à 33,9 % et celui de PepsiCo à 29,8 %.

Plusieurs éléments peuvent faire varier le taux d'imposition effectif d'une société, comme on peut le constater dans le tableau de rapprochement du taux d'imposition en vigueur et du taux d'imposition effectif, qui figure dans les notes complémentaires relatives aux impôts des deux sociétés. Pour les deux sociétés, le taux d'imposition de l'État a fait augmenter le taux d'imposition de 1 %, et les taux imposés sur les résultats étrangers l'ont fait diminuer d'environ 4,3 %. Dans le cas de PepsiCo, l'amortissement non déductible de l'écart d'acquisition et certains frais de restructuration non déductibles ont fait augmenter le taux d'imposition de 2,3 %.

c) Bilan du 31 décembre 2001

	Coca-Cola	PepsiCo
Actifs d'impôts différés bruts	1 553 $	1 681 $
Moins: Provision pour moins-value	(563)	(529)
	990 $	1 152 $
Passifs d'impôts différés bruts	1 020 $	2 257 $
Passifs d'impôts différés nets	30 $	1 105 $

d) Coca-Cola et PepsiCo indiquent toutes deux dans des notes complémentaires qu'elles disposent, à des fins fiscales, d'une économie d'impôts différés découlant d'un report de perte en avant qui n'a pas entièrement été constaté dans les états financiers. Ces économies d'impôts proviennent de certaines filiales internationales. Plus précisément, Coca-Cola dispose de 1 229 M USD de reports de perte en avant dont 440 M USD doivent être utilisés d'ici 5 ans et 789 M USD peuvent être reportés indéfiniment. De son côté, PepsiCo dispose de 3,2 milliards de dollars américains, dont 0,1 milliard expire en 2002 et 2,8 n'ont pas d'échéance. De plus, PepsiCo dispose d'un report en avant d'un crédit d'impôt non utilisé de 90 M USD, qui vient à échéance d'ici 2011.

TRAVAIL DE RECHERCHE

Cas 1

Les réponses varieront en fonction des entreprises que les étudiants auront choisies.

Cas 2

a) Le principal problème tient à la difficulté de déterminer si le passif d'impôts différés constitue un véritable passif. Pour les entreprises en croissance, les nouveaux écarts temporaires au cours d'une période donnée excéderont les résorptions d'écarts temporaires au cours de la même période. Le cas échéant, les écarts temporaires nets ne requièrent ainsi aucun décaissement. Même si un décaissement est requis au cours d'un exercice futur, un autre problème concerne le fait que le passif est surévalué puisqu'il n'est pas inscrit à sa valeur actualisée.

b) Certains analystes traiteront un passif d'impôts différés comme des capitaux propres et non comme une dette parce que la charge d'impôts originale était surévaluée. D'autres analystes avancent que traiter le passif d'impôts différés comme une dette est approprié puisque cela constitue une approche d'analyse plus prudente. D'autres enfin considèrent qu'il est approprié de traiter le passif d'impôts différés en partie comme une dette et en partie comme des capitaux propres si on considère qu'il y a une forte probabilité de résorption de l'écart temporaire.

PROBLÈME DE DÉONTOLOGIE

a) Pour constater un passif d'impôts différés relativement important, Autruche ltée doit utiliser une méthode d'amortissement dégressif aux fins fiscales et la méthode de l'amortissement linéaire aux fins comptables. Une fois l'écart temporaire résorbé, le bénéfice imposable excède le bénéfice comptable. Autruche ltée doit alors acquitter les impôts que la société a «différés» dans les exercices au cours desquels l'amortissement fiscal excédait l'amortissement comptable. Pour éviter que cela se produise, Autruche ltée doit vendre ses immobilisations. La société inscrit alors un profit sur cette vente, mais cette plus-value est probablement imposée à des taux d'imposition plus avantageux. Si Autruche ltée fait l'acquisition de nouvelles immobilisations et utilise de nouveau l'amortissement dégressif aux fins fiscales et l'amortissement linéaire aux fins comptables, la société continuera à «différer» ses impôts.

b) Différer des impôts signifie qu'une différence entre les normes comptables (PCGR) et la loi fiscale entraîne des écarts temporaires, lesquels permettent à une entreprise de cesser de payer des impôts (ou de profiter d'une économie d'impôts) lors d'exercices futurs. La pratique qui consiste à céder des actifs avant que les écarts temporaires ne se résorbent signifie qu'une entreprise peut verser moins d'impôts à l'Administration fiscale.

c) L'État est la partie en cause susceptible d'être le plus touchée par les pratiques d'Autruche ltée, car celles-ci feront qu'il recevra moins d'impôts. En fin de compte, ce sont les autres contribuables qui devront payer plus. De plus, si l'immobilisation de remplacement est très coûteuse à acquérir, les flux de trésorerie s'en trouveront réduits. Même si l'effet reste minime, les investisseurs et les créanciers seront donc touchés de manière négative.

d) En sa qualité d'experte-comptable, Danielle doit faire preuve d'objectivité et d'intégrité dans la présentation de l'information financière. Si elle juge que cette pratique est contraire à l'éthique, elle doit communiquer ses inquiétudes à la haute direction d'Autruche ltée, incluant les membres du conseil d'administration et du comité de vérification (audit). Toutefois, dans le cas présent, il semble qu'Autruche ltée tente simplement de minimiser ses impôts, ce qui n'est pas contraire à la déontologie.

CHAPITRE 2 LES AVANTAGES SOCIAUX FUTURS

CLASSEMENT DES TRAVAUX

	Sujets	Questions	Exercices courts	Exercices	Problèmes	Études de cas
1.	Définitions et notions fondamentales relatives aux avantages sociaux futurs	1, 2, 3, 4, 5, 6, 7, 8, 9, 10, 11, 12, 13, 14, 15, 16, 29, 34, 38				1, 2, 3
2.	Préparation d'un tableau du régime de retraite		3	3, 4, 7, 10, 14	1, 2, 6, 7, 8	
3.	Calcul de la charge de retraite, écritures de journal	17, 18, 19, 20, 21, 22, 24	1, 4	1, 2, 3, 6, 11, 12, 13, 14, 15, 16	1, 2, 3, 4, 5	4, 5, 6, 7, 8
4.	Charge de retraite, présentation dans le bilan	23, 27, 28	2	3, 9, 11, 12, 13, 14	2, 3, 4, 5	4, 5, 6, 7, 8
5.	Coût des services passés	20, 21	5, 10, 11, 12	1, 2, 3, 5, 9, 11, 12, 13, 14, 16	1, 2, 3, 5, 6	1
6.	Calcul des gains et pertes actuariels	22, 24, 25	7	8, 9, 13, 15, 16	1, 2, 3, 4, 5, 6, 7	4, 5, 6, 8
7.	Amortissement des gains et pertes actuariels selon la méthode du couloir	26	7	8, 13, 15	3, 4, 5, 6, 7	3, 6, 7, 9
8.	Montant transitoire			16	3, 5, 7	5
9.	Tableau de rapprochement	30	6	3, 9, 10, 13, 14, 16	1, 2, 3, 5, 7	
10.	Informations à fournir dans les notes complémentaires				5, 7	3, 5, 8
11.	Régime d'avantages complémentaires de retraite	16, 31, 32, 33, 34	8, 9	17, 18, 19, 20	8, 9	6
12.	Autres types de régimes d'avantages sociaux futurs	35, 36, 40				
13.	Provision pour moins-value sur la valeur comptable de l'actif au titre des prestations constituées	37			10	
14.	Règlement de régime	38, 39			11, 12	

15.	Compression de régime	38, 39			13	
*16.	Passif minimal au titre des prestations constituées	41, 42, 43	10, 11, 12	21, 22, 23, 24, 25	14, 15, 16, 17, 18, 19, 20	2, 8
17.	Régime contributif	1		11	5, 6, 7, 10, 11, 12, 13	1

***Note**: Ce sujet se rapporte à la matière vue dans l'annexe de ce chapitre.

CARACTÉRISTIQUES DES TRAVAUX

Numéro	Description	Degré de difficulté	Durée (minutes)
E2-1	Calcul de la charge de retraite, écriture de journal	Facile	5-10
E2-2	Calcul de la charge de retraite	Facile	5-10
E2-3	Préparation d'un tableau du régime de retraite et d'un tableau de rapprochement	Facile	10-15
E2-4	Tableau du régime de retraite	Facile	10-15
E2-5	Application de la méthode d'amortissement linéaire calculé sur la durée résiduelle moyenne d'activité du groupe de salariés actifs	Facile	10-15
E2-6	Calcul du rendement réel des actifs du régime	Facile	10-15
E2-7	Tableau du régime de retraite	Modéré	15-20
E2-8	Application de la méthode du couloir	Modéré	10-15
E2-9	Informations à fournir: charge de retraite et tableau de rapprochement	Modéré	15-20
E2-10	Tableau du régime de retraite et tableau de rapprochement	Modéré	20-25
E2-11	Calcul de la charge de retraite avec régime contributif, écriture de journal, présentation des états financiers	Modéré	15-20
E2-12	Calcul de la charge de retraite, gains et pertes actuariels sur l'obligation, écritures de journal, présentation des états financiers	Modéré	20-25
E2-13	Calcul du rendement réel des actifs du régime, gains et pertes actuariels, test du couloir, amortissement du coût des services passés, calcul de la charge de retraite et tableau de rapprochement	Modéré	25-30
E2-14	Tableau des régimes de retraite, tableau de rapprochement et écritures de journal pour les données de E2-13	Modéré	35-40
E2-15	Amortissement des pertes et gains actuariels [méthode du couloir]	Modéré	15-20
E2-16	Amortissement de l'obligation transitoire et des gains et pertes actuariels nets [méthode du couloir], calcul de la charge de retraite	Modéré	20-25
E2-17	Calcul de la charge complémentaire de retraite et amortissement de l'obligation transitoire	Facile	10-12
E2-18	Calcul de la charge complémentaire de retraite	Facile	10-12
E2-19	Tableau du régime d'avantages complémentaires de retraite	Facile	15-20
E2-20	Tableau de rapprochement des avantages complémentaires de retraite	Modéré	10-15
*E2-21	Calcul du passif minimal, écriture de journal	Facile	10-15
*E2-22	Calcul de la charge de retraite, passif minimal, écritures de journal	Modéré	15-20

*E2-23	Charge de retraite, passif minimal, écritures de journal, présentation des états financiers	Modéré	30-40
*E2-24	Passif minimal, écritures de journal, présentation du bilan	Modéré	20-25
*E2-25	Tableau de rapprochement, passif minimal avec ou sans perte actuarielle nette non amortie	Modéré	20-25
P2-1	Modification de régime, tableau du régime de retraite et tableau de rapprochement pour deux exercices	Modéré	30-40
P2-2	Modification de régime, gains et pertes actuariels, tableau du régime de retraite, écritures de journal et tableaux de rapprochement pour trois exercices	Modéré	50-60
P2-3	Montant transitoire, gains et pertes actuariels, calcul de la charge de retraite, écritures de journal et tableau de rapprochement	Modéré	30-35
P2-4	Charge de retraite, amortissement des gains et pertes actuariels [méthode du couloir] et écritures de journal pour trois exercices	Modéré	35-45
P2-5	Calcul de l'amortissement du coût des services passés et du montant transitoire, des gains et pertes actuariels [test du couloir], et de la charge de retraite, écritures de journal, tableau de rapprochement et notes complémentaires	Modéré	55-65
P2-6	Tableau du régime de retraite, calcul des gains et pertes actuariels [méthode du couloir]	Modéré	45-55
P2-7	Tableau du régime de retraite, calcul des gains et pertes actuariels [méthode du couloir], actif transitoire, amortissement du coût des services passés, écritures de journal, tableau de rapprochement pour deux exercices et notes complémentaires	Modéré	60-65
P2-8	Tableau du régime d'avantages complémentaires de retraite, modification du régime, écritures de journal et tableau de rapprochement pour deux exercices	Modéré	55-60
P2-9	Tableau du régime d'avantages complémentaires de retraite et tableau de rapprochement	Modéré	40-45
P2-10	Tableau du régime de retraite, calcul des gains et pertes actuariels, méthode du couloir, provision pour moins-value à l'égard de la valeur comptable de l'actif au titre des prestations constituées, écriture de journal et tableau de rapprochement	Difficile	55-60
P2-11	Règlement d'un régime de retraite, tableau du régime de retraite, calcul des gains et pertes actuariels, méthode du couloir, écriture de journal, tableau de rapprochement	Difficile	60-70
P2-12	Règlement d'un régime de retraite et d'un régime de soins de santé, tableau des régimes, calculs des gains et pertes actuariels, méthode du couloir, écritures de journal, tableau de rapprochement	Difficile	75-80
P2-13	Compression d'un régime de retraite, prestations de cessation d'emploi, tableau du régime de retraite, calculs des gains et pertes actuariels, méthode du couloir, écritures de journal, tableau de rapprochement	Difficile	60-70
*P2-14	Charge de retraite, écritures de journal, passif minimal, amortissement de la perte actuarielle et tableau de rapprochement	Modéré	40-50

*P2-15	Charge de retraite, passif minimal, écritures de journal pour deux exercices	Modéré	30-35
*P2-16	Charge de retraite, amortissement des gains et pertes actuariels [méthode du couloir], passif minimal et écritures de journal pour trois exercices	Difficile	45-55
*P2-17	Calcul de l'amortissement du coût des services passés, des gains et pertes actuariels, du passif minimal et de la charge de retraite, écritures de journal et tableau de rapprochement	Difficile	50-60
*P2-18	Tableau du régime de retraite, calcul des gains et pertes actuariels, méthode du couloir et passif minimal	Modéré	35-45
*P2-19	Tableau du régime de retraite, méthode du couloir, passif minimal, écritures de journal et tableau de rapprochement pour deux exercices	Difficile	55-60
*P2-20	Tableau du régime de retraite, passif minimal et écritures de journal	Modéré	40-45
C2-1	Théorie et terminologie des régimes de retraite	Modéré	30-35
C2-2	Terminologie des régimes de retraite	Modéré	15-20
C2-3	Terminologie des régimes de retraite et des régimes d'avantages complémentaires de retraite	Facile	30-35
C2-4	Concepts de base de la comptabilisation des régimes de retraite	Modéré	30-35
C2-5	Charge de retraite de l'exercice, montant transitoire	Modéré	35-40
C2-6	Gains et pertes actuariels, amortissement selon la méthode du couloir	Modéré	35-40
*C2-7	Incidence des nouvelles normes comptables canadiennes et américaines	Difficile	50-60
*C2-8	Concepts de base de la comptabilisation des régimes de retraite	Modéré	40-45

***Note**: Les exercices, problèmes ou études de cas précédés d'un astérisque se rapportent à la matière vue dans l'annexe de ce chapitre.

RÉPONSES AUX QUESTIONS

1. Un régime d'avantages sociaux futurs est une entente par laquelle un employeur s'engage, en échange des services rendus par les salariés, à fournir des avantages sociaux à ces derniers après leur période d'emploi. Les avantages sociaux futurs peuvent être fournis lorsque les salariés deviennent inactifs, au moment de la cessation d'emploi ou ils peuvent être différés jusqu'à ce que les salariés aient atteint un âge déterminé ou aient pris leur retraite.

   Un régime contributif est un régime en partie financé par les salariés. Dans certains cas, les salariés qui désirent être couverts par le régime doivent y contribuer; dans d'autres, les salariés peuvent verser des cotisations volontaires afin d'accroître leurs prestations. Dans un régime non contributif, c'est l'employeur qui assume la totalité du coût des prestations promises.

2. Un régime par capitalisation, ou régime capitalisé, est financé par la constitution d'un fonds dont les sommes placées et les revenus qui en découlent serviront à couvrir les engagements du régime lorsque ceux-ci deviendront exigibles. Ces sommes sont mises en réserve par l'entremise d'une entité juridique distincte (un fonds ou une caisse). Ce fonds gère les actifs du régime et effectue le versement des prestations à ses bénéficiaires.

   Un régime sans capitalisation, ou régime par capitalisation, n'exige pas la constitution d'un fonds distinct pour couvrir ses engagements. L'entreprise verse donc directement les prestations aux bénéficiaires du régime ou aux retraités.

3. Dans un **régime à cotisations déterminées**, la cotisation de l'employeur est habituellement fixée par les clauses du régime et calculée à l'aide d'une formule déterminée, laquelle peut prendre en considération différents facteurs, comme l'âge, les années de service, les bénéfices réalisés par l'employeur et les niveaux de rémunération.

   Dans un **régime à prestations déterminées**, la prestation que le salarié recevra plus tard à un moment donné est déterminée à l'avance. L'employeur doit alors calculer la cotisation qu'il doit verser dès maintenant pour assurer le versement des prestations promises aux retraités lorsqu'elles deviendront exigibles.

   Dans un **régime à cotisations déterminées**, l'employeur ne se préoccupe que de la cotisation à verser chaque année. Il n'est lié à aucun engagement en ce qui a trait aux prestations qui seront éventuellement versées aux salariés sur la base de ces cotisations. Ce sont les employés qui profitent des gains ou qui assument les pertes par rapport aux actifs du régime. Dans un **régime à prestations déterminées**, l'obligation de l'employeur consiste à verser un montant suffisant de cotisations pour assurer les prestations de retraite futures promises. Par conséquent, c'est l'employeur qui assume les risques dans le cas où les cotisations s'avéreraient insuffisantes pour couvrir les prestations prévues.

4. Dans un régime à prestations déterminées, l'employeur assume un risque actuariel puisque le montant des prestations futures ne sera connu avec certitude qu'au moment où elles auront été totalement versées. Ainsi, tout déficit dans les actifs du régime doit être comblé par l'employeur, et tout excédent peut être récupéré par ce dernier, soit par la réduction de ses cotisations futures, soit, si les lois le permettent, par une réappropriation des actifs du régime. L'employeur assume également le risque d'investissement, c'est-à-dire le risque lié au rendement des actifs du régime affectés au versement des prestations, étant donné qu'il doit compenser tout écart négatif par rapport aux rendements prévus.

5. L'**employeur** est l'organisation qui est le promoteur du régime. Il s'engage à fournir des avantages sociaux futurs à ses salariés et met de côté des sommes, sous la forme de cotisations, en vue de couvrir les engagements lorsqu'ils deviendront exigibles. Ces sommes sont mises en réserve par l'entremise d'un fonds qui gère les actifs du régime et effectue le versement des prestations à ses bénéficiaires. La comptabilisation du régime par l'employeur comporte: 1) la répartition des coûts du régime dans les exercices appropriés; 2) l'évaluation du montant de l'obligation au titre du régime; 3) la présentation dans les états financiers de la nature du régime et de ses effets.

Le **régime** est l'entité qui reçoit les cotisations versées par l'employeur, qui administre l'actif du régime et qui verse les prestations aux bénéficiaires. La comptabilisation du régime comporte la reconnaissance des encaissements à titre de cotisations versées par l'employeur commanditaire et/ou les salariés, les produits qui résultent des placements consentis par le régime, et le calcul des montants à verser aux bénéficiaires. Le présent chapitre traite des problèmes de comptabilisation et de présentation relatifs aux régimes d'avantages sociaux futurs rencontrés par les employeurs à titre de promoteurs du régime et non sur la tenue des comptes ou la préparation des états financiers d'un régime d'avantages sociaux, ce qu'on appelle la «comptabilisation par le régime».

6. Le rôle de l'actuaire est de s'assurer que l'entreprise a établi un mode de financement adéquat qui lui permettra de garantir le paiement des prestations promises aux futurs retraités. La comptabilisation des coûts et des obligations au titre d'un régime à prestations déterminées dépend énormément des informations que fournissent les actuaires et des calculs qu'ils effectuent. Ces derniers aident notamment au calcul des différents éléments devant paraître dans les états financiers, tels que la charge au titre des avantages sociaux futurs, l'obligation au titre des avantages sociaux futurs, l'obligation au titre des prestations constituées, le coût des services rendus au cours de l'exercice et le coût des services passés.

7. L'obligation au titre des avantages sociaux futurs est la valeur actuarielle de toutes les prestations futures à payer aux salariés, ainsi qu'aux personnes à leur charge, après leur départ à la retraite ou lors d'un départ temporaire ou définitif avant leur retraite.

La valeur de l'obligation au titre des avantages sociaux futurs dépend avant tout des dispositions importantes du régime, tels les conditions d'adhésion du régime, l'acquisition des droits aux prestations, le mode de calcul des prestations futures lors d'une retraite à l'âge normal ou lors d'une retraite anticipée, l'indexation des prestations futures, l'évolution future des niveaux de salaire ou des soins de santé. L'actuaire doit aussi tenir compte du nombre de salariés participant au régime, de leur âge, de leur sexe, de leur nombre d'années de service, de leur état matrimonial, du nombre de personnes qu'ils ont à leur charge, du niveau de leur salaire actuel. L'actuaire doit également formuler des hypothèses concernant certains événements futurs susceptibles d'influer sur le montant des avantages estimatifs futurs à payer en vertu d'un régime d'avantages sociaux futurs. Il peut s'agir d'hypothèses actuarielles tels le taux d'intérêt retenu pour l'actualisation des prestations futures estimatives, les augmentations de l'indice des prix à la consommation, le rendement des actifs du régime, la mortalité de l'effectif et des retraités, l'âge auquel les salariés choisiront de prendre leur retraite, les sorties du régime des participants avant la retraite pour des raisons autres que le décès.

8. Dans le cas d'un régime par capitalisation, l'actuaire détermine, à l'aide d'une méthode d'évaluation actuarielle, la portion de l'obligation au titre des avantages sociaux futurs qui doit être mise de côté à une date donnée pour assurer le financement du régime. Une méthode d'évaluation actuarielle vise à déterminer le montant actualisé qui doit être mis de côté dans chacun des exercices concernés de façon à constituer un fonds qui s'accumule avec les revenus de placements jusqu'aux dates d'admissibilité aux prestations des salariés. Il existe de nombreuses méthodes d'évaluation, et toutes donnent des résultats différents quant à l'échéancier des cotisations requises, mais chacune d'entre elles doit permettre d'honorer les prestations promises au moment de la retraite.

L'objectif poursuivi par l'actuaire est de concevoir une méthode de financement souple, qui assure le paiement des prestations promises aux futurs retraités et tient compte des lois et des règlements relatifs aux régimes de retraite. L'actuaire peut utiliser la méthode d'évaluation actuarielle qui convient le mieux à l'entreprise, en prenant en compte sa situation financière, ses flux de trésorerie prévus, la prudence des dirigeants, etc.

9. D'un côté, l'objectif de l'actuaire est de concevoir une méthode de financement souple, qui assure le paiement des prestations promises aux futurs retraités. Il recommandera donc la capitalisation basée sur la méthode d'évaluation actuarielle qui convient le mieux à l'entreprise, compte tenu de sa situation financière, de ses flux de trésorerie prévus, de la prudence de ses dirigeants, tout en respectant les lois et règlements relatifs aux régimes de retraite.

De l'autre côté, l'objectif poursuivi par la profession comptable est de déterminer laquelle parmi les méthodes d'évaluation actuarielle répertoriées permet de mieux mesurer la charge d'un exercice et l'obligation au titre du régime à la date du bilan. Ainsi, l'objectif comptable est d'imputer une portion du coût des prestations futures promises à la retraite aux exercices au cours desquels un salarié rend des services ouvrant droit aux avantages et de déterminer l'obligation au titre du régime conformément à la définition d'un passif.

Il n'est donc pas étonnant que le montant de la cotisation versée par l'employeur au cours d'un exercice soit différent du montant passé en charges à titre de coût des services rendus au cours de ce même exercice, s'ils n'ont pas été établis à l'aide de la même méthode d'évaluation actuarielle et des mêmes hypothèses actuarielles.

10. Voici trois façons de chiffrer l'obligation au titre de la rémunération différée promise aux salariés en raison des services qu'ils ont rendus conformément aux dispositions du régime. L'obligation au titre des droits acquis est une des méthodes permettant d'évaluer l'obligation au titre de la rémunération différée. L'**obligation au titre des droits acquis** se calcule uniquement sur la base des niveaux actuels de rémunération et n'inclut que les droits acquis, c'est-à-dire les prestations auxquelles le salarié a déjà droit même s'il ne rend plus aucun service additionnel eu égard au régime de retraite.

Une deuxième méthode, l'**obligation au titre des prestations constituées sans projection des salaires**, consiste à calculer le montant de la rémunération différée en fonction de toutes les années travaillées par les salariés, que les droits soient acquis ou non, et sur la base des niveaux de salaires courants.

Finalement, l'**obligation au titre des prestations projetées** consiste à mesurer le montant des prestations sur la base de toutes les années de service des salariés à la date de l'évaluation, que les droits aux prestations soient acquis ou non, et en tenant compte de l'incidence de l'évolution future des salaires.

11. L'obligation au titre des prestations projetées est la méthode retenue par la profession comptable pour calculer l'obligation au titre des prestations constituées. La profession a d'abord choisi de prendre en compte toutes les années de service des salariés à la date d'évaluation, que les droits aux prestations soient acquis ou non, parce que l'obligation au titre des prestations projetées est une valeur actuarielle qui tient compte de la valeur temporelle de l'argent ainsi que de nombreuses hypothèses actuarielles, dont la probabilité, à la date de son engagement, qu'un individu atteigne l'âge de la retraite ou demeure au service de son employeur jusqu'à sa retraite. Il s'agit donc d'une autre façon de tenir compte des droits acquis. De plus, la profession comptable considère que l'obligation au titre de la rémunération différée des entreprises serait sous-évaluée si elle ne tenait pas compte des niveaux de salaires futurs.

12. La profession comptable a également établi que c'est la méthode de répartition des prestations au prorata des services qui convient le mieux pour mesurer le coût des services rendus au cours de l'exercice et l'obligation au titre du régime, lorsque l'évolution future des niveaux de salaires ou la croissance des coûts a une incidence sur le montant des avantages sociaux futurs. Dans le cas où la croissance des salaires ou des coûts n'a aucune incidence sur le montant des avantages sociaux futurs, comme dans le cas des régimes à prestations uniformes, on recommande plutôt la méthode de répartition des prestations constituées.

La profession comptable recommande aussi que les actuaires incorporent dans leur calcul de l'obligation au titre des avantages sociaux futurs et de l'obligation au titre des prestations constituées les hypothèses actuarielles les plus probables selon la direction de l'entreprise. L'actuaire doit aussi s'assurer que les hypothèses actuarielles sont établies de façon cohérente. De plus, en l'absence de preuve du contraire, on doit poser l'hypothèse que le régime sera maintenu.

Les évaluations doivent aussi être effectuées tous les trois ans, sauf s'il est prouvé que des évaluations plus fréquentes seraient appropriées. Les taux d'actualisation utilisés dans les calculs actuariels de l'obligation au titre des avantages sociaux futurs et de l'obligation au titre des prestations constituées doivent également être ceux considérés les plus probables par la direction. Les taux d'actualisation utilisés pour calculer l'obligation doivent être révisés à chaque date de calcul de manière à refléter les taux d'intérêt courants.

13. L'obligation au titre des avantages sociaux futurs est attribuée aux exercices au cours desquelles le salarié gagne les prestations futures conformément aux conditions du régime d'avantages sociaux futurs. La période d'attribution, qui représente la période de service au cours de laquelle le coût des prestations est comptabilisé, commence généralement au moment de l'engagement du salarié et se termine à la date d'admissibilité intégrale, c'est-à-dire à la date où le salarié est admissible à recevoir les prestations et cesse de gagner des avantages supplémentaires en échange de services additionnels.

La période d'attribution d'un régime de retraite peut s'étendre de la date de l'engagement du salarié à la date de la retraite anticipée (admissibilité à la retraite) ou à la date prévue de la retraite, ou encore à la date normale de la retraite. La période d'attribution d'un régime de retraite adoptée par la profession comptable commence à la date de l'engagement du salarié et se termine à la date prévue de la retraite parce que le salarié continue d'accumuler des avantages additionnels de retraite entre la date de la retraite anticipée et la date prévue du départ à la retraite.

14. L'obligation au titre des avantages sociaux futurs (OTASF) est définie comme la valeur actuarielle, à une date déterminée, de toutes les prestations futures promises aux salariés, ainsi qu'aux personnes à leur charge, après leur départ à la retraite. Cette valeur n'est pas comptabilisée, puisqu'elle comprend une portion des prestations futures promises qui correspond à des services que le salarié rendra plus tard.

L'obligation au titre des prestations constituées (OTPC) désigne la valeur actuarielle de toutes les prestations futures attribuées aux services rendus par les salariés à une date déterminée. Avant que le salarié n'atteigne la date d'admissibilité intégrale, l'OTPC ne représente qu'une partie de l'OTASF. Dès le moment où le salarié devient pleinement admissible à la retraite (fin de la période d'attribution), l'OTPC et l'OTASF relatives à ce salarié sont égales.

Finalement, la portion de l'obligation au titre des avantages sociaux futurs qui correspond à l'exercice suivant la date de l'évaluation actuarielle est le coût des services rendus au cours de l'exercice. Le coût des services rendus au cours de l'exercice ne correspond pas nécessairement au montant des cotisations versées par l'entreprise, puisque ces deux valeurs peuvent être établies par l'actuaire en fonction de méthodes d'évaluation actuarielle différentes ou en fonction d'hypothèses actuarielles différentes.

15. Selon le point de vue des engagements hors bilan, on peut ignorer l'actif du régime et l'engagement au titre du régime et ne constater un actif ou un passif que si le montant versé à la caisse de retraite par l'employeur au cours de l'exercice ne correspond pas au montant de la charge de retraite imputée à l'exercice. On considère que l'employeur promoteur du régime est un participant à un contrat inachevé conclu avec les salariés. Au fur et à mesure que les salariés rendent leurs services au cours de chaque exercice, l'employeur engage un coût et est obligé de constituer une caisse en effectuant des versements en argent à un fonds distinct considéré comme une tierce partie responsable de la gestion de la caisse de retraite. Lorsque le fonds verse des prestations aux retraités, l'employeur ne passe aucune écriture parce que ni son actif ni son passif ne sont modifiés.

Selon le point de vue de l'image fidèle, on accorde la priorité à la substance économique de l'entente à l'origine du régime de retraite plutôt qu'à sa forme juridique. Selon ce point de vue, l'employeur est redevable des prestations de retraite qu'il s'est engagé à verser en raison des services déjà rendus par les salariés. Au fur et à mesure qu'il engage une charge de retraite – lorsque les salariés rendent leurs services – le passif de l'employeur augmente. L'obligation au titre du régime se trouve réduite par le versement de prestations aux retraités. L'employeur a délégué la garde et la propriété des actifs du régime (et non son contrôle économique) à la caisse de retraite fiduciaire du régime. L'actif du régime de retraite sert donc de garantie à l'obligation contractée par l'employeur.

La capitalisation n'a pas d'incidence sur le montant de cette obligation; ce sont la promesse faite par l'employeur et les services rendus par les employés qui en ont une.

Selon le point de vue de l'image fidèle, la prise en compte de l'obligation au titre des prestations constituées ainsi que des éléments d'actif du régime correspondants est essentielle. L'approche image fidèle implique la mesure et la présentation, dans les états financiers, d'une représentation équitable des actifs et des passifs du régime de retraite de l'employeur.

À l'heure actuelle, l'ICCA, le FASB et l'IASB tendent vers le point de vue de l'image fidèle. Les normes comptables actuelles représentent un amalgame qui associe des caractéristiques de l'approche image fidèle avec des caractéristiques de l'approche hors bilan. Ainsi, plusieurs éléments du régime de retraite ne sont pas constatés dans les comptes, mais seulement présentés dans les notes complémentaires. Il s'agit notamment de l'obligation au titre des prestations constituées, de la juste valeur des actifs du régime, du coût non amorti des services passés, des gains et pertes actuariels non amortis et du montant transitoire non amorti.

16. Selon la comptabilité de caisse, la charge de retraite et/ou la charge complémentaire de retraite constatées sont équivalentes au montant versé par l'employeur dans la caisse au cours de n'importe quel exercice; la capitalisation du régime sert de base à la constatation des coûts.

Selon la **comptabilité d'exercice**, les coûts du régime sont constatés au fur et à mesure qu'ils sont engagés et, dans la mesure du possible, dans l'exercice au cours duquel l'entreprise a bénéficié des services des employés.

On considère que la comptabilité de caisse est inacceptable puisqu'il n'est pas rare qu'il n'existe aucun lien entre le montant que l'employeur doit verser dans la caisse pour un exercice donné et les avantages économiques qui découlent du régime au cours de la même période. Selon la comptabilité de caisse, on constate le montant capitalisé comme une charge de retraite. Or, ce montant capitalisé peut être discrétionnaire et varier énormément d'un exercice à l'autre. La capitalisation relève de la gestion financière, des flux de trésorerie disponibles, de considérations fiscales et de considérations autres que comptables.

17. Les six composantes de la charge de retraite sont:

Le coût des services rendus au cours de l'exercice, qui représente la valeur actuarielle des nouvelles prestations gagnées par les salariés au cours de l'exercice en vertu des dispositions du régime.

Les intérêts débiteurs sur l'obligation au titre des prestations constituées, qui représentent les intérêts qui s'accumulent sur l'obligation au titre des prestations constituées et qui résultent de l'écoulement du temps.

Le rendement prévu des actifs du régime de retraite, qui vient réduire la charge de retraite. On obtient ce rendement en appliquant le taux de rendement prévu à long terme des actifs du régime à la valeur des actifs du régime évalués à leur juste valeur ou à une valeur liée au marché. On utilise le rendement prévu des actifs du régime plutôt que le rendement réel pour éviter les fluctuations trop importantes qui peuvent survenir dans le rendement réel.

L'amortissement du coût des services passés. Le coût des services passés représente l'augmentation de l'obligation au titre des prestations constituées par suite de la modification du régime (ou de la mise en place du régime).

L'amortissement des gains et pertes actuariels nets. Les gains et pertes actuariels nets représentent les écarts à court terme dans la valeur de marché des actifs du régime et les variations de la valeur de l'obligation au titre des prestations constituées par suite des modifications importantes apportées aux hypothèses actuarielles.

L'amortissement du montant transitoire. Le montant transitoire représente l'écart entre 1) l'obligation au titre des prestations constituées et 2) la juste valeur des actifs du régime, calculé à l'ouverture de l'exercice au cours duquel les nouvelles normes ont été adoptées pour la première fois. Ce montant doit être ajusté du montant de l'actif ou du passif au titre du régime comptabilisé à cette date. Lorsqu'une entité a opté pour le report du montant transitoire, elle doit l'amortir sur la durée résiduelle moyenne d'activité, jusqu'à la date d'admissibilité intégrale, du groupe de salariés actifs au moment de l'application des règles transitoires et qui devraient normalement toucher des avantages en vertu du régime.

18. Le **coût des services rendus au cours de l'exercice** représente la valeur actuarielle des prestations futures additionnelles qui devront être versées conformément au régime de retraite en raison des services rendus par les salariés au cours de l'exercice. Le coût des services rendus au cours de l'exercice est mesuré d'après la méthode de répartition des prestations au prorata des années de service. Il tient compte de l'incidence des niveaux de salaires futurs, si l'évolution future des niveaux de salaires a une incidence sur le montant des prestations futures promises. Il doit également être calculé d'après les hypothèses actuarielles les plus probables.

19. Le taux d'actualisation utilisé pour calculer les intérêts hypothétiques sur l'obligation au titre des prestations constituées doit refléter les taux susceptibles d'être utilisés pour le règlement des prestations (taux de règlement). On peut utiliser les taux implicites compris dans les prix courants des contrats de rente qui pourraient être conclus en vue d'acquitter l'obligation. On peut aussi se baser sur les taux d'intérêt du marché pour des titres de créance de qualité supérieure dont les flux de trésorerie correspondent à l'échelonnement et au montant des versements prévus au titre des prestations.

20. Le **coût des services rendus au cours de l'exercice** est l'augmentation de l'obligation au titre des prestations constituées accordées aux salariés en échange des services qu'ils ont rendus au cours de l'exercice en vertu des dispositions du régime. On peut aussi définir ce coût comme étant la valeur actuarielle des nouvelles prestations gagnées par les salariés au cours de l'exercice. Il s'agit effectivement du coût que l'actuaire attribue à l'exercice considéré à l'aide de la méthode de répartition des prestations au prorata des années de service recommandée par la profession comptable.

Le **coût des services passés** est le coût des prestations rétroactives accordées lors de la modification d'un régime de retraite ou lors de sa mise en place. Le coût des prestations rétroactives est équivalent à l'augmentation de l'obligation au titre des prestations constituées par suite de la modification du régime.

21. Lors de la mise en place d'un régime à prestations déterminées ou à l'occasion de la modification d'un tel régime, on étend souvent les prestations futures accordées aux salariés aux années de services rendus avant la date de la mise en place du régime ou la date de sa modification. Le coût de ces prestations rétroactives est appelé **coût des services passés**. C'est en vue de retirer des avantages économiques futurs que les employeurs accordent de telles prestations rétroactives. C'est pourquoi le coût des services passés ne doit pas être constaté en totalité à titre de charge de retraite dans l'exercice au cours duquel le régime a été mis en place ou modifié; il doit plutôt être porté en résultat tout au long des années de service des salariés auxquels ces prestations sont destinées. Par conséquent, le solde non amorti du coût des services passés est amorti sur la durée résiduelle moyenne d'activité du groupe de salariés actifs devant normalement toucher ces prestations au moment de la mise en place du régime ou de sa modification.

22. Les **gains et pertes actuariels sur l'obligation** sont les gains et pertes actuariels qui résultent des variations de l'obligation au titre des prestations constituées. Les gains et pertes actuariels sur l'actif sont causés par les écarts à court terme dans la valeur des actifs du régime. Ils représentent la différence entre le rendement réel et le rendement prévu des actifs du régime. Les gains et pertes actuariels sur l'obligation, et les gains et pertes actuariels sur l'actif sont différés et s'accumulent d'un exercice à l'autre dans le compte Solde non amorti des gains et pertes actuariels nets. Ce solde est amorti selon la méthode du couloir lorsqu'il devient trop important. Ce compte hors bilan est présenté dans les notes complémentaires.

23. Lorsque le montant constaté à titre de charge de retraite de l'exercice excède le montant des cotisations versées dans la caisse, il en résulte un compte de passif intitulé **Passif au titre des prestations constituées.** Ce compte sera porté au bilan dans le passif à court ou à long terme, selon la date prévue du paiement.

Lorsque le montant des cotisations versées dans la caisse de retraite au cours de l'exercice excède le montant constaté à titre de charge de retraite de l'exercice, il en résulte un compte d'actif intitulé **Actif au titre des prestations constituées.** S'il est à court terme ce compte sera porté au bilan dans l'actif à court terme; s'il est à long terme, il sera inscrit dans la section Autres actifs. Souvent, on utilise un compte général appelé «Actif (Passif) au titre des prestations constituées». Si le solde est créditeur, il s'agit d'un passif; si le solde est débiteur, il s'agit d'un actif.

24. Calcul du rendement réel des actifs du régime de retraite.

Juste valeur prévue des actifs du régime à la fin de l'exercice:	
Juste valeur des actifs du régime à l'ouverture de l'exercice	9 200 000 $
Plus: Cotisations à la caisse de retraite au cours de l'exercice	1 000 000
Moins: prestations versées au cours de l'exercice	1 400 000
Juste valeur prévue des actifs du régime à la fin de l'exercice	8 800 000
Juste valeur des actifs du régime à la fin de l'exercice	10 150 000
Rendement réel des actifs du régime de retraite	1 350 000 $

25. Il y a un **gain actuariel sur l'actif** lorsque le rendement réel des actifs du régime excède le rendement prévu, alors qu'il y a une **perte actuarielle sur l'actif** lorsque le rendement réel des actifs du régime est inférieur au rendement prévu. Il y a un **gain actuariel sur l'obligation** lorsqu'il se produit une diminution de la valeur actuarielle de l'obligation au titre des prestations constituées, alors qu'il y a une **perte actuarielle sur l'obligation** lorsqu'il se produit une augmentation de la valeur actuarielle de l'obligation au titre des prestations constituées.

26. Il y a amortissement selon la **méthode du couloir** lorsque le solde non amorti des gains et pertes actuariels nets devient trop important. Le gain ou la perte devient trop important lorsqu'il excède le critère retenu arbitrairement par la profession comptable, c'est-à-dire lorsqu'il est supérieur de 10 % à l'un ou l'autre des deux montants suivants, soit le solde d'ouverture de l'obligation au titre des prestations constituées et la valeur des actifs du régime de retraite mesurée selon leur juste valeur ou une valeur liée au marché. L'excédent est amortissable à l'aide de la méthode de l'amortissement linéaire sur la durée résiduelle moyenne d'activité du groupe de salariés actifs couverts par le régime à l'ouverture de l'exercice. Il s'agit de l'amortissement minimal requis. On peut utiliser une autre méthode systématique pour amortir le solde non amorti des gains et pertes actuariels nets, mais cet amortissement ne peut être inférieur au montant de l'amortissement minimal requis calculé à l'aide de la méthode du couloir.

27. a) Conformément aux normes canadiennes, même si le régime de retraite est sous-capitalisé de 100 000 $ (400 000 $ - 300 000 $), la société ne doit pas présenter ce montant en totalité au passif de son bilan. Seul un montant de 50 000 $ sera porté au bilan dans le compte Passif au titre des prestations constituées. En vertu des normes canadiennes, plusieurs éléments importants du régime de retraite ne sont pas présentés dans les comptes et dans les états financiers, notamment l'obligation au titre des prestations constituées, les actifs du régime et le solde non amorti du coût des services passés. Cependant, l'employeur est tenu de présenter ces informations dans les notes complémentaires. Voici le tableau de rapprochement de la situation de capitalisation du régime et du passif au titre des prestations constituées qui devra être fourni dans les notes complémentaires:

Obligation au titre des prestations constituées	(400 000) $
Juste valeur des actifs du régime de retraite	300 000
Situation de capitalisation – Régime sous-capitalisé	(100 000)
Solde non amorti du coût des services passés	50 000
Passif au titre des prestations constituées porté au bilan	(50 000) $

b) Conformément aux normes comptables américaines, une société doit présenter un passif minimal au titre des prestations constituées, qui se calcule comme suit:

Obligation au titre des prestations constituées sans projection des salaires	(375 000) $
Juste valeur des actifs du régime de retraite	300 000
Passif minimal au titre des prestations constituées	(75 000)
Passif au titre des prestations constituées déjà constaté	(50 000)
Passif additionnel requis au titre des prestations constituées	(25 000) $

On doit donc inscrire un passif additionnel de 25 000 $ au titre des prestations constituées. Étant donné que ce montant est inférieur au solde non amorti du coût des services passés de 50 000 $, on porte un débit au compte Actif incorporel – Actif au titre des prestations constituées.

Ni les actifs du régime de retraite, ni l'obligation au titre des prestations constituées sans projection des salaires, ni l'obligation au titre des prestations projetées, ni le solde non amorti du coût des services passés ne sont portés au bilan d'une société américaine. Cette information doit cependant figurer dans les notes complémentaires. Voici le tableau de rapprochement de la situation de capitalisation du régime et du passif au titre des prestations constituées qui devra être fourni par voie de note:

Obligation au titre des prestations constituées	(400 000) $
Juste valeur des actifs du régime de retraite	300 000
Situation de capitalisation – Régime sous-capitalisé	(100 000)
Solde non amorti du coût des services passés	50 000
Passif au titre des prestations constituées	(50 000)
Passif additionnel au titre des prestations constituées	(25 000)
Passif au titre des prestations constituées porté au bilan	(75 000) $ *

* Aux fins de la présentation de l'information financière, on intègre le passif additionnel au titre des prestations constituées au solde du compte Passif au titre des prestations constituées pour obtenir le passif au titre des prestations constituées.

28. Il ne faut pas présenter le solde non amorti du coût des services passés dans le bilan de la société. Les 9 000 000 $ doivent cependant être répartis sur toutes les années de service futures des salariés qui bénéficieront de ce régime. L'employeur peut utiliser la méthode de l'amortissement linéaire sur la durée résiduelle moyenne d'activité du groupe de salariés actifs au moment de la mise en place ou de la modification du régime de retraite. L'amortissement du coût des services passés sera inclus dans la charge de retraite de chaque exercice. Le mode de comptabilisation d'un régime se résume à ceci : si le montant de la charge de retraite d'un exercice donné est plus élevé ou moins élevé que le montant des cotisations versées à la caisse de retraite, il en résultera un débit ou un crédit au compte Actif (Passif) au titre des prestations constituées.

29. L'**acquisition de droits aux prestations** est la reconnaissance du droit irrévocable du salarié à recevoir des prestations lors de sa retraite. Souvent, les salariés n'acquièrent ces droits qu'après avoir rendu des services durant un nombre minimal d'années auprès de l'employeur promoteur du régime. Les **prestations constituées** sont les prestations de retraite et les prestations complémentaires de retraite promises aux salariés et gagnées par ceux-ci en raison de services qu'ils ont rendus à l'employeur promoteur du régime. Les **prestations rétroactives** représentent le coût des prestations futures accordées aux salariés pour les services rendus pendant les années précédant la date de la mise en place du régime ou de sa modification. Le coût de ces prestations rétroactives est appelé **coût des services passés**.

30. Conformément aux normes canadiennes, américaines et internationales, de nombreux éléments du régime de retraite ne sont pas portés au bilan de l'employeur. Il s'agit notamment de l'obligation au titre des prestations constituées, de la juste valeur des actifs du régime, du coût non amorti des services passés, des gains et pertes actuariels non amortis et du montant transitoire non amorti. Toutefois, l'employeur doit présenter dans les notes complémentaires un tableau de rapprochement de la situation de capitalisation du régime et de l'actif ou du passif au titre des prestations constituées.

Les organismes normalisateurs reconnaissent que la constatation différée de certains éléments de retraite peut faire en sorte d'exclure des états financiers une information à court terme pertinente au sujet des régimes de retraite. Le tableau de rapprochement permet aux utilisateurs des états financiers de rapprocher les actifs et les passifs, ainsi que les gains et pertes non amortis, qui ne figurent pas dans le bilan, des actifs et des passifs qui y figurent. Ce tableau de rapprochement permet donc aux lecteurs de mieux comprendre les principes qui sous-tendent la comptabilisation des régimes de retraite, de même que l'incidence des coûts et obligations au titre des régimes sur la situation financière de l'entreprise, sur ses résultats d'exploitation et sur ses perspectives de flux de trésorerie.

31. Les avantages complémentaires de retraite comprennent l'assurance-maladie et les autres avantages sociaux accordés aux retraités, aux conjoints, aux personnes à leur charge et aux bénéficiaires. Parmi les autres avantages sociaux, on trouve l'assurance vie offerte à l'extérieur d'un régime de retraite, les soins dentaires, médicaux et ophtalmologiques, les services juridiques et fiscaux, ainsi qu'une aide pour les droits de scolarité, les soins de jour et le logement.

32. Il existe des différences importantes entre les prestations de retraite et les avantages complémentaires de retraite. D'abord, les prestations de retraite sont généralement offertes au moyen de régimes par capitalisation, alors que les avantages complémentaires sont plutôt offerts au moyen de régimes sans capitalisation.

Les prestations de retraite offertes par les régimes sont généralement déterminées et parfois indexées au coût de la vie, alors que les prestations complémentaires de retraite ne sont généralement pas plafonnées et sont très variables. Ainsi, beaucoup de régimes d'avantages complémentaires de retraite n'imposent aucune limite concernant les soins de santé: par exemple, peu importe la gravité de la maladie ou sa durée, les prestations continueront d'être versées.

Les prestations de retraite sont généralement versées mensuellement, alors que les prestations complémentaires de retraite sont versées au besoin et à l'utilisation.

De plus, en règle générale, les prestations de retraite sont prévisibles, alors que les prestations complémentaires de retraite le sont très difficilement. Par exemple, la fréquence des demandes de règlement et les coûts des soins de santé qu'elles entraînent sont difficiles à prévoir. L'augmentation de l'espérance de vie, l'apparition de nouvelles maladies (par exemple, le sida), de nouvelles technologies (par exemple, l'imagerie par résonance magnétique) et de nouveaux traitements (par exemple, la radiothérapie) ont des répercussions importantes sur l'évolution future du coût des soins de santé.

Finalement, les critères d'acquisition minimale et de participation minimale ainsi que les cotisations minimales applicables aux régimes de retraite ne s'appliquent pas aux régimes couvrant les avantages complémentaires de retraite.

33. Les composantes de la charge complémentaire de retraite sont les mêmes que celles de la charge de retraite. Elles comprennent le coût des services rendus au cours de l'exercice, les intérêts débiteurs sur l'obligation au titre des prestations constituées, le rendement prévu des actifs du régime, le cas échéant, l'amortissement du coût des services passés, l'amortissement minimal des gains et pertes actuariels nets, et l'amortissement du montant transitoire. Comme la plupart des régimes d'avantages complémentaires de retraite sont sans capitalisation, leur comptabilisation est simplifiée puisqu'on n'y trouve ni rendement prévu des actifs, ni gain ou perte actuariels sur l'actif.

34. À l'ouverture de l'exercice au cours duquel les nouvelles normes relatives à la comptabilisation des régimes d'avantages sociaux futurs sont adoptées pour la première fois, on calcule un montant transitoire (obligation ou actif). Ce montant correspond à la différence entre l'obligation au titre des prestations constituées et la juste valeur des actifs du régime, ajusté du montant de l'actif ou du passif au titre du régime comptabilisé à cette date. La mise en application des nouvelles normes comptables relatives à tous les avantages sociaux futurs a occasionné d'importants montants transitoires, autant pour les régimes de retraite que pour les régimes d'avantages complémentaires de retraite. Du côté des régimes de retraite, les montants transitoires ont résulté principalement de l'adoption d'un taux d'actualisation à court terme, tandis que, du côté des régimes d'avantages complémentaires de retraite, ces montants ont été plus importants étant donné que, à l'époque, la plupart de ces régimes étaient sans capitalisation et que de nombreux employeurs comptabilisaient les avantages complémentaires de retraite pour la première fois.

La comptabilisation du montant transitoire a été l'un des éléments les plus controversés dans l'établissement de normes pour les avantages complémentaires de retraite. Pour beaucoup de personnes, l'incidence négative qu'aurait la passation en charges immédiate du coût non amorti des services passés et des gains et pertes actuariels nets non amortis découlant des méthodes de comptabilisation antérieures sur les résultats de l'exercice au cours duquel les nouvelles normes seraient adoptées constituait une préoccupation majeure. L'autre méthode, c'est-à-dire le report et l'amortissement du montant transitoire qui donnerait lieu à la constatation d'un passif dont le montant s'accumulerait rapidement, soulevait également des inquiétudes, car elle risquait de gruger les bénéfices des sociétés pour les exercices à venir. Quant à la possibilité de laisser aux entités le choix de constater immédiatement ou de reporter et d'amortir, elle s'avérait tout aussi problématique à cause du manque de comparabilité qui en résulterait. Néanmoins, la profession comptable a décidé de permettre aux employeurs de choisir entre la constatation immédiate, et le report et l'amortissement.

35. Les avantages postérieurs à l'emploi et les congés rémunérés représentent des prestations ou des services qui seront fournis par l'employeur au moment où ces prestations ou ces services seront nécessaires ou lorsqu'un fait particulier se produira. Dans le cas des avantages postérieurs à l'emploi et des congés rémunérés qui s'acquièrent ou s'accumulent, comme les prestations d'invalidité à long terme fondées sur les années de service et les congés sabbatiques sans restriction, l'entité doit comptabiliser un passif à mesure que les salariés rendent les services qui leur donnent droit aux avantages. Lorsque les avantages postérieurs à l'emploi et les congés rémunérés ne s'acquièrent pas ou ne s'accumulent pas, comme les prestations d'invalidité dont le montant n'est pas fonction du nombre d'années de service et les congés parentaux, le passif doit être constitué lorsque le fait qui oblige l'entité se produit.

36. Les prestations de cessation d'emploi se composent essentiellement de prestations contractuelles et de prestations spéciales. Lorsqu'une entité verse des prestations de cessation d'emploi contractuelles, par exemple des parachutes dorés, elle constate le passif et la charge correspondante lorsqu'il est probable que les salariés auront droit aux prestations et qu'il est possible d'en faire une estimation raisonnable. Lorsqu'une entité verse des prestations spéciales de cessation d'emploi pour départ volontaire, celle-ci doit constater un passif et une charge lorsque les salariés acceptent l'offre et qu'il est possible d'en estimer le montant de façon raisonnable. Lorsqu'une entité offre des prestations spéciales de cessation d'emploi pour départ forcé, elle doit constater un passif et une charge dans l'exercice au cours duquel l'entité a adopté un plan formel et détaillé de licenciement sans possibilité de se rétracter ou d'y apporter des modifications significatives.

37. La valeur de l'actif au titre des prestations constituées se trouve diminuée lorsque l'avantage futur escompté, qui représente la valeur actualisée des flux de trésorerie futurs dont l'entreprise sera en mesure de tirer pleinement avantage sous forme de retrait ou de diminution des cotisations, est plus petit que la valeur ajustée de l'actif au titre des prestations constituées. La valeur ajustée de l'actif au titre des prestations constituées représente la partie de l'actif au titre des prestations constituées qui ne peut être amortie dans les exercices futurs. Lorsque l'actif au titre des prestations constituées a subi une baisse, on doit constater une provision pour moins-value correspondant à l'excédent de ces deux montants. L'actif au titre des prestations constituées doit être présenté dans le bilan de l'entreprise, déduction faite de la provision pour moins-value, et toute variation de la provision doit être passée en résultat dans l'exercice au cours duquel la variation se produit.

38. Depuis 1980, plusieurs grandes sociétés américaines et canadiennes ont procédé au règlement de leur régime de retraite et empoché des milliards de dollars d'actifs excédentaires. Ces opérations sont légales, mais elles soulèvent des questions éthiques. Dans certains cas, les entreprises peuvent s'approprier des actifs excédentaires lors du règlement du régime, une fois que l'on a versé aux participants ce qui leur revient. Par conséquent, il arrive parfois que des entreprises fassent l'acquisition de contrats d'assurance qui leur permettent d'acquitter l'obligation au titre des prestations constituées, en totalité ou en partie, et d'utiliser les actifs excédentaires à d'autres fins.

Le problème comptable propre aux règlements de régime de retraite consiste à savoir si l'entreprise doit constater un profit au moment où elle reçoit des actifs excédentaires. Le problème est complexe car, dans certains cas, le règlement d'un régime est suivi de la mise en place d'un nouveau régime. Certains prétendent donc qu'il y a eu un changement dans la forme juridique et non dans la substance économique.

39. Le règlement d'un régime d'avantages sociaux futurs survient lorsqu'une entreprise s'acquitte, en tout ou en partie, d'une obligation au titre des prestations constituées en souscrivant une assurance pour couvrir les avantages acquis des participants ou en versant des sommes forfaitaires à certains participants du régime en échange de leur droit de recevoir des avantages précis. Le règlement doit libérer l'entité de toute obligation légale ou implicite liée aux prestations prévues et éliminer les risques associés à cette obligation, en l'occurrence les risques actuariels et les risques d'investissement. Toutefois, les salariés continueront à gagner des avantages.

La compression d'un régime d'avantages sociaux futurs survient lorsque l'entreprise réduit de façon significative le nombre de salariés participant au régime ou modifie les conditions du régime de manière à réduire de façon significative la durée estimative des services futurs devant être rendus par les salariés actuels ou leur droit aux prestations. À la suite de la compression d'un régime, les salariés concernés ne sont plus en mesure de gagner des avantages en fournissant des services dans les années futures, mais les risques actuariels et les risques d'investissement du régime demeurent.

Tout profit ou perte découlant du règlement d'un régime est constaté dans les résultats de l'exercice au cours duquel se produit le règlement. Le profit ou la perte découlant du règlement d'un régime d'avantages sociaux futurs comprend le profit ou la perte résultant de la réévaluation de l'obligation au titre des prestations constituées et des actifs du régime à la date du règlement, ainsi que tout gain ou perte actuariels nets non amortis. À la date du règlement d'un régime, l'actif transitoire non amorti est considéré comme un gain actuariel.

En ce qui concerne la compression d'un régime, toute perte doit être constatée dans les résultats lorsqu'il est probable qu'il y aura compression et que les effets peuvent être évalués avec suffisamment de précision, alors que tout profit découlant de la compression d'un régime doit être constaté lorsque la compression s'est produite. Le profit ou la perte découlant de la compression d'un régime comprend le profit ou la perte résultant de la réévaluation de l'obligation au titre des prestations constituées, pour autant que le profit en résultant ne puisse être compensé par une perte actuarielle non constatée provenant d'exercices antérieurs ou que la perte en résultant ne puisse être compensée par un gain actuariel non constaté. Le profit ou la perte découlant de la compression d'un régime comprend également la partie du solde non amorti du coût des services passés afférente aux salariés qui se voient empêchés de bénéficier des avantages futurs. Un actif transitoire non amorti à la date de la compression d'un régime est considéré comme un gain actuariel.

40. Un régime interentreprises est un régime auquel contribuent plusieurs employeurs. Par exemple, on trouve fréquemment de tels régimes dans les secteurs du camionnage, du charbonnage, de la construction ou du spectacle. Le problème comptable qui peut se poser a trait à la possibilité que chaque employeur promoteur du régime n'ait pas accès aux renseignements nécessaires au calcul des valeurs actuarielles requises. Le montant de l'obligation de chaque employeur n'est alors pas quantifié. Seul le montant des cotisations versées est connu. Dans ce cas, l'employeur pourra comptabiliser les coûts et les obligations au titre de son régime en se conformant aux règles qui s'appliquent aux régimes à cotisations déterminées, c'est-à-dire que le coût des prestations de retraite correspond aux cotisations que l'employeur doit verser.

***41.** On constate un passif minimal au titre des prestations constituées lorsque l'obligation au titre des prestations constituées sans projection des salaires excède la juste valeur des actifs du régime à la fin de n'importe quel exercice. Le montant du passif minimal au titre des prestations constituées est inscrit dans deux comptes distincts, Actif ou passif au titre des prestations constituées et Passif additionnel au titre des prestations constituées. On intègre le solde de ces deux comptes en un seul montant et on l'inscrit à titre de passif au titre des prestations constituées.

***42.** Lorsqu'il est nécessaire de modifier les comptes pour constater un passif minimal, on doit débiter un actif incorporel appelé Actif incorporel – Actif au titre des prestations constituées. Cette constatation d'un actif incorporel jusqu'à concurrence du montant du coût non amorti des services passés s'explique par le fait qu'une bonification du régime améliore les relations avec les employés et, par conséquent, s'avère rentable à long terme pour l'entreprise.

Si le débit au compte Actif incorporel – Actif au titre des prestations constituées fait en sorte que le solde du compte excède le montant du coût non amorti des services passés, cela signifie que l'excédent résulte nécessairement d'une perte actuarielle, par exemple d'une augmentation des prestations constituées occasionnée par un accroissement de la longévité des retraités. On porte alors l'excédent au débit du compte Excédent du passif additionnel au titre des prestations constituées sur le coût non amorti des services passés. Lorsqu'un excédent existe, il doit être inscrit à titre de réduction parmi les autres éléments du résultat étendu (*other comprehensive income*). L'excédent du passif additionnel sur le coût non amorti des services passés réduit le total des capitaux propres.

***43.** Le solde non amorti du coût des services passés n'est pas inscrit au bilan. Un actif incorporel – Actif au titre des prestations constituées au montant de 9 150 000 $ sera porté au bilan dans la section Actifs à long terme. Le solde de 1 350 000 $ est débité au compte Excédent du passif additionnel au titre des prestations constituées sur le coût non amorti des services passés. Il est inscrit à titre de réduction parmi les autres éléments du résultat étendu. Le solde de 1 350 000 $ réduit les capitaux propres.

SOLUTIONS DES EXERCICES COURTS

Exercice court 2-1

Coût des services rendus au cours de l'exercice	29 000 $
Intérêts sur l'obligation au titre des prestations constituées	22 000
Rendement prévu des actifs du régime	(20 000)
Amortissement du coût des services passés	15 200
Amortissement des pertes actuarielles nettes	500
Charge de retraite de l'exercice	46 700 $

Exercice court 2-2

Solde de clôture des actifs du régime de retraite			2 000 000 $
Solde d'ouverture des actifs du régime de retraite			1 680 000
Augmentation des actifs du régime de retraite			320 000
Déduction:	Cotisations versées à la caisse	120 000 $	
	Moins prestations versées aux retraités	(200 000)	(80 000)
Rendement réel des actifs du régime de retraite			400 000 $

Exercice court 2-3

Société Hochet Ltée

	Écritures de journal			Comptes pour mémoire	
Éléments	Charge de retraite	Caisse	Actif (passif) au titre des prestations constituées	Obligation au titre des prestations constituées	Actifs du régime de retraite
Solde au 1er janvier 2001			0	250 000 Ct	250 000 Dt
Coût des services rendus en 2001	27 500 Dt			27 500 Ct	
Intérêts débiteurs	25 000 Dt			25 000 Ct	
Rendement prévu des actifs	25 000 Ct				25 000 Dt
Cotisations		20 000 Ct			20 000 Dt
Prestations				17 500 Dt	17 500 Ct
Écriture récapitulative pour 2001	27 500 Dt	20 000 Ct	7 500Ct		
Solde au 31 décembre 2001			7 500Ct	285 000 Ct	277 500 Dt

Exercice court 2-4

Charge de retraite	32 000	
Caisse		25 000
Passif au titre des prestations constituées		7 000

Exercice court 2-5

Coût par année de service: 120 000 $ ÷ 2 000 = 60 $

Amortissement pour 2001: 350 × 60 $ = 21 000 $

Solde non amorti du coût des services passés au 31 décembre 2001:
120 000 $ – 21 000 $ = 109 000 $

Exercice court 2-6

Obligation au titre des prestations constituées	(510 000) $
Juste valeur des actifs du régime de retraite	322 000
Situation de capitalisation – Régime sous-capitalisé	(188 000)
Solde non amorti du coût des services passés	127 000
Passif au titre des prestations constituées	(61 000) $

Exercice court 2-7

Solde non amorti de la perte actuarielle nette	475 000 $
Couloir (10 % × 3 300 000 $)	330 000
Excédent	145 000
Durée résiduelle moyenne d'activité	÷ 7,5
Amortissement minimal requis de la perte actuarielle nette en 2001	19 333 $

Exercice court 2-8

Coût des services rendus au cours de l'exercice	40 000 $
Intérêts débiteurs sur l'obligation au titre des prestations constituées	52 400
Rendement prévu des actifs du régime	(26 900)
Amortissement du solde non amorti de l'obligation transitoire	24 600
Charge complémentaire de retraite de l'exercice 2001	90 100 $

Exercice court 2-9

Charge complémentaire de retraite	240 900	
Caisse		160 000
Passif au titre des prestations constituées		80 900

*Exercice court 2-10

Obligation au titre des prestations constituées sans projection des salaires	2 800 000 $
Juste valeur des actifs du régime de retraite	2 000 000
Passif minimal au titre des prestations constituées	800 000
Passif au titre des prestations constituées	200 000
Passif additionnel requis	600 000 $

*Exercice court 2-11

Actif incorporel – Actif au titre des prestations constituées	145 000	
Passif additionnel au titre des prestations constituées		145 000 $

Obligation au titre des prestations constituées sans projection des salaires	3 400 000
Juste valeur des actifs du régime de retraite	2 420 000
Passif minimal au titre des prestations constituées	980 000
Passif au titre des prestations constituées	235 000
Passif additionnel requis	745 000
Passif additionnel précédent	600 000
Augmentation du passif additionnel	145 000 $

*Exercice court 2-12

Actif incorporel – Actif au titre des prestations constituées	425 000	
Excédent du passif additionnel sur le coût non amorti des services passés – Cumul des autres éléments du résultat étendu	175 000	
Passif additionnel au titre des prestations constituées		600 000

SOLUTIONS DES EXERCICES

Exercice 2-1 (5-10 minutes)

a) **Calcul de la charge de retraite – 2001:**

Coût des services rendus au cours de l'exercice 2001	60 000 $
Intérêts débiteurs sur l'obligation au titre des prestations constituées (500 000 $ × 0,10)	50 000
Rendement réel (prévu) des actifs du régime de retraite	(12 000)
Amortissement du coût des services passés	8 000
Charge de retraite de l'exercice 2001	106 000 $

b) **Écriture de journal – 2001:**

Charge de retraite	106 000	
Caisse		95 000
Passif au titre des prestations constituées		11 000

Exercice 2-2 (5–10 minutes)

Calcul de la charge de retraite – 2001:

Coût des services rendus au cours de l'exercice 2001	90 000 $
Intérêts débiteurs sur l'obligation au titre des prestations constituées (800 000 $ × 10 %)	80 000
Rendement réel (et prévu) des actifs du régime de retraite	(64 000)
Amortissement du coût des services passés	10 000
Charge de retraite de l'exercice 2001	116 000 $

Exercice 2-3 (10–15 minutes)

Société Clavecin ltée
Tableau du régime de retraite – 2001

	Écritures de journal			Comptes pour mémoire		
Éléments	Charge de retraite de l'exercice	Caisse	Actif (passif) au titre des prestations constituées	Obligation au titre des prestations constituées	Actifs du régime de retraite	Solde non amorti du coût des services passés
Solde au 1er janvier 2001			10 000 Ct	800 000 Ct	640 000 Dt	150 000 Dt
a) Coût des services rendus en 2001	90 000 Dt			90 000 Ct		
b) Intérêts débiteurs	80 000 Dt			80 000 Ct		

c) Rendement prévu des actifs du régime	64 000 Ct				64 000 Dt	
d) Amortissement du coût des services passés	10 000 Dt					10 000 Ct
d) Cotisations		105 000 Ct			105 000 Dt	
e) Prestations	________	________		40 000 Dt	40 000 Ct	
Écriture récapitulative pour 2001	116 000 Dt	105 000 Ct	11 000 Ct	________	________	________
Solde au 31 décembre 2001			21 000 Ct	930 000 Ct	769 000 Dt	140 000 Dt

Tableau de rapprochement de la situation de capitalisation et du passif au titre des prestations constituées en date du 31 décembre 2001:

Obligation au titre des prestations constituées	(930 000) $
Juste valeur des actifs du régime de retraite	769 000
Situation de capitalisation – Régime sous-capitalisé	(161 000)
Solde non amorti du coût des services passés	(140 000)
Passif au titre des prestations constituées	(21 000) $

Exercice 2-4 (10-15 minutes)

Société Bugle ltée

Tableau du régime de retraite – 2001

Éléments	Écritures de journal: Charge de retraite de l'exercice	Caisse	Actif (passif) au titre des prestations constituées	Comptes pour mémoire: Obligation au titre des prestations constituées	Actifs du régime de retraite
Solde au 1er janvier 2001				490 000 Ct	490 000 Dt
a) Coût des services rendus en 2001	40 000 Dt			40 000 Ct	
b) Intérêts débiteurs	41 650 Dt			41 650 Ct	
c) Rendement prévu des actifs	49 700 Ct				49 700 Dt
d) Cotisations		30 000 Ct			30 000 Dt
e) Prestations	________	________		33 400 Dt	33 400 Ct
Écriture récapitulative pour 2001	31 950 Dt	30 000 Ct	1 950 Ct	________	________
Solde au 31 décembre 2001			1 950 Ct	538 250 Ct	536 300 Dt

Note pour le tableau:

[b)] 41 650 $ = 490 000 $ × 0,085

Exercice 2-5 (10-15 minutes)

Calcul des années de service:

Exercice	Jean-Nicolas	Geneviève	Loriane	Isabelle	Vincent	Total
2001	1	1	1	1	1	5
2002	1	1	1	1	1	5
2003		1	1	1	1	4
2004			1	1	1	3
2005	—	—	1	1	1	3
	2	3	5	5	5	20

Coût par année de service: 60 000 $ ÷ 20 = 3 000 $

Calcul de l'amortissement du coût des services passés pour les exercices 2001 à 2005:

Exercice	Nombre d'années de service	Coût par année de service	Amortissement de l'exercice
2001	5	3 000 $	15 000 $
2002	5	3 000	15 000
2003	4	3 000	12 000
2004	3	3 000	9 000
2005	3	3 000	9 000
			60 000 $

Exercice 2-6 (10-15 minutes)

Calcul du rendement réel des actifs du régime de retraite – 2001:

Juste valeur des actifs du régime au 31 décembre 2001		2 725 000 $
Moins: Juste valeur des actifs du régime au 1er janvier 2001		2 300 000
Augmentation de la juste valeur des actifs du régime en 2001		425 000
Déduction: Cotisations à la caisse en 2001	250 000 $	
Moins: Prestations versées en 2001	(350 000)	100 000
Rendement réel des actifs du régime de retraite en 2001		525 000 $

Exercice 2-7 (15-20 minutes)

Société Cornet ltée

Tableau du régime de retraite – 2001

Éléments	Charge de retraite de l'exercice	Caisse	Actif (passif) au titre des prestations constituées	Obligation au titre des prestations constituées	Actifs du régime de retraite	Solde non amorti du coût des services passés
	Écritures de journal			Comptes pour mémoire		
Solde au 1er janvier 2001			13 800 Ct	560 000 Ct	546 200 Dt	
a) Coût des services passés				100 000 Ct		100 000 Dt
Nouveau solde au 1er janvier 2001			13 800 Ct	660 000 Ct	546 200 Dt	100 000 Dt
b) Coût des services rendus en 2001	58 000 Dt			58 000 Ct		
c) Intérêts débiteurs	59 400 Dt			59 400 Ct		
d) Rendement prévu des actifs du régime	52 280 Ct				52 280 Dt	
e) Amortissement du coût des services passés	17 000 Dt					17 000 Ct
f) Cotisations		55 000 Ct			55 000 Dt	
e) Prestations				40 000 Dt	40 000 Ct	
Écriture récapitulative pour 2001	82 120 Dt	55 000 Ct	27 120 Ct			
Solde au 31 décembre 2001			40 920 Ct	737 400 Ct	613 480 Dt	83 000 Dt

Note pour le tableau:

c) 59 400 \$ = 660 000 \$ × 0,09.

Exercice 2-8 (10-15 minutes)

Méthode du couloir
et amortissement minimal requis des pertes (gains) actuarielles nettes

Exercice	Obligation au titre des prestations constituées a)	Actifs du régime de retraite a)	Couloir 10%	Solde non amorti des pertes (gains) actuarielles nettes a)	Amortissement minimal requis des pertes (gains) actuarielles
2001	2 000 000 \$	1 900 000 \$	200 000 \$	0 \$	0 \$
2002	2 400 000	2 500 000	250 000	280 000	3 000 b)
2003	2 900 000	2 600 000	290 000	367 000 c)	6 417 d)
2004	3 600 000	3 000 000	360 000	370 583 e)	882 f)

Notes pour le tableau:

a. Solde à l'ouverture de l'exercice.

b. (280 000 \$ – 250 000 \$) ÷ 10 ans = 3 000 \$

c. 280 000 $ – 3 000 $ + 90 000 = 367 000 $

d. (367 000 $ – 290 000 $) ÷ 12 ans = 6 417 $

e. 367 000 $ – 6 417 $ + 10 000 $ = 370 583 $

f. (370 583 $ – 360 000 $) ÷ 12 ans = 882 $

Exercice 2-9 (15-20 minutes)

a) Présentation des composantes de la charge de retraite 2001 dans les notes complémentaires:

Note X: La charge nette au titre du régime de retraite de la société Diapason ltée se présente comme suit pour l'exercice 2001:

Coût des services rendus en 2001	94 000 $
Intérêts débiteurs sur l'obligation au titre des prestations constituées	253 000
Rendement prévu des actifs du régime	(175 680)
Amortissement du coût des services passés	45 000
Charge de retraite de l'exercice 2001	216 320 $

b) Le tableau suivant permet un rapprochement entre la situation de capitalisation du régime de retraite et le passif au titre des prestations constituées porté au bilan de la société au 31 décembre 2001:

Obligation au titre des prestations constituées	(2 737 000)$
Juste valeur des actifs du régime de retraite	2 278 329
Situation de capitalisation – Régime sous-capitalisé	(458 671)
Solde non amorti du coût des services passés	205 000
Solde non amorti de la perte actuarielle nette	45 680
Passif au titre des prestations constituées	(207 991)$

Exercice 2-10 (20-25 minutes)

a)

Société Flûte traversière ltée

Tableau du régime de retraite

	Écriture au journal général			Comptes pour mémoire			
Éléments	Charge de retraite de l'exercice	Caisse	Actif (passif) au titre des prestations constituées	Obligation au titre des prestations constituées	Actifs du régime de retraite	Solde non amorti du coût des services passés	Solde non amorti des gains et pertes actuariels
Solde au 1er janvier 2001			45 000 Ct	625 000 Ct	480 000 Dt	100 000 Dt	
a) Coût des services rendus en 2001	90 000 Dt			90 000 Ct			
b) Intérêts débiteurs	56 250 Dt			56 250 Ct			
c) Rendement prévu des actifs du	52 000 Ct				52 000 Dt		

régime							
d) Gain actuariel sur l'actif					5 000 Dt		5 000 Ct
e) Amortissement du coût des services passés	19 000 Dt					19 000 Ct	
f) Perte actuarielle sur l'obligation				76 000 Ct			76 000 Dt
g) Cotisations		99 000 Ct			99 000 Dt		
h) Prestations	______	______		85 000 Dt	85 000 Ct		
Écriture récapitulative pour 2001	113 250 Dt	99 000 Ct	14 250 Ct	______	______	______	______
Solde au 31 décembre 2001			59 250 Ct	762 250 Ct	551 000 Dt	81 000 Dt	71 000 Dt

Notes pour le tableau:

b)56 250 $ = 625 000 × 0,09

d)Gain actuariel sur l'actif = rendement réel moins rendement prévu = 57 000 $ – 52 000 $ = 5 000 $

b) Tableau de rapprochement de la situation de capitalisation du régime et du passif au titre des prestations constituées au 31 décembre 2001:

Obligation au titre des prestations constituées (Crédit)	(762 250)$
Juste valeur des actifs du régime de retraite (Débit)	551 000
Situation de capitalisation du régime – Régime sous-capitalisé	(211 250)
Solde non amorti du coût des services passés (Débit)	81 000
Solde non amorti de la perte actuarielle nette (Débit)	71 000
Passif au titre des prestations constituées	(59 250)$

Exercice 2-11 (15-20 minutes)

a) La charge de retraite pour l'exercice 2001 comprend les éléments suivants:

Coût des services rendus en 2001 (81 000 $ – 25 000 $)	56 000 $
Intérêts sur l'obligation au titre des prestations constituées (9 % × 1 000 000 $)	90 000
Rendement réel et prévu des actifs du régime de retraite	(54 000)
Amortissement des gains et pertes actuariels nets	0
Amortissement du coût des services passés	40 000
Charge de retraite de l'exercice 2001	132 000 $

b) Écritures de journal – 2001:

Charge de retraite	132 000	
Caisse		125 000
Passif au titre des prestations constituées		7 000

(Pour inscrire la charge de retraite et les cotisations versées par l'employeur pour l'exercice 2001.)

c) Présentation du bilan et de l'état des résultats – 2001:

Société Grelot ltée
État des résultats
Pour l'exercice terminé le 31 décembre 2001

Charge de retraite	132 000 $

Société Grelot ltée
Bilan
au 31 décembre 2001

Passifs	
Passif au titre des prestations constituées	7 000 $

Exercice 2-12 (20-25 minutes)

a) La charge de retraite pour l'exercice 2001 comprend les éléments suivants:

Coût des services rendus en 2001	77 000 $
Intérêts débiteurs sur l'obligation au titre des prestations constituées [10 % × (2 000 000 $ + (77 000 $ ÷2))]*	203 850
Rendement réel et prévu des actifs du régime de retraite (10 % × 800 000 $)**	(80 000)
Amortissement minimal requis des gains et pertes actuariels nets***	0
Amortissement du coût des services passés	115 000
Charge de retraite de l'exercice 2001	315 850 $

* Le calcul des intérêts débiteurs sur l'obligation au titre des prestations constituées est simplifié puisque aucune prestation de retraite n'a été versée en 2001.

** Dans le calcul du rendement prévu des actifs du régime, on ne tient pas compte des cotisations versées par l'employeur puisque celles-ci ont été versées à la clôture de l'exercice 2001.

*** Comme le solde non amorti des gains ou des pertes actuariels nets à l'ouverture de l'exercice 2001 est nul, il n'y a aucun amortissement minimal requis à cet égard pour l'exercice 2001.

b) Calcul des gains ou pertes actuariels survenus au cours de l'exercice 2001:

Mentionnons d'abord qu'il n'est survenu aucun gain ni perte actuariels sur l'actif au cours de l'exercice 2001 puisque le taux de rendement réel et le taux de rendement prévu sont identiques en 2001.

Pour calculer le gain ou la perte actuariels sur l'obligation, on doit comparer le solde de l'obligation au titre des prestations constituées qui a été établi par l'actuaire avec celui qui avait été prévu à la clôture de 2001.

Obligation au titre des prestations constituées à l'ouverture de 2001	2 000 000 $
Coût des services rendus en 2001	77 000
Intérêts débiteurs en 2001	203 850
Obligation au titre des prestations constituées prévue à la clôture de 2001	2 280 850
Obligation au titre des prestations constituées établie par l'actuaire à la clôture de 2001	2 100 000
Gain actuariel sur l'obligation en 2001	180 850 $

c) Écritures de journal – 2001:

Charge de retraite	315 850	
Caisse		250 000
Passif au titre des prestations constituées		65 850

(Pour inscrire la charge de retraite et la cotisation versée par l'employeur pour l'exercice 2001.)

d) Présentation au bilan et à l'état des résultats – 2001:

Société Gong ltée
État des résultats
Pour l'exercice terminé le 31 décembre 2001

Charge de retraite	315 850 $

Société Gong ltée
Bilan
au 31 décembre 2001

Passifs

Passif au titre des prestations constituées	65 850 $

Note à l'enseignant: Pour comprendre les montants portés au bilan, on peut préparer un tableau du régime de retraite comme suit:

Éléments	Charge de retraite de l'exercice	Caisse	Actif (passif) au titre des prestations constituées	Obligation au titre des prestations constituées	Actifs du régime de retraite	Solde non amorti du coût des services passés	Solde non amorti des gains et pertes actuariels
Solde au 1er janvier 2001			0	2 000 000 Ct	800 000 Dt	1 200 000 Dt	0
a) Coût des services rendus en 2001	77 000 Dt			77 000 Ct			
b) Intérêts débiteurs	203 850 Dt			203 850 Ct			
c) Rendement prévu des actifs du régime	80 000 Ct				80 000 Dt		
d) Amortissement du coût des services passés	115 000 Dt					115 000 Ct	
e) Cotisations		250 000 Ct			250 000 Dt		
Sous-total des comptes	315 850 Dt	250 000 Ct	65 850 Ct	2 280 850 Ct	1 130 000 Dt	1 085 000 Dt	0
f) Gain sur obligation				180 850 Dt			180 850 Ct

Écriture récapitulative pour 2001	312 000 Dt	250 000 Ct	65 850 Ct	______	______	______	______
Solde au 31 décembre 2001			65 850Ct	2 100 000 Ct	1 130 000 Dt	1 085 000Dt	180 850 Ct

Exercice 2-13 (25-30 minutes)

a) Calcul du rendement réel des actifs du régime – 2001:

Rendement réel des actifs du régime = (Juste valeur des actifs à la clôture – Juste valeur des actifs à l'ouverture) – (cotisations – prestations)

Juste valeur des actifs du régime au 31 décembre 2001		2 620 000 $
Déduction: juste valeur des actifs du régime au 1er janvier 2001		1 700 000
Augmentation de la juste valeur des actifs		920 000
Déduction: Cotisations versées en 2001	500 000 $	
Moins: Prestations versées en 2001	(200 000)	(300 000)
Rendement réel des actifs du régime de retraite en 2001		620 000 $

b) Calcul des gains et pertes actuariels nets – 2001:

Gain ou perte actuariels sur l'obligation de l'exercice 2001:

Obligation au titre des prestations constituées à l'ouverture de l'exercice	2 800 000 $
Plus: Intérêts débiteurs sur l'obligation au titre des prestations constituées [10 % × (2 800 000 $ + 400 000 $ ÷ 2 – 200 000 $ ÷2)]	290 000
Plus: Coût des services rendus en 2001	400 000
Moins prestations versées en 2001	(200 000)
Solde présumé de l'obligation au titre des prestations constituées	3 290 000
Obligation au titre des prestations constituées à la clôture de l'exercice d'après l'actuaire	3 645 000
Perte actuarielle sur l'obligation de l'exercice 2001	355 000 $

Gain ou perte actuariels sur l'actif de l'exercice 2001:

Juste valeur des actifs du régime à l'ouverture de l'exercice	1 700 000 $
Plus: Rendement prévu des actifs du régime en 2001 10 % × (1 700 000 $ + 500 000 $ ÷2 – 200 000 $ ÷2)]	185 000
Plus: Cotisations en 2001	500 000
Moins: Prestations versées en 2001	(200 000)
Solde présumé de la juste valeur des actifs du régime à la clôture	2 185 000
Juste valeur des actifs du régime à la clôture de l'exercice d'après le fiduciaire	2 620 000
Gain actuariel sur l'actif	(435 000)$
Solde non amorti des gains actuariels nets à la clôture	(80 000)$

c) Amortissement minimal requis des gains et pertes actuariels nets – 2001:

Comme le solde non amorti des gains ou pertes actuariels nets à l'ouverture de l'exercice est nul, il n'y a aucun amortissement minimal requis. Par conséquent, le calcul de la méthode du couloir n'est pas requis. Voici un exemple d'utilisation de la méthode couloir en supposant un solde non amorti des pertes actuarielles nettes de 240 000 $ à l'ouverture de l'exercice.

Soldes à l'ouverture de l'exercice

Exercice	Obligation au titre des prestations constituées	Actifs du régime de retraite	Couloir 10 %	Solde non amorti des pertes actuarielles nettes	Excédent amortissable	Amortissement des pertes actuarielles
2001	2 800 000 $	1 700 000 $	280 000 $	240 000 $	0 $	0 $

d) Amortissement du coût des services passés – 2001:

1 100 000 $ ÷20 = 55 000 $ par année.

e) Charge de retraite pour 2001:

Coût des services rendus en 2001	400 000 $
Intérêts débiteurs sur l'obligation au titre des prestations constituées (2 800 000 $ × 10 %)	290 000
Rendement prévu des actifs du régime de retraite	(185 000)
Amortissement du coût des services passés	55 000
Charge de retraite de l'exercice 2001	560 000 $

f) Tableau de rapprochement de la situation de capitalisation du régime et de l'actif ou passif au titre des prestations constituées au 31 décembre 2001:

Obligation au titre des prestations constituées	(3 645 000)$
Juste valeur des actifs du régime de retraite	2 620 000
Situation de capitalisation – Régime sous-capitalisé	(1 025 000)
Solde non amorti du coût des services passés (1 100 000 $ – 55 000 $)	1 045 000
Solde non amorti des gains actuariels nets	(80 000)
Passif au titre des prestations constituées	(60 000)$

Exercice 2-14 (35-40 minutes)

	Écritures de journal			Comptes pour mémoire			
Éléments	Charge de retraite de l'exercice	Caisse	Actif (passif) au titre des prestations constituées	Obligation au titre des prestations constituées	Actifs du régime de retraite	Solde non amorti du coût des services passés	Solde non amorti des gains et pertes actuariels nets
Solde au 1er janvier 2001				2 800 000 Ct	1 700 000 Dt	1 100 000 Dt	0
a) Coût des services rendus en 2001	400 000 Dt			400 000 Ct			
b) Intérêts débiteurs	290 000 Dt			290 000 Ct			
c) Rendement prévu des actifs du régime	185 000 Ct				185 000 Dt		
d) Amortissement du coût des services passés	55 000 Dt					55 000 Ct	
e) Cotisations en 2001		500 000 Ct			500 000 Dt		
f) Prestations en 2001				200 000 Dt	200 000 Ct		
Sous-total des comptes	560 000 Dt	500 000 Ct		3 290 000 Ct	2 185 000 Dt	1 045 000 Dt	0
g) Perte actuarielle sur l'obligation				355 000 Ct			355 000 Dt
h) Gain actuariel sur l'actif					435 000 Dt		435 000 Ct
Écriture récapitulative pour 2001	560 000 Dt	500 000 Ct	60 000 Ct	________	________	________	________
Solde au 31 décembre 2001			60 000 Ct	3 645 000 Ct	2 620 000 Dt	1 045 000 Dt	80 000 Ct

Notes pour le tableau:

b) [10 % × (2 800 000 $ + 400 000 $ ÷2 – 200 000 $÷ 2)] = 290 000 $

c) [10 % × (1 700 000 $ + 500 000 $ ÷2 – 200 000 $ ÷2)] = 185 000 $

d) 1 100 000 $ × 1 ÷20 = 55 000 $

g) Perte actuarielle sur l'obligation = 3 645 000 $ - 3 290 000 = 355 000 $

h) Gain actuariel sur l'actif = 2 620 000 $ – 2 185 000 $ = 435 000 $

Écritures de journal au 31 décembre 2001:

Charge de retraite	560 000	
Caisse		500 000
Passif au titre des prestations constituées		60 000

Tableau de rapprochement de la situation de capitalisation du régime de retraite et du passif au titre des prestations constituées au 31 décembre 2001:

Obligation au titre des prestations constituées	(3 645 000)$
Juste valeur des actifs du régime de retraite	2 620 000
Situation de capitalisation – Régime sous-capitalisé	(1 025 000)
Solde non amorti du coût des services passés	1 045 000
Solde non amorti des gains et pertes actuariels nets	(80 000)
Passif au titre des prestations constituées	(60 000)$

Exercice 2-15 (15-20 minutes)

Calcul du montant d'amortissement minimal requis des gains et pertes actuariels pour les exercices 2001, 2002, 2003 et 2004:

On calcule la durée résiduelle moyenne d'activité du groupe de salariés actifs couverts par le régime de la manière suivante:

Durée d'activité future prévue ÷ nombre d'employés = durée résiduelle moyenne d'activité par employé

Durée résiduelle moyenne d'activité par employé = 5 600 ÷ 400 = 14 ans

Gain (perte) actuariel pour l'exercice terminé le 31 décembre

Exercice	Montant
2001	300 000
2002	480 000
2003	(210 000)
2004	(290 000)

Calcul du montant d'amortissement minimal requis des gains et pertes actuariels pour les exercices 2001, 2002, 2003 et 2004:

Solde à l'ouverture de l'exercice

Exercice	Obligation au titre des prestations constituées	Actifs du régime de retraite	Couloir 10 %[a]	Solde non amorti des pertes actuarielles nettes	Excédent amortissable[b]	Amortissement minimal des pertes actuarielles
2001	4 000 000 $	2 400 000 $	400 000 $	0 $	0 $	0 $
2002	4 520 000	2 200 000	452 000	300 000	0	0
2003	4 980 000	2 600 000	498 000	780 000	282 000	20 143 [c]
2004	4 250 000	3 040 000	425 000	549 857 [d]	124 857	8 918 [e]

Notes pour le tableau:

a. Le couloir est égal à 10 % du plus élevé des deux montants suivants à l'ouverture de l'exercice: l'obligation au titre des prestations constituées ou la juste valeur des actifs du régime de retraite.
b. Seul un excédent du solde non amorti des pertes actuarielles nettes sur le couloir est amortissable.
c. 282 000 $ ÷ 14 ans = 20 143 $.
d. 780 000 $ – 20 143 $ – 210 000 $ = 549 857 $.
e. 124 857 $ ÷ 14 ans = 8 918 $.

Exercice 2-16 (20-25 minutes)

a) Amortissement de l'obligation transitoire en 2000 et 2001:

Le 1er janvier 2000, date de la mise en application des nouvelles normes canadiennes par la société Piano ltée, le montant transitoire correspond à l'écart entre le montant de l'obligation au titre des prestations constituées et celui de la juste valeur des actifs du régime à cette date. Le solde non amorti du coût des services passés en date du 31 décembre 1999 n'est plus pertinent et n'a plus à être amorti. Comme la société a choisi d'appliquer les normes prospectivement, le montant transitoire est amorti à compter de la date de leur mise en application, sur la durée moyenne résiduelle d'activité du groupe de salariés actifs couverts par le régime de retraite.

En date du 1er janvier 2000, l'obligation transitoire s'établit à:

Obligation au titre des prestations constituées à l'ouverture de 2000	2 800 000 $
Juste valeur des actifs du régime à l'ouverture de 2000	1 700 000
Obligation transitoire à l'ouverture de 2000	1 100 000 $

L'obligation transitoire est portée en charges à raison de 110 000 $ en 2000 et en 2001 (1 100 000 ÷ 10 années).

b) Calcul du montant d'amortissement minimal requis des gains et pertes actuariels pour les exercices 2000 et 2001:

Solde à l'ouverture de l'exercice

Exercice	Obligation au titre des prestations constituées	Actifs du régime de retraite	Couloir 10 %[a]	Solde non amorti des gains et pertes actuariels nets	Excédent amortissable[b]	Amortissement minimal des pertes actuarielles
2000	2 800 000 $	1 700 000 $	280 000 $	0 $	0 $	0 $
2001	3 650 000	2 400 000	365 000	77 000	0	0

Notes pour le tableau:

a. Le couloir est égal à 10 % du plus élevé des deux montants suivants à l'ouverture de l'exercice: l'obligation au titre des prestations constituées ou la juste valeur des actifs du régime de retraite.
b. Seul un excédent du solde non amorti des gains et pertes actuarielles nets sur le couloir est amortissable.

c) Charge de retraite – 2000 et 2001:

La charge de retraite pour 2000 comprend les éléments suivants:

Coût des services rendus en 2000	400 000 $
Intérêts débiteurs sur l'obligation au titre des prestations constituées (2 800 000 × 10 %)	280 000
Rendement prévu des actifs du régime de retraite (1 700 000 $ × 9 %)	(153 000)
Amortissement minimal des gains et pertes actuariels nets	0
Amortissement de l'obligation transitoire	110 000
Charge de retraite de l'exercice 2001	637 000 $

La charge de retraite pour 2001 comprend les éléments suivants:

Coût des services rendus en 2001	475 000 $
Intérêts débiteurs sur l'obligation au titre des prestations constituées (3 650 000 × 8 %)	292 000
Rendement prévu des actifs du régime de retraite (2 400 000 $ × 9 %)	(216 000)
Amortissement minimal des gains et pertes actuariels nets	0
Amortissement de l'obligation transitoire	110 000
Charge de retraite de l'exercice 2002	661 000 $

Exercice 2-17 (10-12 minutes)

Charge complémentaire de retraite – 2001:

Coût des services rendus en 2001	88 000 $
Intérêts débiteurs sur l'obligation au titre des prestations constituées (10 % × 810 000 $)	81 000
Rendement prévu des actifs du régime d'avantages complémentaires de retraite	(34 000)
Amortissement du coût des services passés	21 000
Amortissement de l'obligation transitoire	5 000
Charge complémentaire de retraite de l'exercice 2001	161 000 $

Exercice 2-18 (10-12 minutes)

Charge complémentaire de retraite – 2001:

Coût des services rendus en 2001	90 000 $
Intérêts débiteurs sur l'obligation au titre des prestations constituées (9 % × 810 000 $)	72 900
Rendement prévu des actifs du régime de retraite	(62 000)
Amortissement du coût des services passés	3 000
Amortissement de l'obligation transitoire	5 000
Charge complémentaire de retraite de l'exercice 2001	108 900 $

Exercice 2-19 (15-20 minutes)

Société Sousaphone ltée

Tableau des avantages complémentaires de retraite – 2001

	Écritures de journal			Comptes pour mémoire			
Éléments	Charge de retraite de l'exercice	Caisse	Actif (passif) au titre des prestations constituées	Obligation au titre des prestations constituées	Actifs du régime	Solde non amorti de l'obligation transitoire	Solde non amorti du coût des services passés
Solde au 1er janvier 2001			0	810 000 Ct	710 000 Dt	80 000 Dt	20 000 Dt
a) Coût des services rendus en 2001	90 000 Dt			90 000 Ct			
b) Intérêts débiiteurs	72 900 Dt			72 900 Ct			
c) Rendement prévu des actifs	62 000 Ct				62 000 Dt		
d) Cotisations		16 000 Ct			16 000 Dt		
e) Prestations				40 000 Dt	40 000 Ct		
f) Amortissement:							
Obligation transitoire	5 000 Dt					5 000 Ct	
Coût des services passés	3 000 Dt						3 000 Ct
Écriture récapitulative pour 2001	108 900 Dt	16 000 Ct	92 900 Ct				
Solde au 31 décembre 2001			92 900 Ct	932 900 Ct	748 000 Dt	75 000Dt	17 000 Dt

Exercice 2-20 (10-15 minutes)

a) Tableau de rapprochement de la situation de capitalisation du régime d'avantages complémentaires de retraite et de l'actif ou du passif au titre des prestations constituées au 31 décembre 2001:

Obligation au titre des prestations constituées (Crédit)	(950 000)$
Juste valeur des actifs du régime (Débit)	650 000
Situation de capitalisation – Régime sous-capitalisé (Crédit)	(300 000)
Solde non amorti du coût des services passés (Débit)	60 000
Solde non amorti de l'obligation transitoire (Débit)	100 000
Passif au titre des prestations constituées du régime d'avantages complémentaires de retraite (Crédit)	(140 000)$

b) Tableau de rapprochement de la situation de capitalisation du régime d'avantages complémentaires de retraite et de l'actif ou du passif au titre des prestations constituées au 31 décembre 2001:

Obligation au titre des prestations constituées (Crédit)	(950 000)$
Juste valeur des actifs du régime (Débit)	650 000
Situation de capitalisation – Régime sous-capitalisé (Crédit)	(300 000)
Solde non amorti du coût des services passés (Débit)	60 000
Solde non amorti de l'obligation transitoire (Débit)	100 000
Solde non amorti de la perte actuarielle nette (Débit)	20 000
Passif au titre des prestations constituées du régime d'avantages complémentaires de retraite (Crédit)	(120 000)$

*Exercice 2-21 (10-15 minutes)

a) Calcul du passif additionnel au titre des prestations constituées:

	31 décembre 2001	31 décembre 2002
Obligation au titre des prestations constituées sans projection des salaires	(260 000)$	(370 000)$
Juste valeur des actifs du régime de retraite	255 000	300 000
Passif minimal au titre des obligations constituées	(5 000)	(70 000)
Actif (passif) au titre des prestations constituées	30 000	(45 000)
Passif additionnel requis à la clôture	(35 000)	(25 000)
Moins: Passif additionnel à l'ouverture	—	(35 000)
Passif additionnel à inscrire	(35 000)$	10 000 $

b) Écritures de journal:

2001

	Débit	Crédit
Actif incorporel – Actif au titre des prestations constituées	35 000	
Passif additionnel au titre des prestations constituées		35 000

2002

	Débit	Crédit
Passif additionnel au titre des prestations constituées	10 000	
Actif incorporel – Actif au titre des prestations constituées		10 000

Note: Pour 2001 et 2002, le passif additionnel requis au titre des prestations constituées n'excède pas le solde non amorti du coût des services passés.

*Exercice 2-22 (15-20 minutes)

a) Calcul de la charge de retraite – 2001:

Coût des services rendus en 2001	90 000 $
Intérêts débiteurs sur l'obligation au titre des prestations constituées (700 000 $ × 0,10)	70 000
Rendement prévu des actifs du régime de retraite	(15 000)
Charge de retraite pour 2001	145 000 $

Écritures de journal – 2001:

Charge de retraite	145 000	
Actif au titre des prestations constituées	5 000	
Caisse		150 000

b) Écritures de journal pour inscrire le passif minimal – 2001:

Calcul du passif au titre des prestations constituées au 31 décembre 2001:

Obligation au titre des prestations constituées sans projection des salaires	(400 000)$
Juste valeur des actifs du régime de retraite	350 000
Passif minimal au titre des prestations constituées	(50 000)
Passif au titre des prestations constituées au 31 décembre 2001 (25 000 $ – 5 000 $)	(20 000)
Passif additionnel requis	(30 000)
Moins: solde d'ouverture du passif additionnel	(10 000)
Passif additionnel à comptabiliser à la clôture de l'exercice	(20 000)$

L'écriture suivante sous-entend que le solde non amorti du coût des services passés excède le passif additionnel à comptabiliser.

Actif incorporel – ATPC	20 000	
Passif additionnel au titre des prestations constituées		20 000

*Exercice 2-23 (30-40 minutes)

a) Écritures de journal pour les exercices 2001, 2002 et 2003:

2001

Charge de retraite	95 000	
Actif au titre des prestations constituées	15 000 *	
Caisse		110 000

Actif incorporel – ATPC	113 000	
Passif additionnel au titre des prestations constituées		113 000 **

(Pour inscrire un passif additionnel afin de refléter le passif minimal au titre des prestations constituées)

Note: Pour 2001, le passif additionnel requis au titre des prestations constituées n'excède pas le solde non amorti du coût des services passés.

* Solde de l'actif ou du passif au titre des prestations constituées au 31 décembre 2001:

Actif (passif) au titre des prestations constituées à l'ouverture de l'exercice 2001	0 $
Charge retraite de 2001	(95 000)
Cotisations versées en 2001	110 000
Actif au titre des prestations constituées à la clôture de l'exercice 2001	15 000 $

** Solde du passif additionnel requis au titre des prestations constituées au 31 décembre 2001:

Obligation au titre des prestations constituées sans projection des salaires	(378 000)$
Actifs du régime de retraite (juste valeur)	280 000
Passif minimal au titre des prestations constituées	(98 000)
Actif au titre des prestations constituées	15 000
Passif additionnel requis au titre des prestations constituées	(113 000)$

2002

Charge de retraite	128 000	
Actif au titre des prestations constituées	22 000 *	
Caisse		150 000
Actif incorporel – ATPC	38 000	
Passif additionnel au titre des prestations constituées		38 000**

(Pour inscrire un passif additionnel afin de refléter le passif minimal au titre des prestations constituées)

Note: Pour 2002, le passif additionnel requis n'excède pas le solde non amorti du coût des services passés.

* Solde de l'actif ou du passif au titre des prestations constituées au 31 décembre 2002:

Actif (passif) au titre des prestations constituées à l'ouverture de l'exercice 2002	15 000 $
Charge retraite de 2002	(128 000)
Cotisations versées en 2002	150 000
Actif au titre des prestations constituées à la clôture de l'exercice 2002	37 000$

** Solde du passif additionnel requis au titre des prestations constituées au 31 décembre 2002:

Obligation au titre des prestations constituées sans projection des salaires	(512 000) $
Juste valeur des actifs du régime de retraite	398 000
Passif minimal au titre des prestations constituées	(114 000)
Actif au titre des prestations constituées	37 000
Passif additionnel au titre des prestations constituées en 2002	(151 000)
Passif additionnel au titre des prestations constituées en 2001	113 000
Passif additionnel requis à la clôture de 2002	(38 000)$

2003

Charge de retraite	130 000	
Caisse		125 000
Passif au titre des prestations constituées		5 000 *
Passif additionnel au titre des prestations constituées	38 000 **	
Actif incorporel – ATPC		38 000

(Le passif additionnel n'est plus requis étant donné que la juste valeur des actifs du régime excède l'obligation au titre des prestations constituées sans projection des salaires.)

* Solde de l'actif ou du passif au titre des prestations constituées au 31 décembre 2003:

Actif (passif) au titre des prestations constituées à l'ouverture de l'exercice 2003	37 000 $
Charge retraite de 2003	(130 000)
Cotisations versées en 2003	125 000
Actif au titre des prestations constituées à la clôture de l'exercice 2003	32 000 $

** Solde du passif additionnel requis au titre des prestations constituées au 31 décembre 2003:

Obligation au titre des prestations constituées sans projection des salaires	(576 000)$
Juste valeur des actifs du régime de retraite	586 000
Excédent de la juste valeur des actifs du régime sur l'obligation au titre des prestations constituées sans projection des salaires	10 000 $

b) Présentation au bilan et à l'état des résultats de la société au 31 décembre 2001, 2002 et 2003:

Société Musette ltée
État des résultats
Pour l'exercice terminé le 31 décembre

	2001	2002	2003
Charge de retraite de l'exercice	95 000 $	128 000 $	130 000 $

Société Musette ltée
Bilan
au 31 décembre

	2001	2002	2003
Actifs			
Actif au titre des prestations constituées	0 $	0 $	32 000 $
Actif incorporel – Actif au titre des prestations constituées	113 000 $	151 000 $	0 $
Passifs			
Passif au titre des prestations constituées	98 000 $*	114 000 $*	0 $*

* Aux fins de la présentation de l'information financière, on intègre le passif additionnel au titre des prestations constituées au solde du compte Actif (passif) au titre des prestations constituées pour obtenir le passif au titre des prestations constituées.

*Exercice 2-24 (20-25 minutes)

a) Montants à porter au bilan des exercices 2001, 2002 et 2003 concernant le régime de retraite de Percussion ltée:

En 2001, le bilan présente un compte Actif au titre des prestations constituées de 19 000 $.

En 2002, le bilan présente un compte Actif au titre des prestations constituées de 16 000 $, tel qu'indiqué.

En 2003, le bilan présente un compte Passif au titre des prestations constituées de 110 000 $ et un compte Actif incorporel – Actif au titre des prestations constituées de 103 000 $ (110 000 $ - 7 000 $).

Le calcul du passif additionnel requis au titre des prestations constituées pour 2003 est le suivant:

Obligation actuarielle au titre des prestations constituées sans projection des salaires	2 060 000 $
Juste valeur des actifs du régime de retraite	1 950 000
Passif minimal au titre des prestations constituées	110 000
Passif au titre des prestations constituées	7 000
Passif additionnel requis au titre des prestations constituées	(103 000) $

b) Écritures de journal pour inscrire la charge de retraite – 2001, 2002 et 2003:

2001		
Charge de retraite	250 000	
Actif (passif) au titre des prestations constituées	19 000	
Caisse		269 000
(Pour inscrire la charge de retraite de l'exercice 2001.)		
2002		
Charge de retraite	268 000	
Passif au titre des prestations constituées		3 000
Caisse		265 000
(Pour inscrire la charge de retraite de l'exercice 2002.)		
2003		
Charge de retraite	300 000	
Passif au titre des prestations constituées		23 000
Caisse		277 000
(Pour inscrire la charge de retraite de l'exercice 2003.)		

c) Écritures de journal pour inscrire le passif minimal – 2001, 2002 et 2003:

Aucune écriture à passer en 2001 pour inscrire le passif minimal au titre des prestations constituées.

Aucune écriture à passer en 2002 pour inscrire le passif minimal au titre des prestations constituées.

En 2003, l'écriture nécessaire est la suivante:

Actif incorporel – ATPC	103 000	
Passif additionnel au titre des prestations constituées		103 000 *

(Pour inscrire un passif additionnel afin de refléter le passif minimal au titre des prestations constituées.)

*Note à l'enseignant: Étant donné que ce montant est inférieur au solde non amorti du coût des services passés de 637 000 $, on porte un débit au compte Actif incorporel – Actif au titre des prestations constituées.

*Exercice 2-25 (20-25 minutes)

a) Voici le tableau de rapprochement de la situation de capitalisation du régime et de l'actif ou du passif au titre des prestations constituées au 31 décembre 2001:

Obligation au titre des prestations constituées	(930 000)$
Juste valeur des actifs du régime de retraite	700 000[a]
Situation de capitalisation – Régime sous-capitalisé	(230 000)
Solde non amorti du coût des services passés	120 000
Passif au titre des prestations constituées	(110 000)
Passif additionnel requis au titre des prestations constituées	(55 000) [a]
Solde du passif au titre des prestations constituées au bilan	(165 000) [b]$

a. Calcul du passif additionnel requis au titre des prestations constituées au 31 décembre 2001:

Obligation au titre des prestations constituées sans projection des salaires	865 000 $
Juste valeur des actifs du régime de retraite	700 000
Passif minimal au titre des prestations constituées	165 000
Actif (passif) au titre des prestations constituées	(110 000)
Passif additionnel requis à la clôture de 2001	55 000 $

b. Le montant porté au bilan de la société à titre de passif au titre des prestations constituées est de 165 000 $ au 31 décembre 2001.

b) Un solde non amorti de perte actuarielle nette augmentera le montant de passif additionnel requis pour constater le passif minimal au titre des prestations constituées. Voici le nouveau tableau de rapprochement de la situation de capitalisation du régime et de l'actif ou du passif au titre des prestations constituées au 31 décembre 2001:

Obligation au titre des prestations constituées	(930 000)$
Juste valeur des actifs du régime de retraite	700 000
Situation de capitalisation – Régime sous-capitalisé	(230 000)
Solde non amorti du coût des services passés	120 000
Solde non amorti de la perte actuarielle nette	16 000
Passif au titre des prestations constituées	(94 000)
Passif additionnel requis au titre des prestations constituées	(71 000) [a]
Solde du passif au titre des prestations constituées à la clôture	(165 000) [b] $

a. Calcul du passif additionnel requis au titre des prestations constituées au 31 décembre 2001 :

Obligation au titre des prestations constituées sans projection des salaires	865 000 $
Juste valeur des actifs du régime de retraite	700 000
Passif minimal au titre des prestations constituées	165 000
Passif au titre des prestations constituées	94 000
Passif additionnel requis à la clôture de 2001	71 000 $

b. Le montant porté au bilan de la société à titre de passif au titre des prestations constituées est de 165 000 $ au 31 décembre 2001.

c) Comme l'employeur espère retirer un avantage économique futur lors de la mise en place ou de la modification d'un régime, le coût des services passés n'est pas imputé immédiatement à l'exercice au cours duquel cette modification ou cette mise en place a eu lieu; il est plutôt réparti sur toutes les années de service futures des salariés qui bénéficient de ce régime.

Cependant, le solde non amorti du coût des services passés a augmenté l'obligation au titre des prestations constituées du régime de retraite. Comme il n'a pas encore été porté au bilan à titre de passif au titre des prestations constituées, ce solde non amorti doit donc être déduit de l'excédent de l'obligation au titre des prestations constituées sur la juste valeur des actifs du régime aux fins du calcul du rapprochement de la situation de capitalisation et de l'actif ou du passif au titre des prestations constituées.

Les gains et pertes actuariels peuvent être causés par des écarts soudains dans la valeur de marché des actifs du régime et par des variations soudaines de l'obligation au titre des prestations constituées par suite de modifications apportées aux hypothèses actuarielles. Si ces gains et pertes actuariels étaient portés immédiatement aux résultats de l'exercice au cours duquel ils surviennent, il en résulterait des variations substantielles de la charge de retraite. Pour contrer la volatilité associée à la charge de retraite, la profession comptable utilise la méthode du couloir afin d'amortir graduellement le solde non amorti des gains et pertes actuariels nets.

Cependant, le solde non amorti de la perte actuarielle a soit augmenté l'obligation au titre des prestations constituées, soit diminué la juste valeur des actifs du régime de retraite. Comme il n'a pas encore été porté au bilan à titre de passif au titre des prestations constituées, ce solde non amorti de la perte actuarielle doit donc être déduit de l'excédent de l'obligation au titre des prestations constituées sur la juste valeur des actifs du régime aux fins du calcul du rapprochement de la situation de capitalisation et de l'actif ou du passif au titre des prestations constituées.

DURÉES ET OBJECTIFS DES PROBLÈMES

Problème 2-1 (30-40 minutes)

Objectif – Permettre à l'étudiant de résoudre un problème qui requiert la préparation d'un tableau du régime de retraite pour deux exercices, accompagné d'un tableau de rapprochement de la situation de capitalisation du régime et de l'actif ou du passif au titre des prestations constituées à la clôture du deuxième exercice. Le problème comporte le calcul d'une perte actuarielle et l'amortissement du coût des services passés.

Problème 2-2 (50-60 minutes)

Objectif – Permettre à l'étudiant de résoudre un problème qui requiert la préparation d'un tableau du régime de retraite et d'écritures de journal pour trois exercices, ainsi que l'élaboration d'un tableau de rapprochement de la situation de capitalisation du régime et de l'actif ou du passif au titre des prestations constituées à la clôture de chaque exercice. Le problème comporte le calcul de gains ou pertes actuariels et l'amortissement du coût des services passés.

Problème 2-3 (30-35 minutes)

Objectif – Permettre à l'étudiant de résoudre un problème qui requiert le calcul de la charge de retraite de l'exercice, la préparation d'écritures de journal et d'un tableau de rapprochement de la situation de capitalisation du régime et de l'actif ou du passif au titre des prestations constituées à la clôture de l'exercice. Ce problème comporte le calcul de gains et pertes actuariels, l'amortissement du montant transitoire ainsi que des calculs d'intérêts appliqués sur le solde moyen de l'obligation au titre des prestations constituées et des actifs du régime.

Problème 2-4 (35-45 minutes)

Objectif – Permettre à l'étudiant de résoudre un problème qui requiert le calcul de la charge de retraite et la préparation d'écritures de journal pour trois exercices. Le problème comporte le calcul de gains ou pertes actuariels et leur amortissement selon la méthode du couloir ainsi que des calculs d'intérêts appliqués sur le solde moyen de l'obligation au titre des prestations constituées et des actifs du régime.

Problème 2-5 (55-65 minutes)

Objectif – Permettre à l'étudiant de résoudre un problème qui requiert le calcul de la charge de retraite d'un régime contributif ainsi que la préparation d'écritures de journal ainsi que d'un tableau de rapprochement de la situation de capitalisation du régime et de l'actif ou du passif au titre des prestations constituées. Le problème comporte le calcul de l'amortissement du coût des services passés et du montant transitoire, le calcul de gains ou pertes actuariels et leur amortissement selon la méthode du couloir ainsi que des calculs d'intérêts appliqués sur le solde moyen de l'obligation au titre des prestations constituées et des actifs du régime. Le problème demande également la préparation de notes complémentaires.

Problème 2-6 (45-55 minutes)

Objectif – Permettre à l'étudiant de résoudre un problème qui requiert la préparation d'un tableau de régime de retraite contributif. Le problème comporte le calcul de l'amortissement du coût des services passés, le calcul de gains ou pertes actuariels et leur amortissement selon la méthode du couloir ainsi que des calculs d'intérêts appliqués sur le solde moyen de l'obligation au titre des prestations constituées et des actifs du régime.

Problème 2-7 (60-65 minutes)

Objectif – Permettre à l'étudiant de résoudre un problème qui requiert la préparation d'un tableau de régime de retraite contributif et d'écritures de journal pour deux exercices ainsi que la préparation d'un tableau de rapprochement de la situation de capitalisation du régime et du passif au titre des prestations constituées à la clôture du dernier exercice. Le problème comporte le calcul de l'amortissement de l'actif transitoire et du coût des services passés, le calcul de gains ou pertes actuariels et leur amortissement selon la méthode du couloir ainsi que des calculs d'intérêts appliqués sur le solde moyen de l'obligation au titre des prestations constituées et des actifs du régime. Le problème demande également la préparation de notes complémentaires.

Problème 2-8 (55-60 minutes)

Objectif – Permettre à l'étudiant de résoudre un problème qui requiert la préparation d'un tableau de régime d'avantages complémentaires de retraite et d'écritures de journal pour deux exercices ainsi que la préparation d'un tableau de rapprochement de la situation de capitalisation du régime et de l'actif ou du passif au titre des prestations constituées à la clôture du dernier exercice. Le problème comporte le calcul de l'amortissement du coût des services passés, le calcul de gains ou pertes actuariels et leur amortissement selon la méthode du couloir ainsi que des calculs d'intérêts appliqués sur le solde moyen de l'obligation au titre des prestations constituées et des actifs du régime.

Problème 2-9 (40-45 minutes)

Objectif – Permettre à l'étudiant de résoudre un problème qui requiert la préparation d'un tableau de régime d'avantages complémentaires de retraite et d'un tableau de rapprochement de la situation de capitalisation du régime et de l'actif ou du passif au titre des prestations constituées. Le problème comporte le calcul de l'amortissement du montant transitoire, le calcul de gains ou pertes actuariels et leur amortissement selon la méthode du couloir ainsi que des calculs d'intérêts appliqués sur le solde moyen de l'obligation au titre des prestations constituées et des actifs du régime.

Problème 2-10 (55-60 minutes)

Objectif – Permettre à l'étudiant de résoudre un problème qui requiert la préparation d'un tableau de régime de retraite contributif, d'écritures de journal ainsi que d'un tableau de rapprochement de la situation de capitalisation du régime et de l'actif au titre des prestations constituées. Le problème comporte le calcul de l'amortissement de l'obligation transitoire et du coût des services passés, le calcul de gains ou pertes actuariels et leur amortissement selon la méthode du couloir, le calcul de la provision pour moins-value à l'égard de la valeur comptable de l'actif au titre des prestations constituées ainsi que des calculs d'intérêts appliqués sur le solde moyen de l'obligation au titre des prestations constituées et des actifs du régime.

Problème 2-11 (60-70 minutes)

Objectif – Permettre à l'étudiant de résoudre un problème qui requiert la préparation d'un tableau de régime de retraite contributif, d'écritures de journal et d'un tableau de rapprochement de la situation de capitalisation du régime et du passif au titre des prestations constituées. Le problème comporte le calcul du profit ou de la perte découlant du règlement partiel du régime de retraite, le calcul de l'amortissement de l'actif transitoire et du coût des services passés, le calcul des gains et pertes actuariels et de leur amortissement selon la méthode du couloir ainsi que des calculs d'intérêts appliqués sur le solde moyen de l'obligation au titre des prestations constituées et des actifs du régime.

Problème 2-12 (75-80 minutes)

Objectif – Permettre à l'étudiant de résoudre un problème qui requiert la préparation d'un tableau de régime de retraite contributif et d'un tableau de régime non contributif d'avantages complémentaires de retraite, la préparation d'écritures de journal et d'un tableau de rapprochement de la situation de capitalisation des régimes et des passifs au titre des prestations constituées correspondants. Le problème comporte le calcul du profit ou de la perte découlant du règlement partiel des régimes, le calcul de l'amortissement de l'obligation transitoire et du coût des services passés, le calcul des gains et pertes actuariels et de leur amortissement selon la méthode du couloir ainsi que des calculs d'intérêts appliqués sur le solde moyen de l'obligation au titre des prestations constituées et des actifs du régime.

Problème 2-13 (60-70 minutes)

Objectif – Permettre à l'étudiant de résoudre un problème qui requiert la préparation d'un tableau de régime de retraite contributif, d'écritures de journal et d'un tableau de rapprochement de la situation de capitalisation du régime et du passif au titre des prestations constituées. Le problème comporte le calcul du profit ou de la perte découlant de la compression du régime de retraite, le calcul de l'amortissement de l'obligation transitoire et du coût des services passés, le calcul des gains et pertes actuariels et de leur amortissement selon la méthode du couloir, le calcul des prestations de cessation d'emploi ainsi que des calculs d'intérêts appliqués sur le solde moyen de l'obligation au titre des prestations constituées et des actifs du régime.

***Problème 2-14** (40-50 minutes)

Objectif – Permettre à l'étudiant de résoudre un problème qui requiert le calcul de la charge de retraite de l'exercice, la préparation d'écritures de journal et d'un tableau de rapprochement de la situation de capitalisation et de l'actif ou du passif au titre des prestations constituées. Le problème comporte le calcul de gains ou pertes actuariels ainsi que du passif minimal au titre des prestations constituées.

***Problème 2-15** (30-35 minutes)

Objectif – Permettre à l'étudiant de résoudre un problème qui requiert le calcul de la charge de retraite et la préparation d'écritures de journal pour deux exercices. Le problème comporte le calcul du passif minimal au titre des prestations constituées.

***Problème 2-16** (45-55 minutes)

Objectif – Permettre à l'étudiant de résoudre un problème qui requiert le calcul de la charge de retraite et la préparation d'écritures de journal pour trois exercices. Le problème comporte le calcul de gains ou pertes actuariels et leur amortissement selon la méthode du couloir ainsi que le calcul du passif minimal au titre des prestations constituées.

***Problème 2-17** (50-60 minutes)

Objectif – Permettre à l'étudiant de résoudre un problème qui requiert le calcul de la charge de retraite, la préparation d'écritures de journal et d'un tableau de rapprochement de la situation de capitalisation du régime et de l'actif ou du passif au titre des prestations constituées. Le problème comporte le calcul de l'amortissement du coût des services passés, le calcul de gains ou pertes actuariels et leur amortissement selon la méthode du couloir ainsi que le calcul du passif minimal au titre des prestations constituées.

***Problème 2-18** (35-45 minutes)

Objectif – Permettre à l'étudiant de résoudre un problème qui requiert la préparation d'un tableau du régime de retraite, incluant le calcul de gains ou pertes actuariels et leur amortissement selon la méthode du couloir ainsi que le calcul du passif minimal au titre des prestations constituées.

***Problème 2-19** (55-60 minutes)

Objectif – Permettre à l'étudiant de résoudre un problème qui requiert la préparation d'un tableau du régime de retraite et d'écritures de journal pour deux exercices ainsi que la préparation d'un tableau de rapprochement de la situation de capitalisation du régime et de l'actif ou du passif au titre des prestations constituées à la clôture du dernier exercice. Le problème comporte le calcul de l'amortissement du coût des services passés, le calcul de gains ou pertes actuariels et leur amortissement selon la méthode du couloir ainsi que le calcul du passif minimal au titre des prestations constituées.

***Problème 2-20** (40-45 minutes)

Objectif – Permettre à l'étudiant de résoudre un problème qui requiert la préparation d'un tableau de régime de retraite et d'écritures de journal. Le problème comporte le calcul de l'amortissement du coût des services passés et du passif minimal au titre des prestations constituées.

SOLUTIONS DES PROBLÈMES

Problème 2-1

a)

Société Saxo Soprano ltée

Tableau du régime de retraite – 2001 et 2002

	Écritures de journal			Comptes pour mémoire			
Éléments	Charge de retraite de l'exercice	Caisse	Actif (passif) au titre des prestations constituées	Obligation au titre des prestations constituées	Actifs du régime de retraite	Solde non amorti du coût des services passés	Solde non amorti des gains et pertes actuariels
Solde au 1er janvier 2001			0	4 200 000 Ct	4 200 000 Dt	0	0
a) Coût des services rendus en 2001	150 000 Dt			150 000 Ct			
b) Intérêts débiteurs	420 000 Dt			420 000 Ct			
c) Rendement prévu des actifs	252 000 Ct				252 000 Dt		
d) Cotisations		140 000 Ct			140 000 Dt		
e) Prestations				200 000 Dt	200 000 Ct		
Écriture récapitulative pour 2001	318 000 Dt	140 000 Ct	178 000 Ct				
Solde au 31 décembre 2001			178 000 Ct	4 570 000 Ct	4 392 000 Dt	0	0
f) Coût des services passés au 1er janvier 2002				500 000 Ct		500 000 Dt	
Solde révisé au 1er janvier 2002			178 000 Ct	5 070 000 Ct	4 392 000 Dt	500 000 Dt	0
g) Coût des services rendus en 2002	180 000 Dt			180 000 Ct			
h) Intérêts débiteurs	507 000 Dt			507 000 Ct			
i) Rendement prévu des actifs	351 360 Ct				351 360 Dt		
j) Perte actuarielle sur l'actif					91 360 Ct		91 360 Dt
k) Amortissement du coût des services passés	90 000 Dt					90 000 Ct	
l) Cotisations		185 000 Ct			185 000 Dt		
m) Prestations				280 000 Dt	280 000 Ct		

Écriture récapitulative pour 2002	425 640 Dt	185 000 Ct	240 640 Ct				
Solde au 31 décembre 2002			418 640 Ct	5 477 000 Ct	4 557 000 Dt	410 000 Dt	91 360 Dt

Notes pour le tableau:

b) 420 000 $ = 4 200 000 $ × 10 %.

c) 252 000 $ = 4 200 000 $ × 6 %.

h) 507 000 $ = 5 070 000 $ × 10 %.

i) 351 360 $ = 4 392 000 $ × 8 %

j) 91 360 $ = 351 360 $ – 260 000 $.

b) Tableau de rapprochement de la situation de capitalisation du régime de retraite et du passif au titre des prestations constituées au 31 décembre 2002:

Obligation au titre des prestations constituées	(5 477 000)$
Juste valeur des actifs du régime de retraite	4 557 000
Situation de capitalisation – Régime sous-capitalisé	(920 000)
Solde non amorti du coût des services passés	410 000
Solde non amorti des pertes actuarielles nettes	91 360
Passif au titre des prestations constituées	(418 640)$

Problème 2-2

a)

Société Saxo Alto ltée

Tableau du régime de retraite – 2001, 2002 et 2003

	Écritures de journal			Comptes pour mémoire			
Éléments	Charge de retraite de l'exercice	Caisse	Actif (passif) au titre des prestations constituées	Obligation au titre des prestations constituées	Actifs du régime de retraite	Solde non amorti du coût des services passés	Solde non amorti des gains et pertes actuariels
Solde au 1er janvier 2001				200 000 Ct	200 000 Dt		
a) Coût des services rendus en 2001	16 000 Dt			16 000 Ct			
b) Intérêts débiteurs	20 000 Dt			20 000 Ct			
c) Rendement prévu des actifs	20 000 Ct				20 000 Dt		
d) Perte actuarielle sur l'actif					3 000 Ct		3 000 Dt

e) Cotisations		16 000 Ct			16 000 Dt		
f) Prestations	_______	_______		14 000 Dt	14 000 Ct		
Écriture récapitulative pour 2001	16 000 Dt	16 000 Ct		_______	_______	_______	_______
Solde au 31 décembre 2001				222 000 Ct	219 000 Dt		3 000 Dt
g) Coût des services passés au 1er janvier 2002				160 000 Ct	_______	160 000 Dt	
Solde révisé au 1er janvier 2002				382 000 Ct	219 000 Dt	160 000 Dt	3 000 Dt
h) Coût des services rendus en 2002	19 000 Dt			19 000 Ct			
i) Intérêts débiteurs	38 200 Dt			38 200 Ct			
j) Rendement prévu des actifs	21 900 Ct				21 900 Dt		
k) Amor-tissement du coût des services passés	54 400 Dt					54 400 Ct	
l) Cotisations		40 000 Ct			40 000 Dt		
m) Prestations	_______	_______		16 400 Dt	16 400 Ct		
Écriture récapitulative pour 2002	89 700 Dt	40 000 Ct	49 700 Ct	_______	_______	_______	_______
Solde au 31 décembre 2002			49 700 Ct	422 800 Ct	264 500 Dt	105 600 Dt	3 000 Dt
n) Coût des services rendus en 2003	26 000 Dt			26 000 Ct			
o) Intérêts débiteurs	42 280 Dt			42 280 Ct			
p) Rendement prévu des actifs	26 450 Ct				26 450 Dt		
q) Perte actuarielle sur l'actif					2 450 Ct		2 450 Dt
r) Amor-tissement du coût des services passés	41 600 Dt					41 600 Ct	
s) Cotisations		48 000 Ct			48 000 Dt		
t) Prestations	_______	_______	_______	21 000 Dt	21 000 Ct	_______	_______
Sous-total des comptes	83 430 Dt	48 000 Ct	49 700 Ct	470 080 Ct	315 500 Dt	64 000 Dt	5 450 Dt

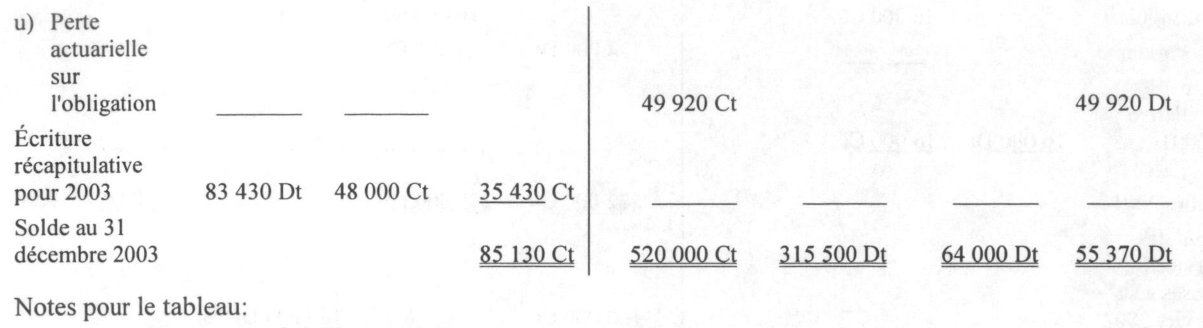

u) Perte actuarielle sur l'obligation	______	______		49 920 Ct			49 920 Dt
Écriture récapitulative pour 2003	83 430 Dt	48 000 Ct	35 430 Ct	______	______	______	______
Solde au 31 décembre 2003			85 130 Ct	520 000 Ct	315 500 Dt	64 000 Dt	55 370 Dt

Notes pour le tableau:

b) 20 000 \$ = 200 000 \$ × 10 %

c) 20 000 \$ = 200 000 \$ × 10 %

d) 3 000 \$ = 20 000 \$ – 17 000 \$; le rendement réel est moindre que le rendement prévu.

i) 38 200 \$ = 382 000 \$ × 10 %

j) 21 900 \$ = 219 000 \$ × 10 %; le rendement prévu et le rendement réel sont les mêmes.

o) 42 280 \$ = 422 800 \$ × 10 %

p) 26 450 \$ = 264 500 \$ × 10 %

q) 2 450 \$ = 26 450 \$ – 24 000 \$; le rendement réel est moindre que le rendement prévu.

u) 49 920 \$ = 520 000 \$ – 470 080 \$; le solde réel excède le solde prévu.

(Note à l'enseignant: Étant donné que le montant du solde non amorti des gains et pertes actuariels nets ne dépasse pas 10 % du plus élevé des deux montants suivants à l'ouverture de l'exercice concerné, soit l'obligation au titre des prestations constituées ou les actifs du régime de retraite, aucun amortissement minimal n'est requis pour chacun des exercices considérés.

b) Écritures de journal – 2001, 2002 et 2003:

<u>2001</u>

Charge de retraite	16 000	
Caisse		16 000

<u>2002</u>

Charge de retraite	89 700	
Caisse		40 000
Passif au titre des prestations constituées		49 700

<u>2003</u>

Charge de retraite	83 430	
Caisse		48 000
Passif au titre des prestations constituées		35 430

c) Tableau de rapprochement de la situation de capitalisation du régime et de l'actif ou du passif au titre des prestations constituées au 31 décembre 2001:

Obligation au titre des prestations constituées	(222 000)$
Juste valeur des actifs du régime de retraite	219 000
Situation de capitalisation – Régime sous-capitalisé	(3 000)
Solde non amorti des pertes actuarielles nettes	3 000
Actif (passif) au titre des prestations constituées	0 $

Tableau de rapprochement de la situation de capitalisation du régime et de l'actif ou du passif au titre des prestations constituées au 31 décembre 2002:

Obligation au titre des prestations constituées	(422 800)$
Juste valeur des actifs du régime de retraite	264 500
Situation de capitalisation – Régime sous-capitalisé	(158 300)
Solde non amorti des pertes (gains) actuarielles nettes	3 000
Solde non amorti du coût des services passés	105 600
Passif au titre des prestations constituées	(49 700)$

Tableau de rapprochement de la situation de capitalisation du régime et de l'actif ou du passif au titre des prestations constituées au 31 décembre 2003:

Obligation au titre des prestations constituées	(520 000)$
Juste valeur des actifs du régime de retraite	315 500
Situation de capitalisation – Régime sous-capitalisé	(204 500)
Solde non amorti des pertes actuarielles nettes	55 370
Solde non amorti du coût des services passés	64 000
Passif au titre des prestations constituées	(85 130)$

Problème 2-3

a) La charge de retraite pour 2001 comprend les éléments suivants:

Coût des services rendus en 2001	52 000 $
Intérêts débiteurs sur l'obligation au titre des prestations constituées [10 % × (350 000 $ + 52 000 $ ÷2 – 20 000 $ ÷2)]	36 600
Rendement prévu des actifs du régime de retraite [10 % × (200 000 $ + 65 000$ ÷2 – 20 000 $ ÷ 2)	(22 250)
Amortissement minimal requis des gains et pertes actuariels en 2001	0
Amortissement de l'obligation transitoire (150 000 $ ÷ 10,5 années)	14 286
Charge de retraite de l'exercice 2001	80 636 $

b) Écriture de journal pour inscrire la charge de retraite – 2001:

Charge de retraite	80 636	
Caisse		65 000
Passif au titre des prestations constituées		15 636

c) Augmentation/diminution du solde non amorti des gains et pertes actuariels et amortissement minimal requis des gains et pertes actuariels nets au 31 décembre 2001 et 2002:

i) Calcul du gain ou de la perte actuariels sur l'obligation pour l'exercice 2001:

Obligation au titre des prestations constituées au 1er janvier 2001	350 000 $
Intérêts débiteurs sur l'obligation au titre des prestations constituées	36 600
Coût des services rendus en 2001	52 000
Prestations versées en 2001	(20 000)
Solde prévu de l'obligation au titre des prestations constituées au 31 décembre 2001	418 600
Obligation au titre des prestations constituées au 31 décembre 2001	452 000
Perte actuarielle sur l'obligation	33 400 $

ii) Calcul du gain ou de la perte actuariels sur l'actif pour l'exercice 2001:

Juste valeur des actifs du régime de retraite au 1er janvier 2001	200 000 $*
Rendement prévu des actifs du régime	22 250
Cotisations à la caisse de retraite en 2001	65 000
Prestations versées aux participants en 2001	(20 000)
Solde prévu des actifs du régime au 31 décembre 2001	267 250
Juste valeur des actifs du régime de retraite au 31 décembre 2001	276 000
Gain actuariel sur l'actif	8 750 $
Solde non amorti des pertes actuarielles nettes au 31 décembre 2001	24 650 $

* Note: Les normes comptables permettent l'utilisation soit de la juste valeur des actifs du régime de retraite, soit d'une moyenne des valeurs de marché, appelée «valeur liée au marché» des actifs du régime. Toutefois, si le problème donne la juste valeur et la valeur liée au marché des actifs du régime, on utilise cette dernière pour calculer le rendement prévu. Dans le cas présent, la juste valeur et la valeur liée au marché sont les mêmes.

Le solde non amorti des pertes actuarielles nettes à la clôture de l'exercice 2001 devient le solde d'ouverture de 2002. Le couloir de l'exercice 2002 est équivalent à 10 % du plus élevé des montants suivants établis à l'ouverture de 2002: 452 000 $ (obligation au titre des prestations constituées) ou 276 000 $ (valeur liée au marché des actifs). Étant donné que le couloir de 45 200 $ est supérieur au solde non amorti des pertes actuarielles de 24 000 $, aucun amortissement des pertes actuarielles n'est requis en 2002. De plus, vu l'absence de solde non amorti des gains et pertes actuariels au début de 2001, il n'y a aucun amortissement minimal requis en 2001.

d) Rapprochement de la situation de capitalisation du régime et de l'actif ou du passif au titre des prestations constituées au 31 décembre 2001:

Obligation au titre des prestations constituées	(452 000)$
Juste valeur des actifs du régime de retraite	276 000
Situation de capitalisation – Régime sous-capitalisé	(176 000)
Solde non amorti des pertes actuarielles nettes	24 650
Solde non amorti de l'obligation transitoire (150 000 $ – 14 286 $)	135 714
Passif au titre des prestations constituées	(15 636)$

Problème 2-4

a) Charge de retraite – 2001, 2002 et 2003:

La charge de retraite de l'exercice 2001 comprend les éléments suivants:

Coût des services rendus en 2001	55 000 $
Intérêts débiteurs sur l'obligation au titre des prestations constituées [13 % × (55 000 $ ÷2)]	3 575
Rendement prévu des actifs du régime [10 % × (50 000 $ ÷2)]	(2 500)
Amortissement minimal requis des gains et pertes actuariels nets	0 *
Charge de retraite de l'exercice 2002	56 075 $

La charge de retraite de l'exercice 2002 comprend les éléments suivants:

Coût des services rendus en 2002	85 000 $
Intérêts débiteurs sur l'obligation au titre des prestations constituées [11 % × (55 000 $ + 85 000 $ ÷2 – 30 000 $ ÷2)]	9 075
Rendement prévu des actifs du régime [10 % × 50 000 $ + 60 000 $ ÷2 – 30 000 $ ÷2)]	(6 500)
Amortissement minimal requis des gains et pertes actuariels nets	0 *
Charge de retraite de l'exercice 2002	87 575 $

La charge de retraite de l'exercice 2003 comprend les éléments suivants:

Coût des services rendus en 2003	119 000 $
Intérêts débiteurs sur l'obligation au titre des prestations constituées [8 % × (161 000 $ + 119 000 $ ÷2 – 18 500 $ ÷2)]	16 900
Rendement prévu des actifs du régime [10 % × 85 000 $ + 95 000 $ ÷2 – 18 500 $ ÷2)]	(12 325)
Amortissement minimal requis des pertes actuarielles nettes	1 280 *
Charge de retraite de l'exercice 2003	124 855 $

b) Calcul du solde non amorti des gains et pertes actuariels et amortissement minimal requis des gains et pertes actuariels nets à la clôture de 2001, 2002 et 2003:

i) Calcul du gain ou de la perte actuariels sur l'obligation pour les exercices suivants:

	2001	2002	2003
Obligation au titre des prestations constituées à l'ouverture	0 $	55 000 $	161 000 $
Intérêts débiteurs sur l'obligation au titre des prestations constituées	3 575	9 075	16 900
Coût des services rendus	55 000	85 000	119 000
Prestations versées	(0)	(30 000)	(18 500)
Solde prévu de l'obligation au titre des prestations constituées à la clôture	58 575	119 075	278 400
Obligation au titre des prestations constituées à la clôture	55 000	161 000	324 000
Pertes (gains) actuarielles sur l'obligation	(3 575) $	41 925 $	45 600 $

ii) Calcul du gain ou de la perte actuariels sur l'actif pour les exercices suivants:

	2001	2002	2003
Juste valeur des actifs du régime à l'ouverture	0 $	50 000 $	85 000 $
Rendement prévu des actifs du régime	2 500	6 500	12 325
Cotisations à la caisse de retraite	50 000	60 000	95 000
Prestations versées aux participants	(0)	(30 000)	(18 500)
Solde prévu des actifs du régime à la clôture	52 500	86 500	173 825
Juste valeur des actifs du régime à la clôture	50 000	85 000	170 000
(Gains) pertes actuariels sur l'actif	2 500 $	1 500 $	3 825 $

iii) Calcul du solde non amorti des gains et pertes actuariels nets pour les exercices suivants:

	2001	2002	2003
Pertes (gains) actuarielles sur l'obligation	(3 575) $	41 925 $	45 600 $
Pertes (gains) actuarielles sur l'actif	2 500	1 500	3 825
Pertes (gains) actuarielles de l'exercice	(1 075)	43 425	49 425
Solde non amorti des pertes (gains) actuarielles nettes à l'ouverture	0	(1 075)	42 350
Amortissement minimal requis	0	0	(1 313)*
Solde non amorti des pertes (gains) actuarielles nettes à la clôture	(1 075) $	42 350 $	90 462 $

* L'amortissement minimal requis des gains et pertes actuariels nets se calcule comme suit pour les exercices 2001, 2002 et 2003:

Solde à l'ouverture de l'exercice

Exercice	Obligation au titre des prestations constituées	Actifs du régime de retraite	Couloir 10 %[a]	Solde non amorti des gains et pertes actuariels nets	Excédent amortissable[b]	Amortissement minimal des pertes actuarielles
2001	0 $	0 $	0 $	0 $	0 $	0 $
2002	55 000	50 000	5 500	1 075 $	0	0
2003	161 000	85 000	16 100	42 350	26 250	1 280 $

Notes du tableau:

a. Le couloir est égal à 10 % du plus élevé des deux montants suivants à l'ouverture de l'exercice: l'obligation au titre des prestations constituées ou la juste valeur des actifs du régime de retraite.

b. Seul un excédent du solde non amorti des gains et pertes actuariels nets sur le couloir est amortissable.

c. 26 250 $ ÷ 20,5 = 1 280 $.

Vu l'absence de solde non amorti des gains et pertes actuariels à l'ouverture de 2001, il n'y a aucun amortissement minimal requis en 2001.

c) Écritures de journal au 31 décembre:

2001

Charge de retraite	56 075	
Caisse		50 000
Passif au titre des prestations constituées		6 075

2002

Charge de retraite	87 575	
Caisse		60 000
Passif au titre des prestations constituées		27 575

2003

Charge de retraite	124 855	
Caisse		95 000
Passif au titre des prestations constituées		29 855

Problème 2-5

a) Solde non amorti du coût des services passés – 2002, 2003 et 2004:

Amortissement du coût des services passés pour 2002, 2003 et 2004:

	Obligation transitoire		Coût des services passés	
Exercice	Amortissement de l'exercice	Solde non amorti à la clôture	Amortissement de l'exercice	Solde non amorti à la clôture
2001		1 300 000 $		455 000 $
2002	100 000 *	1 200 000 $	35 000**	420 000 $
2003	100 000	1 100 000 $	35 000	385 000 $
2004	100 000	1 000 000 $	35 000	350 000 $

* (1 500 000 $ ÷ 15 ans) = 100 000 $

** (490 000 $ ÷ 14 ans) = 35 000 $

b) Charge de retraite – 2002:

La charge de retraite pour 2002 comprend les composantes suivantes:

Coût des services rendus en 2002	300 000 $
Intérêts débiteurs sur l'obligation au titre des prestations constituées [10 % × (5 000 000 $ + 350 000 $ ÷2 – 150 000 $ ÷ 2)]	510 000
Rendement prévu des actifs du régime de retraite [10 % × (3 000 000 $ + 50 000 $ ÷2 + 400 000 $ ÷2 – 150 000 $ ÷2)]	(315 000)
Amortissement de l'obligation transitoire	100 000
Amortissement du coût des services passés	35 000
Amortissement minimal requis des gains et pertes actuariels nets *	0
Charge de retraite de l'exercice 2002	630 000 $

c) Écritures de journal – 2002:

Charge de retraite	630 000	
Caisse		400 000
Passif au titre des prestations constituées		230 000

d) Augmentation/diminution du solde non amorti des gains et pertes actuariels nets et amortissement minimal requis des gains et pertes actuariels nets – 2001 et 2002:

1) Calcul du gain ou de la perte actuariels sur l'obligation pour l'exercice 2002:

Obligation au titre des prestations constituées au 1er janvier 2001	5 000 000 $
Intérêts débiteurs sur l'obligation au titre des prestations constituées	510 000
Coût des services rendus en 2002	350 000
Prestations versées en 2002	(150 000)
Solde prévu de l'obligation au titre des prestations constituées au 31 décembre 2002	5 710 000
Obligation au titre des prestations constituées au 31 décembre 2002	5 300 000
Gain actuariel sur l'obligation de l'exercice 2002	(410 000)$

2) Calcul du gain ou de la perte actuariels sur l'actif pour l'exercice 2002:

Juste valeur des actifs du régime de retraite au 1er janvier 2002	3 000 000$*
Rendement prévu des actifs du régime en 2002	315 000 *
Cotisations à la caisse de retraite en 2002	450 000
Prestations versées aux participants en 2002	(150 000)
Solde prévu des actifs du régime au 31 décembre 2002	3 615 000
Juste valeur des actifs du régime de retraite au 31 décembre 2002	3 900 000
Gain actuariel sur l'actif de l'exercice 2002	(285 000)
Solde non amorti des gains actuariels nets au 31 décembre 2001	(695 000)$

Comme le solde non amorti des gains et pertes actuariels nets est nul à l'ouverture de 2002, il n'y a aucun amortissement minimal requis en 2002.

Toutefois, l'amortissement minimal requis des gains actuariels nets sera de 38 462 $ en 2003, comme le montre le tableau suivant:

Solde à l'ouverture de l'exercice

Exercice	Obligation au titre des prestations constituées	Actifs du régime de retraite	Couloir 10 %[a]	Solde non amorti des gains et pertes actuariels nets	Excédent amortissable[b]	Amortissement minimal des gains actuariels
2002	5 000 000 $	3 000 000 $	500 000 $	0 $	0 $	0 $
2003	5 300 000	3 900 000	530 000	(695 000)	165 000	12 692 $

Notes pour le tableau:

a. Le couloir est égal à 10 % du plus élevé des deux montants suivants à l'ouverture de l'exercice: l'obligation au titre des prestations constituées ou la juste valeur des actifs du régime de retraite.

b. Seul un excédent du solde non amorti des pertes actuarielles nettes sur le couloir est amortissable.

c. 165 000 $ ÷ 13 = 12 692 $.

e) Tableau de rapprochement de la situation de capitalisation du régime et de l'actif ou passif au titre des prestations constituées au 31 décembre 2002:

Obligation au titre des prestations constituées	(5 300 000)$
Juste valeur des actifs du régime de retraite	3 900 000
Situation de capitalisation – Régime sous-capitalisé	(1 400 000)
Solde non amorti de l'obligation transitoire	1 200 000
Solde non amorti du coût des services passés	420 000
Solde non amorti des pertes (gains) actuarielles nettes	(695 000)
Passif au titre des prestations constituées porté au bilan	(475 000)$

f) Notes complémentaires au 31 décembre 2002:

Société Trombone ltée

Notes complémentaires

Note 1. La société offre à tous ses salariés un régime de retraite contributif à prestations déterminées. L'actif du régime de retraite comprend des liquidités, des placements dans des titres de capitaux propres et dans des titres obligataires. La méthode de capitalisation de la société est conforme aux lois et règlements relatifs aux régimes de retraite.

La charge de retraite nette de 2002 est composée des éléments suivants:

Coût des services rendus au cours de l'exercice financé par la société	300 000 $
Intérêts débiteurs sur l'obligation au titre des prestations constituées	510 000
Rendement prévu sur les actifs du régime	(315 000)
Amortissement du coût des services passés	35 000
Amortissement de l'obligation transitoire	100 000
Charge de retraite	630 000 $

Le tableau suivant présente la variation de la valeur de l'obligation au titre des prestations constituées et des actifs du régime durant l'exercice; il rapproche la situation de capitalisation du régime de retraite et les montants portés au bilan de la société au 31 décembre 2002:

Variation de la valeur de l'obligation au titre des prestations constituées	
Obligation au titre des prestations à l'ouverture de l'exercice	5 000 000 $
Coût des services rendus au cours de l'exercice incluant la partie financée par les salariés	350 000
Intérêts débiteurs sur l'obligation au titre des prestations constituées	510 000
Gain actuariel sur l'obligation	(410 000)
Prestations versées aux retraités	(150 000)
Obligation au titre des prestations constituées à la clôture de l'exercice	5 300 000
Variation de la valeur des actifs du régime	
Juste valeur des actifs du régime à l'ouverture	3 000 000 $
Rendement prévu des actifs du régime	315 000
Cotisations versées par la société	400 000
Cotisations versées par les salariés	50 000
Prestations versées aux retraités	(150 000)
Gain actuariel sur l'actif	285 000
Juste valeur des actifs du régime à la clôture	3 900 000

Situation de capitalisation – Régime sous-capitalisé	(1 400 000)
Solde non amorti des gains et pertes actuariels nets	(695 000)
Solde non amorti du coût des services passés	420 000
Solde non amorti de l'obligation transitoire	1 200 000
Actif (passif) au titre des prestations constituées porté au bilan	(475 000) $

Le taux d'actualisation moyen (pondéré) qui a servi à déterminer l'obligation au titre des prestations constituées est de 10 %. Le taux de rendement prévu moyen (pondéré) à long terme des actifs du régime est de 10 %.

Problème 2-6

Société Trompette ltée
Tableau du régime de retraite
pour l'exercice terminé le 31 décembre 2001

	Écritures de journal			Comptes pour mémoire			
Éléments	Charge de retraite de l'exercice	Caisse	Actif (passif) au titre des prestations constituées	Obligation au titre des prestations constituées	Actifs du régime de retraite	Solde non amorti du coût des services passés	Solde non amorti des gains et pertes actuariels nets
Solde au 1er janvier 2001			33 000 Ct	725 000 Ct	520 000 Dt	81 000 Dt	91 000 Dt
a) Coût des services rendus financé par l'employeur	108 000 Dt			108 000 Ct			
b) Intérêts débiteurs	67 860 Dt			67 860 Ct			
c) Rendement prévu des actifs	56 400 Ct				56 400 Dt		
d) Perte actuarielle sur l'actif					8 400 Ct		8 400 Dt
e) Amortissement du coût des services passés	25 000 Dt					25 000 Ct	
f) Cotisations versées par l'employeur		138 000 Ct			138 000 Dt		
g) Cotisations versées par les salariés				35 000 Ct	35 000 Dt		
h) Prestations				85 000 Dt	85 000 Ct		
i) Amortissement minimal requis des pertes actuarielles nettes	1 850 Dt						1 850 Ct

Éléments	Charge de retraite de l'exercice	Caisse	Actif (passif) au titre des prestations constituées	Obligation au titre des prestations constituées	Actifs du régime de retraite		
Sous-total des comptes	146 310 Dt	138 000 Ct		850 860 Ct	656 000 Dt	56 000 Dt	97 550 Dt
j) Gain actuariel sur l'obligation				37 610 Dt			37 610 Ct
Écriture récapitulative pour 2001	146 310 Dt	138 000 Ct	8 310 Ct	____	____	____	____
Solde au 31 décembre 2001			41 310 Ct	813 250 Ct	656 000 Dt	56 000 Dt	59 940 Dt

Calculs pour le tableau:

a) 143 000 $ – 35 000 $ = 108 000 $

b) [9 % × (725 000 $ + (108 000 $ ÷ 2) + (35 000 $ ÷ 2) – (85 000 $ ÷ 2))] = 67 860 $

c) [10 % x (520 000 $ + (138 000 $ ÷ 2) + (35 000 $ ÷ 2) – (85 000 $ ÷ 2))] = 56 400 $

d) 56 400 $ – 48 000 $ = 8 400 $

i) Amortissement minimal requis des pertes actuarielles nettes en 2001:

Solde à l'ouverture de l'exercice

Exercice	Obligation au titre des prestations constituées	Actifs du régime de retraite	Couloir 10 % *	Solde non amorti des gains et pertes actuariels nets	Excédent amortissable	Amortissement minimal des gains actuariels
2001	725 000 $	520 000 $	72 500 $	91 000 $	18 500 $	1 850 $ **

* Le couloir est égal à 10 % du plus élevé des deux montants suivants à l'ouverture de l'exercice: l'obligation au titre des prestations constituées ou la juste valeur des actifs du régime de retraite.

** 18 500 $ ÷ 10 ans = 1 850 $.

j) Gain actuariel sur l'obligation = Solde prévu de l'obligation au titre des prestations constituées – Solde réel de l'obligation au titre des prestations constituées = 850 860 $ – 813 250 $ = 37 610 $

Problème 2-7

a)

Société Violon ltée
Tableau du régime de retraite
pour l'exercice terminé le 31 décembre 2001 et 2002

	Écritures de journal			Comptes pour mémoire				
Éléments	Charge de retraite de l'exercice	Caisse	Actif (passif) au titre des prestations constituées	Obligation au titre des prestations constituées	Actifs du régime de retraite	Solde non amorti du coût des services passés	Solde non amorti de l'actif transitoire	Solde non amorti des gains et pertes actuariels nets
Solde, 1er janvier 2001			80 000 Ct	650 000 Ct	410 000 Dt	240 000 Dt	80 000 Ct	0

a) Coût des services rendus financé par l'employeur	40 000 Dt			40 000 Ct				
b) Intérêts débiteurs	67 225 Dt			67 225 Ct				
c) Rendement prévu des actifs	44 825 Ct				44 825 Dt			
d) Perte actuarielle sur l'actif					8 825 Ct			8 825 Dt
e) Amortissement du coût des services passés	70 000 Dt					70 000 Ct		
f) Amortissement de l'actif transitoire	15 000 Ct						15 000 Dt	
g) Cotisations versées par l'employeur		72 000 Ct			72 000 Dt			
h) Cotisations versées par les salariés				36 000 Ct	36 000 Dt			
i) Prestations				31 500 Dt	31 500 Ct			
j) Perte actuarielle sur l'obligation				87 000 Ct				87 000 Dt
Écriture récapitulative pour 2001	117 400 Dt	72 000 Ct	45 400 Ct					
Solde au 31 décembre 2001			125 400 Ct	848 725 Ct	522 500 Dt	170 000 Dt	65 000 Ct	95 825 Dt
k) Coût des services rendus financé par l'employeur	59 000 Dt			59 000 Ct				
l) Intérêts débiteurs	87 148 Dt			87 148 Ct				
m) Rendement prévu des actifs	55 625 Ct				55 625 Dt			
n) Gain actuariel sur l'actif					5 375 Dt			5 375 Ct
o) Amortissement du coût des services passés	55 000 Dt					55 000 Ct		

p) Amortissement de l'actif transitoire	15 000 Ct						15 000 Dt	
q) Cotisations versées par l'employeur		81 000 Ct			81 000 Dt			
r) Cotisations versées par les salariés				40 500 Ct	40 500 Dt			
s) Prestations				54 000 Dt	54 000 Ct			
t) Amortissement du solde non amorti de la perte actuarielle	547 Dt							547 Ct
Écriture récapitulative pour 2002	131 070 Dt	81 000 Ct	50 070 Ct	________	________	________	________	________
Solde au 31 décembre 2002			175 470 Ct	981 373 Ct	651 000 Dt	115 000 Dt	50 000 Ct	89 903 Dt

<u>Calculs du tableau</u>:

a) 76 000 $ – 36 000 $ = 40 000 $

b) [10 % × (650 000 $ + 40 000 $ ÷2 + 36 000 $ ÷2 – 31 500 $ ÷2)] = 67 225 $

c) [10 % × (410 000 $ + 36 000 $ ÷2 + 72 000 $ ÷2 – 31 500 $ ÷2)] = 44 825 $

d) 8 825 $ = 44 825 $ – 36 000 $; excédent du rendement prévu sur le rendement réel.

k) 99 500 $ – 40 500 $ = 59 000 $

l) [10 % × (848 725 $ + 59 000 $ ÷2 + 40 500 $ ÷2 – 54 000 $ ÷2)] = 87 148 $

m) [10 % × (522 500 $ + 40 500 $ ÷2 + 81 000 $ ÷2 – 54 000 $ ÷2)] = 55 625 $

n) 61 000 $ – 55 625 $ = 5 375 $; excédent du rendement réel sur le rendement prévu.

t) Amortissement minimal requis en 2002:

Solde non amorti des gains et pertes actuariels nets à l'ouverture de l'exercice	95 825 $
10 % du montant le plus élevé des deux montants suivants à l'ouverture de l'exercice:	
Obligation au titre des prestations constituées ou juste valeur des actifs du régime de retraite	84 873
Excédent amortissable en 2002	10 952 $
Amortissement minimal requis en 2002 (10 950 $ ÷ 20 ans)	547 $

b) Écritures de journal – 2001 et 2002:

<u>2001</u>		
Charge de retraite	117 400	
Caisse		72 000
Passif au titre des prestations constituées		45 400
<u>2002</u>		
Charge de retraite	131 070	
Caisse		81 000
Passif au titre des prestations constituées		50 070

c) Tableau de rapprochement de la situation de capitalisation du régime de retraite et de l'actif ou du passif au titre des prestations constituées au 31 décembre 2002:

Obligation au titre des prestations constituées	(981 373) $
Juste valeur des actifs du régime de retraite	651 000
Situation de capitalisation – Régime sous-capitalisé	(330 373)
Solde non amorti du coût des services passés	115 000
Solde non amorti de l'actif transitoire	(50 000)
Solde non amorti des pertes actuarielles nettes	89 903
Passif au titre des prestations constituées porté au bilan	(175 470) $

d) Notes complémentaires au 31 décembre 2002:

Société Violon ltée

Notes complémentaires

Note 1. La société offre à tous ses salariés un régime de retraite contributif à prestations déterminées. L'actif du régime de retraite comprend des liquidités, des placements dans des titres de capitaux propres et dans des titres obligataires. La méthode de capitalisation de la société est conforme aux lois et règlements relatifs aux régimes de retraite.

La charge de retraite nette des exercices 2001 et 2002 est composée des éléments suivants:

	2002	2001
Coût des services rendus au cours de l'exercice financé par la société	59 000 $	40 000 $
Intérêts débiteurs sur l'obligation au titre des prestations constituées	87 148	67 225
Rendement prévu sur les actifs du régime	(55 625)	(44 825)
Amortissement du coût des services passés	55 000	70 000
Amortissement de l'actif transitoire	(15 000)	(15 000)
Charge de retraite	131 070 $	117 400 $

Le tableau suivant présente la variation de la valeur de l'obligation au titre des prestations constituées et des actifs du régime durant l'exercice; il rapproche la situation de capitalisation du régime de retraite et les montants portés au bilan de la société au 31 décembre 2002:

Variation de la valeur de l'obligation au titre des prestations constituées		
Obligation au titre des prestations constituées à l'ouverture de l'exercice	848 725 $	650 000 $
Coût des services rendus au cours de l'exercice incluant la partie financée par les salariés	99 500	76 000
Intérêts débiteurs sur l'obligation au titre des prestations constituées	87 148	67 225
Perte actuarielle sur l'obligation	0	87 000
Prestations versées aux retraités	(54 000)	(31 500)
Obligation au titre des prestations constituées à la clôture de l'exercice	981 373 $	848 725 $
Variation de la valeur des actifs du régime		
Juste valeur des actifs du régime à l'ouverture	522 500 $	410 000 $
Rendement prévu des actifs du régime	55 625	44 825
Cotisations versées par la société	81 000	72 000
Cotisations versées par les salariés	40 500	36 000
Prestations versées aux retraités	(54 000)	(31 500)
Gain (perte) actuariel sur l'actif	5 375	(8 825)
Juste valeur des actifs du régime à la clôture	651 000	522 500
Situation de capitalisation – Régime sous-capitalisé	(330 373)	(326 225)
Solde non amorti des gains et pertes actuariels nets	89 903	95 825
Solde non amorti du coût des services passés	115 000	170 000
Solde non amorti de l'actif transitoire	(50 000)	(65 000)
Actif (passif) au titre des prestations constituées porté au bilan	(175 470) $	(125 400) $

Le taux d'actualisation moyen (pondéré) qui a servi à déterminer l'obligation au titre des prestations constituées est de 10 %. Le taux de rendement prévu moyen (pondéré) à long terme des actifs du régime est de 10 %.

Problème 2-8

a)

Société Clavecin ltée

Tableau du régime d'avantages complémentaires de retraite – 2001 et 2002

	Écritures de journal			Comptes pour mémoire			
Éléments	Charge complément aire de retraite de l'exercice	Caisse	Actif (passif) au titre des prestations constituées	Obligation au titre des prestations constituées	Actifs du régime de soins de santé	Solde non amorti du coût des services passés	Solde non amorti des gains et pertes actuariels
Solde au 1er janvier 2001				4 500 000 Ct	4 500 000 Dt		

a) Coût des services passés au 1er janvier 2001				600 000 Ct	________	600 000 Dt	
Solde ajusté au 1er janvier 2001				5 100 000 Ct	4 500 000 Dt	600 000 Dt	
b) Coût des services rendus en 2001	150 000 Dt			150 000 Ct			
c) Intérêts débiteurs	506 500 Dt			506 500 Ct			
d) Rendement prévu des actifs	267 900 Ct				267 900 Dt		
e) Perte actuarielle sur l'actif					15 900 Ct		15 900 Dt
f) Cotisations		150 000 Ct			150 000 Dt		
g) Prestations				220 000 Dt	220 000 Ct		
h) Amortissement du coût des services passés	37 500 Dt					37 500 Dt	
Écriture récapitulative pour 2001	426 100 Dt	150 000 Ct	276 100 Ct	________	________	________	________
Solde au 31 décembre 2001			276 100 Ct	5 536 500 Ct	4 682 000 Dt	562 500 Dt	15 900 Dt
i) Coût des services rendus en 2002	170 000 Dt			170 000 Ct			
j) Intérêts débiteurs	548 150 Dt			548 150 Ct			
k) Rendement prévu des actifs	370 746 Ct				370 746 Dt		
l) Perte actuarielle sur l'actif					120 746 Ct		120 746 Dt
m) Amortissement du coût des services passés	37 500 Dt					37 500 Ct	
n) Cotisations		184 658 Ct			184 658 Dt		
o) Prestations	________	________		280 000 Dt	280 000 Ct		

Écriture récapitulative pour 2002	384 904 Dt	184 658 Ct	200 246 Ct				
Solde au 31 décembre 2002			476 346 Ct	5 974 650 Ct	4 836 658 Dt	525 000 Dt	136 646 Dt

Calculs du tableau:

c) 506 500 $ = [5 100 000 $ + ((150 000 $ – 220 000 $) ÷ 2)] × 10 %.

d) 267 900 $ = [4 500 000 $ + (150 000 $ – 220 000) ÷ 2)] x 6 %

e) Perte actuarielle sur l'actif de 15 900 $, 267 900 $ – 252 000 $, puisque le rendement réel des actifs du régime est moins élevé que le rendement prévu.

j) 548 150 $ = [5 536 500 $ + ((170 000 $ – 280 000 $) ÷ 2)] × 10 %.

k) 370 746 $ = [4 682 000 $ + (170 000 $ - 280 000 $) ÷ 2] × 8 %.

l) Perte actuarielle sur l'actif de 120 746 $, 370 746 $ – 250 000 $, puisque le rendement réel des actifs du régime est moins élevé que le rendement prévu.

h) et m) 37 500 $ = 600 000 $ ÷ 16 ans (comme la durée résiduelle moyenne d'activité ne nous est pas fournie à l'ouverture, on présume qu'elle est la même qu'à la clôture.

b) Écritures de journal – 2001:

Charge de retraite	426 100	
Caisse		150 000
Passif au titre des prestations constituées		276 100

c) Le tableau du régime d'avantages complémentaires de retraite pour l'exercice 2002 est présenté en a).

Écritures de journal – 2002:

Charge de retraite	384 904 $	
Caisse		184 658 $
Passif au titre des prestations constituées		200 246 $

d) Tableau de rapprochement de la situation de capitalisation du régime d'avantages complémentaires de retraire et de l'actif ou du passif au titre des prestations constituées au 31 décembre 2002:

Obligation au titre des prestations constituées	(5 974 650)$
Juste valeur des actifs du régime de retraite	4 836 658
Situation de capitalisation – Régime sous-capitalisé	(1 137 992)
Solde non amorti du coût des services passés	525 000
Solde non amorti des pertes actuarielles nettes	136 646
Passif au titre des prestations constituées	476 346 $

Problème 2-9

a)

Société Mandoline ltée

Tableau du régime d'avantages complémentaires de retraite – 2002

	Écritures de journal			Comptes pour mémoire			
Éléments	Charge complément aire de retraite	Caisse	Actif (passif) au titre des prestations constituées	Obligation au titre des prestations constituées	Actifs du régime de retraite	Solde non amorti de l'obligation transitoire	Solde non amorti des gains et pertes actuariels nets
Solde au 1er janvier 2002				882 000 Ct	200 000 Dt	682 000 Dt	
a) Coût des services rendus en 2002	70 000 Dt			70 000 Ct			
b) Intérêts débiteurs	80 550 Dt			80 550 Ct			
c) Rendement prévu des actifs	9 000 Ct				9 000 Dt		
d) Gain actuariel sur l'actif					6 000 Dt**		6 000 Ct
e) Cotisations		60 000 Ct			60 000 Dt		
f) Prestations				44 000 Dt	44 000 Ct		
g) Amortissement de l'obligation transitoire	34 100 Dt	_______				34 100 Ct	
Écriture récapitulative pour 2002	175 650 Dt	60 000 Ct	115 650Ct	_______	_______	_______	_______
Solde au 31 décembre 2002			115 650 Ct	988 550 Ct	231 000 Dt	647 900 Dt	6 000 Ct

Calculs pour le tableau:

b) [9 % × (882 000 $ + (70 000 $ – 44 000) ÷2)] = 80 550 $

d) 15 000 $ – 9 000 = 6 000 $

g) Conformément aux normes canadiennes, on utilise la durée résiduelle d'activité jusqu'à la date d'admissibilité intégrale de 20 ans.

b) Selon les normes américaines, on aurait amorti l'obligation transitoire sur la durée la plus longue, soit la durée résiduelle d'activité jusqu'à la date prévue de la retraite, qui est de 22 ans. L'amortissement aurait été de 682 000 $ ÷ 22 ans = 31 000 $.

c) Voici le tableau de rapprochement de la situation de capitalisation du régime d'avantages complémentaires de retraite couvrant les soins médicaux et les soins dentaires au 31 décembre 2002:

Obligation au titre des prestations constituées du régime	(988 550)$
Juste valeur des actifs du régime	231 000
Situation de capitalisation – Régime sous-capitalisé	(757 550)
Solde non amorti de l'obligation transitoire	647 900
Solde non amorti des gains actuariels nets	(6 000)
Passif au titre des prestations constituées du régime	(115 650)$

Problème 2-10

a) Tableau du régime de retraite pour l'exercice terminé le 31 décembre 2001:

Société Hautbois ltée

Tableau du régime de retraite – 2001

	Écritures de journal			Comptes pour mémoire				
Éléments	Charge de retraite de l'exercice	Caisse	Actif (passif) au titre des prestations constituées	Obligation au titre des prestations constituées	Actifs du régime de retraite	Solde non amorti des gains actuariels nets	Solde non amorti de l'obligation transitoire	Solde non amorti du coût des services passés
Solde ouverture			445 000 Dt	1 250 000 Ct	1 550 000 Dt	175 000 Ct	125 000 Dt	195 000 Dt
a) Coût des services rendus en 2001	115 000 Dt			115 000 Ct				
b) Cotisations – salariés				30 000 Ct	30 000 Dt			
c) Cotisations – société		85 000 Ct			85 000 Dt			
d) Prestations versées				45 000 Dt	45 000 Ct			
e) Intérêts débiteurs	84 500 Dt			84 500 Ct				
f) Rendement prévu des actifs	110 950 Ct				110 950 Dt			
g) Amortissement – obligation transitoire	6 250 Dt						6 250 Ct	
h) Amortissement – coût des services passés	9 750 Dt							9 750 Ct

i) Amortissement – gains actuariels nets	1 000 Ct					1 000 Dt		
Sous-total des comptes	103 550 Dt	85 000 Ct	445 000 Dt	1 434 500 Ct	1 730 950 Dt	174 000 Ct	118 750 Dt	185 250 Dt
j) Gain actuariel sur l'actif					9 050 Dt	9 050 Ct		
k) Gain actuariel sur l'obligation				34 500 Dt		34 500 Ct		
Sous-total des comptes	103 550 Dt	85 000 Ct	445 000 Dt	1 400 000 Ct	1 740 000 Dt	217 550 Ct	118 750 Dt	185 250 Dt
Écriture récapitulative pour 2001	103 550 Dt	85 000 Ct	18 550 Ct					
Solde de clôture 2001			426 450 Dt	1 400 000 Ct	1 740 000 Dt	217 550 Ct	118 750 Dt	185 250 Dt

Calculs du tableau:

e) 84 500 $ = ((1 250 000 $ + (115 000 + 30 000 $ – 45 000 $) ÷2) × 0,065)

f) 110 950 $ = ((1 550 000 $ + 30 000 $ + 85 000 $ – 45 000 $) ÷2) × 0,07)

g) 6 250 $ = 125 000 $ ÷20 ans

h) 9 750 $ = 195 000 $ ÷ 20 ans

i) Amortissement minimal requis des gains actuariels non amortis:

Solde d'ouverture du solde non amorti des GAN		175 000 $
Moins: 10 % du plus élevé de:		
Solde d'ouverture de l'OTPC	1 250 000	
Solde d'ouverture des gains actuariels non amortis	1 550 000	155 000
Excédent à amortir		20 000
Amortissement minimal requis (20 000 $ ÷20 ans)		1 000 $

j) Gain actuariel sur l'obligation = 34 500 $, soit 1 434 500 $ – 1 400 000 $, puisque le solde réel de l'OTPC à la clôture de 2001 est moins élevé que le solde prévu.

k) Gain actuariel sur l'actif = 9 050 $, soit 1 740 000 $ – 1 730 950 $, puisque le solde réel des actifs du régime à la clôture de 2001 est plus élevé que le solde prévu.

b) Écritures de journal pour comptabiliser la charge de retraite pour 2001:

Charge de retraite	103 550	
Passif au titre des prestations constituées		18 550
Caisse		85 000

c) Tableau de rapprochement de la situation de capitalisation du régime et de l'actif au titre des prestations constituées au 31 décembre 2001:

Obligation au titre des prestations constituées	(1 400 000)$
Actifs du régime de retraite	1 740 000
Situation de capitalisation – Régime surcapitalisé	340 000
Solde non amorti des gains actuariels nets	(217 550)
Solde non amorti de l'obligation transitoire	118 750
Solde non amorti du coût des services passés	185 250
Actif au titre des prestations constituées	426 450 $

d) Provision pour moins-value à l'égard de la valeur comptable de l'actif au titre des prestations constituées (ATPC):

1)	Valeur ajustée de l'ATPC	
	ATPC selon le tableau du régime	426 450 $
	Moins: Excédent des pertes sur les gains non constatés	(86 450)
	Valeur ajustée de l'ATPC	340 000
2)	Avantage futur escompté	320 000
	Provision pour moins-value	20 000 $

Écriture de journal pour comptabiliser la provision pour moins-value au 31 décembre 2001:

Perte non réalisée à la suite de la réduction de la valeur comptable de l'ATPC	20 000	
Provision pour moins-value à l'égard de la valeur comptable de l'ATPC		20 000

La valeur comptable de l'ATPC portée au bilan au 31 décembre 2001 s'élève à 406 450 $, soit l'ATPC selon le tableau du régime de 426 450 $ moins la provision pour moins-value de 20 000 $.

e) Aucune provision pour moins-value n'aurait été nécessaire, puisque l'avantage futur escompté aurait été plus grand que la valeur ajustée de l'ATPC. La valeur comptable de l'ATPC aurait été de 426 450 $.

Problème 2-11

a) Incidence du règlement du régime sur les éléments comptabilisés et non comptabilisés au 3 janvier 2001 et écriture de journal qui en découle:

	Avant le règlement	Règlement	Après le règlement
Obligation au titre des prestations constituées	(2 000 000) $	300 000 $	(1 700 000) $
Juste valeur des actifs du régime	1 625 000	(280 000)	1 345 000
Situation de capitalisation – Régime sous-capitalisé	(375 000)	20 000	(355 000)
Solde non amorti des pertes actuarielles nettes *	200 000	(30 000)	170 000
Solde non amorti de l'actif transitoire *	(55 000)	8 250	(46 750)
Solde non amorti du coût des services passés **	75 000	0	75 000
Passif au titre des prestations constituées	(155 000) $	(1 750) $	(156 750) $

Note:

* Le profit ou la perte sur règlement comprend le profit de 20 000 $ résultant de la réévaluation de l'OTPC et des actifs du régime à la date du règlement, ainsi que la fraction (15 %) des pertes actuarielles non amorties et de l'actif transitoire non amorti, fraction établie en fonction du pourcentage de diminution de l'OTPC.

** Le coût non amorti des services passés continue à être amorti après le règlement sur la DRMA jusqu'aux dates d'admissibilité intégrale des salariés, puisque les salariés continueront à gagner des avantages en fournissant des services dans les années futures. Aucune fraction du coût non amorti des services passés n'est donc incluse dans le profit sur règlement.

Écriture nécessaire pour inscrire l'incidence du règlement du régime de retraite au 3 janvier 2001:

Perte sur règlement du régime de retraite	1 750	
Passif au titre des prestations constituées		1 750

b) Tableau du régime de retraite – 2001:

Société Baryton ltée
Tableau du régime de retraite
Pour l'exercice terminé le 31 décembre 2001

	Écritures de journal			Comptes pour mémoire				
	Charge de retraite de l'exercice	Caisse	Actif (passif) au titre des prestations constituées	Obligation au titre des prestations constituées	Actifs du régime de retraite	Solde non amortie des pertes actuarielles nettes	Solde non amorti de l'actif transitoire	Solde non amorti du coût des services passés
Solde d'ouverture après le règlement			156 750 Ct	1 700 000 Ct	1 345 000 Dt	170 000 Dt	46 750 Ct	75 000Dt
a) Coût des services rendus en 2001	75 000 Dt			75 000 Ct				

b) Cotisations – salariés				25 000 Ct	25 000 Dt			
c) Cotisations – employeur		85 000 Ct			85 000 Dt			
d) Prestations versées				60 000 Dt	60 000 Ct			
e) Intérêts débiteurs	137 600 Dt			137 600 Ct				
f) Rendement prévu des actifs	95 900 Ct				95 900 Dt			
g) Amor-tissement - AT	3 117 Ct						3 117 Dt	
h) Amor-tissement - CSP	5 000 Dt							5 000 Ct
i) Amor-tissement - PAN	0					0		
Sous-total des comptes	118 583 Dt	85 000 Ct	156 750 Ct	1 877 600 Ct	1 490 900 Dt	170 000 Dt	43 633 Ct	70 000Dt
j) Gain actuariel sur l'actif					49 100 Dt	49 100 Ct		
h) Perte actuarielle sur l'obligation				22 400 Ct		22 400 Dt		
Sous-total des comptes	118 583 Dt	85 000 Ct	156 750 Ct	1 900 000 Ct	1 540 000 Dt	143 300 Dt	43 633 Ct	70 000Dt
Écriture récapitulative pour 2001	118 583 Dt	85 000 Ct	33 583 Ct					
Solde de clôture			190 333 Ct	1 900 000 Ct	1 540 000 Dt	143 300 Dt	43 633 Ct	70 000Dt

Calculs du tableau:

a) 75 000 \$ = 100 000 \$ – 25 000 \$ (partie financée par les salariés)

e) 137 600 \$ = [(1 700 000 \$ + (100 000 \$ – 60 000 \$) ÷2) × 8 %]

f) 95 900 \$ = [(1 345 000 \$ + (85 000 \$ + 25 000 \$ – 60 000 \$) ÷2) × 7 %]

g) 3 117 \$ = (46 750 \$ ÷15 ans)

h) 5 000 \$ = (75 000 \$ ÷15 ans)

i) Amortissement minimal requis des gains actuariels non amortis:

Solde d'ouverture du solde non amorti des GAN		170 000 \$
Moins: 10 % du plus élevé de:		
Solde d'ouverture de l'OTPC	1 700 000 \$	
Solde d'ouverture des gains actuariels non amortis	1 345 000	170 000
Excédent à amortir		0
Amortissement minimal requis (20 000 \$ ÷ 20 ans)		0 \$

j) Gain actuariel sur l'actif = 49 100 \$, soit 1 540 000 \$ – 1 490 900 \$, puisque le solde réel des actifs du régime à la clôture de 2001 est plus élevé que le solde prévu.

k) Perte actuarielle sur l'obligation = 22 400 $, soit 1 900 000 $ – 1 877 600 $, puisque le solde prévu de l'OTPC à la clôture de 2001 est moins élevé que le solde réel.

c) Écriture de journal – 2001:

Charge de retraite	118 583	
Caisse		85 000
Passif au titre des prestations constituées		33 583

d) Tableau de rapprochement de la situation de capitalisation du régime et du passif au titre des prestations constituées au 31 décembre 2001:

Obligation au titre des prestations constituées	(1 900 000)$
Actifs du régime de retraite	1 540 000
Situation de capitalisation – Régime sous-capitalisé	(360 000)
Solde non amorti des pertes actuarielles nettes	143 300
Solde non amorti de l'actif transitoire	(43 633)
Solde non amorti du coût des services passés	70 000
Passif au titre des prestations constituées	(190 333)$

Problème 2-12

a) Incidence du règlement du régime de retraite et du régime de soins de santé sur les éléments comptabilisés et non comptabilisés au 3 janvier 2001 et écritures de journal qui en découlent:

Incidence du règlement du régime de retraite sur les éléments comptabilisés et non comptabilisés au 3 janvier 2001 et écriture de journal qui en découle:

	Avant le règlement	Règlement	Après le règlement
Obligation au titre des prestations constituées	(2 200 000)$	550 000 $	(1 650 000)$
Juste valeur des actifs du régime	1 625 000	(510 000)	1 115 000
Situation de capitalisation – Régime sous-capitalisé	(575 000)	40 000	(535 000)
Solde non amorti des gains actuariels nets *	(100 000)	25 000	(75 000)
Solde non amorti de l'obligation transitoire **	55 000	0	55 000
Solde non amorti du coût des services passés **	75 000	0	75 000
Passif au titre des prestations constituées	(545 000)$	65 000 $	(480 000)$

Note:

* Le profit ou la perte sur règlement comprend le profit de 40 000 $ résultant de la réévaluation de l'OTPC et des actifs du régime à la date du règlement, ainsi que la fraction (25 %) des gains actuariels non amortis, fraction établie en fonction du pourcentage de diminution de l'OTPC.

** Le coût non amorti des services passés ainsi que l'obligation transitoire non amortie continuent à être amortis après le règlement. Le coût non amorti des services passés sera amorti sur la DRMA jusqu'aux dates d'admissibilité intégrale des salariés, puisque les salariés continueront à gagner des avantages en fournissant des services dans les années futures. L'obligation transitoire non amortie sera amortie sur la DRMA au moment de la mise en application des dispositions transitoires.

Écriture nécessaire pour inscrire l'incidence du règlement du régime de retraite au 3 janvier 2001:

Passif au titre des prestations constituées	65 000	
Profit sur règlement du régime de retraite		65 000

Incidence du règlement du régime de soins de santé sur les éléments comptabilisés et non comptabilisés au 3 janvier 2001 et écriture de journal qui en découle:

	Avant le règlement	Règlement	Après le règlement
Obligation au titre des prestations constituées	(525 000)$	105 000 $	(420 000)$
Juste valeur des actifs du régime	0	0	0
Situation de capitalisation – Régime sous-capitalisé	(525 000)	105 000	(420 000)
Solde non amorti des gains actuariels nets *	(35 000)	7 000	(28 000)
Solde non amorti de l'obligation transitoire **	25 000	(25 000)	0
Solde non amorti du coût des services passés ***	40 000	0	40 000
Passif au titre des prestations constituées	(495 000)$	87 000 $	(408 000)$

Note:

* Le profit ou la perte sur règlement comprend le profit de 105 000 $ résultant de la réévaluation de l'OTPC à la date du règlement, ainsi que la fraction (20 %) des gains actuariels non amortis, fraction établie en fonction du pourcentage de diminution de l'OTPC.

** Dans le cas d'un régime autre qu'un régime de retraite, le profit sur règlement doit d'abord être porté en diminution de toute obligation transitoire non amortie existant à la date du règlement.

*** Le coût non amorti des services passés continue à être amorti après le règlement sur la DRMA jusqu'aux dates d'admissibilité intégrale des salariés, puisque les salariés continueront à gagner des avantages en fournissant des services dans les années futures.

Écriture nécessaire pour inscrire l'incidence du règlement du régime de soins de santé au 3 janvier 2001:

Passif au titre des prestations constituées	87 000	
Profit sur règlement du régime de soins de santé		87 000

b) Tableaux du régime de retraite et du régime de soins de santé – 2001:

Tableau du régime de retraite – 2001:

Société Banjo ltée
Tableau du régime de retraite
pour l'exercice terminé le 31 décembre 2001

	Écritures de journal			Comptes pour mémoire				
	Charge de retraite de l'exercice	Caisse	Actif (passif) au titre des prestations constituées	Obligation au titre des prestations constituées	Actifs du régime de retraite	Solde non amortie des gains actuariels nets	Solde non amorti de l'obligation transitoire	Solde non amorti du coût des services passés
Solde d'ouverture après le règlement			480 000 Ct	1 650 000 Ct	1 115 000 Dt	75 000 Ct	55 000 Dt	75 000 Dt

a) Coût des services rendus en 2001	120 000 Dt			120 000 Ct				
b) Cotisations – salariés				25 000 Ct	25 000 Dt			
c) Cotisations – employeur		120 000 Ct			120 000 Dt			
d) Prestations versées				60 000 Dt	60 000 Ct			
e) Intérêts débiteurs	119 700 Dt			119 700 Ct				
f) Rendement prévu des actifs	89 200 Ct				89 200 Dt			
g) Amor-tissement – obigation transitoire	2 750 Dt						2 750 Ct	
h) Amor-tissement – coût des services passés	3 750 Dt							3 750 Ct
i) Amor-tissement – gains actuariels nets	0					0		
Sous-total des comptes	157 000 Dt	120 000 Ct	480 000 Ct	1 854 700 Ct	1 289 200 Dt	75 000 Ct	52 250 Dt	71 250 Dt
j) Gain actuariel sur l'actif					10 800 Dt	10 800 Ct		
k) Gain actuariel sur l'obligation				4 700 Dt		4 700 Ct		
Sous-total des comptes	157 000 Dt	120 000 Ct	480 000 Ct	1 850 000 Ct	1 300 000 Dt	90 500 Ct	52 250 Dt	71 250 Dt
Écriture récapitulative pour 2001	157 000 Dt	120 000 Ct	37 000 Ct					
Solde de clôture			517 000 Ct	1 850 000 Ct	1 300 000 Dt	90 500 Ct	52 250 Dt	71 250 Dt

Calculs du tableau:

a) 120 000 \$ = 145 000 \$ – 25 000 \$ (partie financée par les salariés)

e) 119 700 \$ = [(1 650 000 \$ + (120 000 \$) ÷2) × 7 %]

f) 89 200 \$ = (1 115 000 \$ × 8 %)

g) 2 750 \$ = (55 000 \$ ÷20 ans)

h) 3 750 \$ = (75 000 \$ ÷20 ans)

i) Amortissement minimal requis des gains actuariels non amortis:

Solde d'ouverture du solde non amorti des GAN		75 000 $
Moins: 10 % du plus élevé de:		
Solde d'ouverture de l'OTPC	1 650 000 $	
Solde d'ouverture des gains actuariels non amortis	1 155 000	165 000
Excédent à amortir		0
Amortissement minimal requis (20 000 $ ÷20 ans)		0 $

j) Gain actuariel sur l'actif = 10 800 $, soit 1 300 000 $ – 1 289 200 $, puisque le solde réel des actifs du régime à la clôture de 2001 est plus élevé que le solde prévu.

k) Gain actuariel sur l'obligation = 4 700 $, soit 1 850 000 $ – 1 854 700 $, puisque le solde réel de l'OTPC à la clôture de 2001 est moins élevé que le solde prévu.

Tableau du régime de soins de santé pour l'exercice terminé le 31 décembre 2001:

Société Banjo ltée
Tableau du régime de retraite
pour l'exercice terminé le 31 décembre 2001

	Écritures de journal			Comptes pour mémoire		
	Charge complément aire retraite de l'exercice	Caisse	Actif (passif) au titre des prestations constituées	Obligation au titre des prestations constituées	Solde non amorti des gains actuariels nets	Solde non amorti du coût des services passés
Solde d'ouverture après le règlement			408 000 Ct	420 000 Ct	28 000 Ct	40 000 Dt
a) Coût des services rendus en 2001	25 000 Dt			25 000 Ct		
b) Prestations versées		10 000 Ct		10 000 Dt		
c) Intérêts débiteurs	30 275 Dt			30 275 Ct		
d) Amortissement – coût des services passés	2 000 Dt					2 000 Ct
e) Amortissement - GAN	0				0	
Sous-total des comptes	57 275 Dt	10 000 Ct	408 000 Ct	465 275 Ct	28 000 Ct	38 000 Dt
f) Gain actuariel sur l'obligation				75 275 Dt	75 275 Ct	
Sous-total des comptes	57 275 Dt	10 000 Ct	408 000 Ct	390 000 Ct	103 275 Ct	38 000 Dt
Écriture récapitulative pour 2001	57 275 Dt	10 000 Ct	47 275 Ct			
Solde de clôture			455 275 Ct	390 000 Ct	103 275 Ct	38 000 Dt

Calculs du tableau:

c) 30 275 $ = [(420 000 $ + (25 000$) ÷2) × 8 %]

d) 2 000 $ = (40 000 $ ÷20 ans)

i) Amortissement minimal requis des gains actuariels non amortis:

Solde d'ouverture du solde non amorti des GAN		28 000 $
Moins: 10 % du plus élevé de:		
Solde d'ouverture de l'OTPC	420 000 $	

Solde d'ouverture des gains actuariels non amortis	0	42 000
Excédent à amortir		0
Amortissement minimal requis (20 000 $ ÷20 ans)		0 $

f) Gain actuariel sur l'obligation = 75 275 $, soit 465 275 $ – 390 000 $, puisque le solde réel de l'OTPC à la clôture de 2001 est moins élevé que le solde prévu.

c) Écritures de journal pour comptabiliser la charge de retraite et la charge complémentaire de retraite – 2001:

Charge de retraite	157 000	
Caisse		120 000
Passif au titre des prestations constituées		37 000
Charge complémentaire de retraite	57 275	
Caisse		10 000
Passif au titre des prestations constituées		47 275

d) Tableau de rapprochement de la situation de capitalisation et du passif au titre des prestations constituées pour le régime de retraite et le régime de soins de santé – 2001:

Tableau de rapprochement de la situation de capitalisation du régime de retraite et du passif au titre des prestations constituées au 31 décembre 2001:

Obligation au titre des prestations constituées	(1 850 000)$
Actifs du régime de retraite	1 300 000
Situation de capitalisation – Régime sous-capitalisé	(550 000)
Solde non amorti des gains actuariels nets	(90 500)
Solde non amorti de l'obligation transitoire	52 250
Solde non amorti du coût des services passés	71 250
Passif au titre des prestations constituées	(517 000)$

Tableau de rapprochement de la situation de capitalisation du régime de soins de santé et du passif au titre des prestations constituées au 31 décembre 2001:

Obligation au titre des prestations constituées	(390 000)$
Actifs du régime de retraite	0
Situation de capitalisation – Régime sous-capitalisé	(390 000)
Solde non amorti des gains actuariels nets	(103 275)
Solde non amorti du coût des services passés	38 000
Passif au titre des prestations constituées	(455 275)$

Problème 2-13

a) Incidence de la compression du régime de retraite et des prestations de cessation d'emploi sur les éléments comptabilisés et non comptabilisés au 5 janvier 2001 et écriture de journal qui en découle:

Incidence de la compression du régime de retraite sur les éléments comptabilisés et non comptabilisés au 5 janvier 2001:

	Avant la compression	Compression	Après la compression
Obligation au titre des prestations constituées	(2 000 000)$	300 000 $	(1 700 000)$
Juste valeur des actifs du régime	1 625 000	0	1 625 000
Situation de capitalisation – Régime sous-capitalisé	(375 000)	300 000	(75 000)
Solde non amorti des pertes actuarielles nettes *	200 000	(200 000)	0
Solde non amorti de l'obligation transitoire *	80 000	(9 600)	70 400
Solde non amorti du coût des services passés *	90 000	(7 200)	82 800
Actif (Passif) au titre des prestations constituées	(5 000)$	83 200 $	78 200 $

Note:

* Le profit ou la perte sur compression comprend le profit de 300 000 $ résultant de la réévaluation de l'OTPC à la date de la compression, duquel on a déduit le solde non amorti des pertes actuarielles nettes. Il comprend également la portion (12 %) de l'obligation transitoire non amortie et la portion (8 %) du coût des services passés non amorti, fractions qui correspondent au pourcentage de réduction de la DRMA du groupe de salariés établi par l'actuaire pour ces deux soldes par suite de la compression.

Écriture nécessaire pour inscrire l'incidence de la compression du régime de retraite au 5 janvier 2001:

Actif au titre des prestations constituées	83 200	
Profit sur compression du régime de retraite – Activités abandonnées		83 200

Prestations de cessation d'emploi:

Le 5 janvier 2001, la direction de la société a adopté un plan de licenciement formel et détaillé qui satisfait aux conditions requises par les normes comptables canadiennes. Elle doit donc constater au moment de l'adoption du plan pour tous les départs visés un passif et une charge à titre d'activités abandonnées dont le montant correspond au coût des prestations de cessation d'emploi forcée. Ce coût s'élève à 25 000 $ × 50 salariés = 1 250 000 $. L'écriture à nécessaire est la suivante:

Prestations de cessation d'emploi – Activités abandonnées	1 250 000	
Prestations de cessation d'emploi à payer		1 250 000

b) Tableau du régime de retraite pour l'exercice terminé le 31 décembre 2001:

Société Luth ltée
Tableau du régime de retraite
pour l'exercice terminé le 31 décembre 2001

	Écritures de journal			Comptes pour mémoire				
	Charge de retraite de l'exercice	Caisse	Actif (passif) au titre des prestations constituées	Obligation au titre des prestations constituées	Actifs du régime de retraite	Solde non amortie des gains actuariels nets	Solde non amorti de l'obligation transitoire	Solde non amorti du coût des services passés
Solde d' ouverture après la compression			78 200 Dt	1 700 000 Ct	1 625 000 Dt	0	70 400 Dt	82 800 Dt
a) Coût des services rendus en 2001	110 000 Dt			110 000 Ct				
b) Cotisations –salariés				25 000 Ct	25 000 Dt			
c) Cotisations – employeur		150 000 Ct			150 000 Dt			
d) Prestations versées				70 000 Dt	70 000 Ct			
e) Intérêts débiteurs	140 400 Dt			140 400 Ct				
f) Rendement prévu des actifs	113 750 Ct				113 750 Dt			
g) Amortissement – Obligation transitoire	4 693 Dt						4 693 Ct	
h) Amortissement – coût des services passés	5 520 Dt							5 520 Ct
i) Amortissement – pertes actuarielles nettes	0					0		
Sous-total des comptes	146 863 Dt	150 000 Ct	78 200 Dt	1 905 400 Ct	1 843 750 Dt	0	65 707 Dt	77 280 Dt
j) Perte actuarielle sur l'actif					43 750 Ct	43 750 Dt		
h) Gain actuariel sur l'obligation				5 400 Dt		5 400 Ct		
Sous-total des comptes	146 863 Dt	150 000 Ct	78 200 Dt	1 900 000 Ct	1 800 000 Dt	38 350 Ct	65 707 Dt	77 280 Dt

Écriture récapitulative pour 2001	146 863 Dt	150 000 Ct	3 137 Dt					
Solde clôture			81 337 Dt	1 900 000 Ct	1 800 000 Dt	38 350 Ct	65 707 Dt	77 280 Dt

Calculs du tableau:

a) 110 000 $ = 135 000 $ – 25 000 $ (partie financée par les salariés)

e) 140 400 $ = [(1 700 000 $ + (110 000 $) ÷2) × 8 %]

f) 113 750 $ = (1 625 000 $ × 7 %)

g) 4 693 $ = (70 400 $ ÷15 ans)

h) 5 520 $ = (82 800 $ ÷15 ans)

i) Amortissement minimal requis des gains actuariels non amortis:

Solde d'ouverture du solde non amorti des GAN		0 $
Moins: 10 % du plus élevé de:		
Solde d'ouverture de l'OTPC	1 700 000 $	
Solde d'ouverture des gains actuariels non amortis	1 625 000	170 000
Excédent à amortir		0
Amortissement minimal requis		0 $

j) Perte actuarielle sur l'actif = 43 750 $, soit 1 843 750 $ – 1 800 000 $, puisque le solde réel des actifs du régime à la clôture de 2001 est moins élevé que le solde prévu.

k) Gain actuariel sur l'obligation = 5 400 $, soit 1 905 400 $ – 1 900 000 $, puisque le solde réel de l'OTPC à la clôture de 2001 est moins élevé que le solde prévu.

Au moment de l'acceptation de l'offre par 60 % des salariés visés par le plan de réduction de personnel, la société Luth ltée doit constater un passif et une charge additionnels à titre d'activités abandonnées dont le montant correspond au coût des prestations de cessation d'emploi volontaire qui excède le coût des prestations de cessation d'emploi forcée pour tous les salariés qui ont accepté l'offre au 31 décembre 2001. Ce coût additionnel se chiffre à:

(35 000 $ – 25 000 $) × 30 salariés (50 × 60 %) + 10 000 A(5 + 0,06) × 30 salariés = 300 000 $ + 1 263 710 $ = 1 563 710 $

c) Écritures de journal – 2001:

L'écriture nécessaire pour constater la charge de retraite pour 2001 est la suivante:

Charge de retraite	146 863	
Actif au titre des prestations constituées	3 137	
Caisse		150 000

L'écriture requise pour constater les prestations de cessation d'emploi supplémentaires est la suivante au 31 décembre 2001:

Activités abandonnées	1 563 710	
Prestations de cessation d'emploi à payer		1 563 710

d) Tableau de rapprochement de la situation de capitalisation du régime de retraite et du passif au titre des prestations constituées au 31 décembre 2001:

Obligation au titre des prestations constituées	(1 900 000)$
Actifs du régime de retraite	1 800 000
Situation de capitalisation – Régime surcapitalisé	(100 000)
Solde non amorti des pertes actuarielles nettes	38 350
Solde non amorti de l'obligation transitoire	65 707
Solde non amorti du coût des services passés	77 280
Actif au titre des prestations constituées	81 337 $

*Problème 2-14

a) La charge de retraite pour 2001 comprend les éléments suivants:

Coût des services rendus en 2001	52 000 $
Intérêts débiteurs sur l'obligation au titre des prestations constituées (10 % × 350 000 $)	35 000
Rendement prévu des actifs du régime de retraite (10 % × 200 000 $)	(20 000)
Amortissement minimal requis des gains et pertes actuariels en 2001	0
Amortissement du coût des services passés (150 000 $ ÷ 10,5 années)	14 286
Charge de retraite de l'exercice 2001	81 286$

b) Écriture de journal pour inscrire la charge de retraite – 2001:

Charge de retraite	81 286	
Caisse		65 000
Actif (passif) au titre des prestations constituées		16 286

c) Écriture de journal pour inscrire le passif minimal – 2001:

Actif incorporel – ATPC	72 714	
Passif additionnel au titre des prestations constituées		72 714

(Pour inscrire un passif additionnel afin de refléter le passif minimal au titre des prestations constituées.)

Calcul du passif additionnel requis au titre des prestations constituées au 31 décembre 2001:

Obligation au titre des prestations constituées sans projection des salaires	365 000 $
Juste valeur des actifs du régime de retraite	276 000
Passif minimal au titre des prestations constituées	89 000
Passif au titre des prestations constituées	16 286
Passif additionnel requis au titre des prestations constituées	72 714 $

d) Augmentation/diminution du solde non amorti des gains et pertes actuariels et amortissement minimal requis des gains et pertes actuariels nets au 31 décembre 2001 et 2002:

i) Calcul du gain ou de la perte actuariels sur l'obligation pour l'exercice 2001:

Obligation au titre des prestations constituées au 1er janvier 2001	350 000 $
Intérêts débiteurs sur l'obligation au titre des prestations constituées (10 % × 350 000 $)	35 000
Coût des services rendus en 2001	52 000
Prestations versées en 2001	0
Solde prévu de l'obligation au titre des prestations constituées au 31 décembre 2001	437 000
Obligation au titre des prestations constituées au 31 décembre 2001	452 000
Perte actuarielle sur l'obligation	15 000 $

ii) Calcul du gain ou de la perte actuariels sur l'actif pour l'exercice 2001:

Juste valeur des actifs du régime de retraite au 1er janvier 2001	200 000$*
Rendement prévu des actifs du régime (10 % × 200 000 $)	20 000
Cotisations à la caisse de retraite en 2001	65 000
Prestations versées aux participants en 2001	0
Solde prévu des actifs du régime au 31 décembre 2001	285 000
Juste valeur des actifs du régime de retraite au 31 décembre 2001	276 000
Perte actuarielle sur l'actif	9 000 $
Solde non amorti des pertes actuarielles nettes au 31 décembre 2001	24 000 $

*Note: Les normes comptables permettent l'utilisation soit de la juste valeur des actifs du régime de retraite soit d'une moyenne des valeurs de marché appelée valeur liée au marché des actifs du régime. Toutefois, si le problème donne la juste valeur et la valeur liée au marché des actifs du régime, on utilise cette dernière pour calculer le rendement prévu. Dans le cas présent, la juste valeur et la valeur liée au marché sont les mêmes.

Le solde non amorti des pertes actuarielles nettes à la clôture de l'exercice 2001 devient le solde d'ouverture de 2002. Le couloir de l'exercice 2002 est équivalent à 10 % du plus élevé de l'un ou l'autre des montants suivants établis à l'ouverture de 2002: 452 000 $ (obligation au titre des prestations constituées) ou 276 000 $ (valeur liée au marché des actifs). Étant donné que le couloir de 45 200 $ est supérieur au solde non amorti des pertes actuarielles de 24 000 $, aucun amortissement des pertes actuarielles n'est requis en 2002. De plus, vu l'absence de solde non amorti des gains et pertes actuariels au début de 2001, il n'y a aucun amortissement minimal requis en 2001.

e) Rapprochement de la situation de capitalisation du régime et de l'actif ou passif au titre des prestations constituées au 31 décembre 2001:

Obligation au titre des prestations constituées	(452 000)$
Juste valeur des actifs du régime de retraite	276 000
Situation de capitalisation – Régime sous-capitalisé	(176 000)
Solde non amorti des pertes actuarielles nettes	24 000
Solde non amorti du coût des services passés (150 000 $ – 14 286 $)	135 714
Passif au titre des prestations constituées	(16 286)
Passif additionnel requis au titre des prestations constituées	(72 714)
Solde du passif au titre des prestations constituées au bilan	(89 000)[a] $

a Le montant porté au bilan de la société à titre de Passif au titre des prestations constituées est de 89 000 $ au 31 décembre 2001.

*Problème 2-15

a) Calcul de la charge de retraite de l'exercice:

	2001	2002
Coût des services rendus	60 000 $	90 000 $
Intérêts débiteurs sur l'obligation au titre des prestations constituées (600 000 $ × 0,09) et (700 000 $ × 0,09)	54 000	63 000
Rendement prévu des actifs du régime de retraite	(24 000)	(30 000)
Amortissement du coût des services passés	10 000	12 000
Charge de retraite de l'exercice	100 000 $	135 000 $

b) Écritures de journal pour inscrire la charge de retraite 2001 et 2002:

	2001		2002	
Charge de retraite	100 000		135 000	
Actif (passif) au titre des prestations constituées	10 000			15 000
Caisse		110 000		120 000

c) Calcul du passif minimal au titre des prestations constituées au 31 décembre 2001 et 2002:

	2001	2002
Obligation au titre des prestations constituées sans projection des salaires	(500 000)$	(550 000)$
Juste valeur des actifs du régime de retraite	380 000	465 000
Passif minimal au titre des prestations constituées	(120 000)	(85 000)
Passif au titre des prestations constituées (40 000 $ - 10 000 $) et (30 000 $ + 15 000 $)	(30 000)	(45 000)
Passif additionnel requis au titre des prestations constituées	(90 000)	(40 000)
Moins: passif additionnel à l'ouverture de l'exercice	(50 000)	(90 000)
Passif additionnel au titre des prestations constituées à inscrire	(40 000)$	50 000 $

d) Écritures de journal pour inscrire le passif minimal au titre des prestations constituées au 31 décembre:

	Débit	Crédit
2001		
Actif incorporel – ATPC	40 000	
Passif additionnel au titre des prestations constituées		40 000
2002		
Passif additionnel au titre des prestations constituées	50 000	
Actif incorporel - ATPC		50 000

*Problème 2-16

a) Charge de retraite – 2001, 2002 et 2003:

La charge de retraite de l'exercice 2001 comporte uniquement la composante Coût des services rendus au cours de l'exercice, laquelle totalise 55 000 $. Au 1er janvier 2001, il n'y a ni solde non amorti du coût des services passés, ni solde non amorti des gains et pertes actuariels nets, ni solde des actifs du régime de retraite, ni solde de l'obligation au titre des prestations constituées.

La charge de retraite de l'exercice 2002 comprend les éléments suivants:

Coût des services rendus en 2002	85 000 $
Intérêts débiteurs sur l'obligation au titre des prestations constituées (55 000 $ × 11 %)	6 050
Rendement prévu des actifs du régime de retraite (50 000 $ × 10 %)	(5 000)
Amortissement minimal requis des gains et pertes actuariels nets	0
Amortissement du coût des services passés en 2002	0
Charge de retraite de l'exercice 2002	86 050 $

La charge de retraite de l'exercice 2003 comprend les éléments suivants:

Coût des services rendus en 2003	119 000$
Intérêts débiteurs sur l'obligation au titre des prestations constituées (161 000 $ × 8 %)	12 880
Rendement prévu des actifs du régime de retraite (85 000 $ × 10 %)	(8 500)
Amortissement minimal requis des gains et pertes actuariels nets	2 404 *
Amortissement du coût des services passés en 2003	0
Charge de retraite de l'exercice 2003	125 784 $

* L'amortissement minimal requis des gains et pertes actuariels nets pour 2003 se calcule comme suit:

Solde à l'ouverture de l'exercice

Exercice	Obligation au titre des prestations constituées	Actifs du régime de retraite	Couloir 10 %[a]	Solde non amorti des gains et pertes actuariels nets	Excédent amortissable[b]	Amortissement minimal des pertes actuarielles
2001	0 $	0 $	0 $	0 $	0 $	0 $
2002	55 000	50 000	5 500	0	0	0
2003	161 000	85 000	16 100	44 950	28 850	2 404 [c]

Notes pour le tableau:

a Le couloir est égal à 10 % du plus élevé des deux montants suivants à l'ouverture de l'exercice: l'obligation au titre des prestations constituées ou la juste valeur des actifs du régime de retraite.

b Seul un excédent du solde non amorti des pertes actuarielles nettes sur le couloir est amortissable.

c 28 850 $ ÷ 12 = 2 404 $.

b) Calcul du passif minimal et écriture pour inscrire le passif minimal au 31 décembre:

	2001	2002	2003
Obligation au titre des prestations constituées sans projection des salaires	(45 000) $	(126 000) $	(292 000) $
Juste valeur des actifs du régime de retraite	50 000	85 000	170 000
Passif minimal au titre des prestations constituées	0	(41 000)	(122 000)
Passif au titre des prestations constituées	5 000	(31 050)	(61 834)
Passif additionnel requis au titre des prestations constituées	0	(9 950)	(60 166)
Moins: passif additionnel à l'ouverture de l'exercice	0	(0)	(41 000)
Passif additionnel au titre des prestations constituées à inscrire	0 $	(9 950) $	(19 166) $

Écritures de journal au 31 décembre:

2001

Charge de retraite	55 000	
Caisse		50 000
Actif (passif) au titre des prestations constituées		5 000

Aucune écriture n'est nécessaire en 2001 pour inscrire le passif minimal au titre des prestations constituées.

2002

Charge de retraite	86 050	
Caisse		60 000
Passif au titre des prestations constituées		26 050
Excédent du passif additionnel sur le solde non amorti du coût des services passés*	9 950	
Passif additionnel au titre des prestations constituées		9 950 *

*Note: Étant donné l'absence de solde du coût non amorti des services passés, le débit sera inscrit au compte Autres éléments du résultat étendu et le crédit sera inscrit au bilan comme une composante des capitaux propres.

2003

Charge de retraite	125 784	
Caisse		95 000
Passif au titre des prestations constituées		30 784
Excédent du passif additionnel sur le solde non amorti du coût des services passés	10 875	
Passif additionnel au titre des prestations constituées		10 875

*Problème 2-17

a) Solde non amorti du coût des services passés – 2001, 2002 et 2003:

Amortissement du coût des services passés pour 2001, 2002 et 2003:

Exercice	Amortissement de l'exercice	Solde non amorti du coût des services passés
2001	153 846$*	1 846 154 $
2002	153 846	1 692 308
2003	153 846	1 538 462

* (2 000 000 $ ÷ 13 ans) = 153 846 $

b) Charge de retraite – 2001:

La charge de retraite pour 2001 comprend les composantes suivantes:

Coût des services rendus en 2001	200 000 $
Intérêts débiteurs sur l'obligation au titre des prestations constituées (10 % × 5 000 000 $)	500 000
Rendement prévu des actifs du régime de retraite (10 % × 3 000 000 $)	(300 000)
Amortissement du coût des services passés	153 846
Charge de retraite de l'exercice 2001	553 846 $

c) Écritures de journal – 2001:

Charge de retraite	553 846	
Actif au titre des prestations constituées	21 154	
Caisse		575 000
Actif incorporel – ATPC	146 154	
Passif additionnel au titre des prestations constituées		146 154 *

(Pour inscrire un passif additionnel au titre des prestations constituées afin de refléter le passif minimal au titre des prestations constituées)

* Le passif minimal au titre des prestations constituées au 31 décembre 2001 se calcule comme suit:

Obligation au titre des prestations constituées sans projection des salaires	(4 025 000)$
Juste valeur des actifs du régime de retraite	3 900 000
Passif minimal au titre des prestations constituées	(125 000)
Actif au titre des prestations constituées	21 154
Passif additionnel au titre des prestations constituées à l'ouverture de l'exercice	0
Passif additionnel requis au titre des prestations constituées	(146 154)$

d) Augmentation/diminution du solde non amorti des gains et pertes actuariels nets et amortissement minimal requis des gains et pertes actuariels nets – 2001 et 2002:

1) Calcul du gain ou de la perte actuariels sur l'obligation pour l'exercice 2001:

Obligation au titre des prestations constituées au 1er janvier 2001	5 000 000$
Intérêts débiteurs sur l'obligation au titre des prestations constituées (10 % × 5 000 000 $)	500 000
Coût des services rendus en 2001	200 000
Prestations versées en 2001	0
Solde prévu de l'obligation au titre des prestations constituées au 31 décembre 2001	5 700 000
Obligation au titre des prestations constituées au 31 décembre 2001	4 750 000
Gain actuariel sur l'obligation	(950 000)$

2) Calcul du gain ou de la perte actuariels sur l'actif pour l'exercice 2001:

Juste valeur des actifs du régime de retraite au 1er janvier 2001	3 000 000$*
Rendement prévu des actifs du régime (10 % × 3 000 000 $)	300 000 *
Cotisations à la caisse de retraite en 2001	575 000
Prestations versées aux participants en 2001	0
Solde prévu des actifs du régime au 31 décembre 2001	3 875 000
Juste valeur des actifs du régime de retraite au 31 décembre 2001	3 900 000
Gain actuariel sur l'actif	(25 000)
Solde non amorti des gains actuariels nets au 31 décembre 2001	(975 000)$

*Note: Les normes comptables permettent l'utilisation, soit de la juste valeur des actifs du régime de retraite, soit de la valeur liée au marché des actifs du régime. Toutefois, si le problème donne la juste valeur et la valeur liée au marché des actifs du régime, on utilise cette dernière pour calculer le rendement prévu. Dans le cas présent, la juste valeur et la valeur liée au marché sont les mêmes.

Comme le solde non amorti des gains et pertes actuariels nets est nul à l'ouverture de 2001, il n'y a aucun amortissement minimal requis en 2001.

Toutefois, l'amortissement minimal requis des gains actuariels nets sera de 38 462 $ en 2002, comme le montre le tableau suivant:

Solde à l'ouverture de l'exercice

Exercice	Obligation au titre des prestations constituées	Actifs du régime de retraite	Couloir 10 %[a]	Solde non amorti des gains et pertes actuariels nets	Excédent amortissable[b]	Amortissement minimal des gains actuariels
2001	5 000 000 $	3 000 000 $	500 000$	0 $	0 $	0 $
2002	4 750 000	3 900 000	475 000	(975 000)	500 000	38 462 $

Notes pour le tableau:

a. Le couloir est égal à 10 % du plus élevé des deux montants suivants à l'ouverture de l'exercice: l'obligation au titre des prestations constituées ou la juste valeur des actifs du régime de retraite.

b. Seul un excédent du solde non amorti des pertes actuarielles nettes sur le couloir est amortissable.

c. 500 000 $÷ 13 = 38 462 $.

e) Tableau de rapprochement de la situation de capitalisation du régime et de l'actif ou passif au titre des prestations constituées au 31 décembre 2001:

Obligation au titre des prestations constituées	(4 750 000)$
Juste valeur des actifs du régime de retraite	3 900 000
Situation de capitalisation – Régime sous- capitalisé	(850 000)
Solde non amorti du coût des services passés	1 846 154
Solde non amorti des (gains) pertes actuariels nets	(975 000)
Actif au titre des prestations constituées	21 154
Passif additionnel requis au titre des prestations constituées	(146 154)
Passif au titre des prestations constituées porté au bilan	(125 000)$

*Problème 2-18

Société Trompette ltée
Tableau du régime de retraite
Pour l'exercice terminé le 31 décembre 2001

	Écritures de journal				
Éléments	Charge de retraite de l'exercice	Caisse	Actif (passif) au titre des prestations constituées	Passif additionnel	Actif incorporel – ATPC
Solde au 1er janvier 2001			33 000 Ct	0	0
a) Coût des services rendus en 2001	108 000 Dt				
b) Intérêts débiteurs	65 250 Dt				
c) Rendement prévu des actifs	55 000 Ct				
d) Perte actuarielle sur l'actif					
e) Amortissement du coût des services passés	25 000 Dt				
f) Cotisations		138 000 Ct			
g) Prestations					
h) Amortissement minimal requis des pertes actuarielles nettes	1 850 Dt				
Sous-total des comptes	145 100 Dt	138 000 Ct	7 100 Ct	0	0
i) Perte actuarielle sur l'obligation					
j) Ajustement du passif minimal				9 900 Ct	9 900 Dt
Écriture récapitulative pour 2001	145 100 Dt	138 000 Ct	7 100 Ct	______	______
Solde au 31 décembre 2001			40 100 Ct	9 900 Ct	9 900 Dt

Éléments	Obligation au titre des prestations constituées	Actifs du régime de retraite	Notes pour mémoire: Solde non amorti du coût des services passés	Solde non amorti des pertes actuarielles nettes
Solde au 1er janvier 2001	725 000 Ct	520 000 Dt	81 000 Dt	91 000 Dt
a) Coût des services rendus en 2001	108 000 Ct			
b) Intérêts débiteurs	65 250 Ct			
c) Rendement prévu des actifs		55 000 Dt		
d) Perte actuarielle sur l'actif		7 000 Ct		7 000 Dt
e) Amortissement du coût services passés			25 000 Ct	
f) Cotisations		138 000 Dt		
g) Prestations	85 000 Dt	85 000 Ct		
h) Amortissement minimal requis des pertes actuarielles nettes				1 850 Ct
Sous-total des comptes	813 250 Ct	621 000 Dt	56 000 Dt	96 150 Dt
i) Perte actuarielle sur l'obligation	0			0
j) Ajustement passif minimal				
Écriture récapitulative en 2001				
Solde au 31 décembre 2001	813 250 Ct	621 000 Dt	56 000 Dt	96 150 Dt

Calculs pour le tableau:

b) 65 250 $ = 725 000 $ × 0,09.

d) 55 000 $ – 48 000 $ = 7 000 $

h) Amortissement minimal requis des pertes actuarielles nettes en 2001:

Solde à l'ouverture de l'exercice

Exercice	Obligation au titre des prestations constituées	Actifs du régime de retraite	Couloir 10 %*	Solde non amorti des gains et pertes actuariels nets	Excédent amortissable	Amortissement minimal des gains actuariels
2001	725 000 $	520 000 $	72 500 $	91 000 $	18 500 $	1 850 $ **

* Le couloir est égal à 10 % du plus élevé des deux montants suivants à l'ouverture de l'exercice: l'obligation au titre des prestations constituées ou la juste valeur des actifs du régime de retraite.

** 18 500 $ ÷ 10 ans = 1 850 $.

i) Perte actuarielle sur l'obligation = Solde prévu de l'obligation au titre des prestations constituées – Solde réel de l'obligation au titre des prestations constituées = 813 250 $ – 813 250 $ = 0 $

j) Calcul du passif minimal au titre des prestations constituées au 31 décembre 2001:

Obligation au titre des prestations constituées sans projection des salaires	(671 000)$
Juste valeur des actifs du régime de retraite	621 000
Passif minimal au titre au titre des prestations constituées	(50 000)
Passif au titre des prestations constituées	(40 100)
Passif additionnel requis au titre des prestations constituées	(9 900)
Solde non amorti du coût des services passés	56 000
Montant à inscrire dans le cumul des autres éléments du résultat étendu	0 $

*Problème 2-19

a)

Société Violon ltée
Tableau de retraite – 2001 et 2002

	Écritures dans les comptes					
Éléments	Charge de retraite de l'exercice	Caisse	Actif (passif) au titre des prestations constituées	Passif additionnel	Actif incorporel - ATPC	Cumul des autres éléments du résultat étendu
Solde, 1er janvier 2001			80 000 Ct	12 300 Ct	12 300 Dt	0
a) Coût des services rendus en 2001	40 000 Dt					
b) Intérêts débiteurs	65 000 Dt					
c) Rendement prévu des actifs	41 000 Ct					
d) Perte actuarielle sur l'actif						
e) Amortissement du coût des services passés	70 000 Dt					
f) Cotisations		72 000 Ct				
g) Prestations						
h) Perte actuarielle sur l'obligation						
i) Ajustement du passif additionnel requis				81 000 Ct	77 700 Dt	3 300 Dt
Écriture récapitulative pour 2001	134 000 Dt	72 000 Ct	62 000 Ct			
Solde au 31 décembre 2001			142 000 Ct	93 300 Ct	90 000 Dt	3 300 Dt
j) Coût des services rendus en 2002	59 000 Dt					
k) Intérêts débiteurs	81 050 Dt					
l) Rendement prévu des actifs	48 650 Ct					

m) Gain actuariel sur l'actif						
n) Amortissement du coût des services passés	55 000 Dt					
o) Cotisations		81 000 Ct				
p) Prestations						
q) Amortissement du solde non amorti de la perte actuarielle	548 Dt					
r) Ajustement du passif additionnel requis	______	______	______	86 748 Dt	83 448 Ct	3 300 Ct
Écriture récapitulative pour 2002	146 948 Dt	81 000 Ct	65 948 Ct	______	______	______
Solde au 31 décembre 2002			207 948 Ct	6 552 Ct	6 552 Dt	0

Société Violon ltée

Tableau de retraite – 2001 et 2002

	Notes pour mémoire			
Éléments	Obligation au titre des prestations constituées	Actifs du régime de retraite	Solde non amorti du coût des services passés	Solde non amorti des gains et pertes actuariels nets
Solde au 1er janvier 2001	650 000 Ct	410 000 Dt	160 000 Dt	0
a) Coût des services rendus en 2001	40 000 Ct			
b) Intérêts débiteurs	65 000 Ct			
c) Rendement prévu des actifs		41 000 Dt		
d) Perte actuarielle sur l'actif		5 000 Ct		5 000 Dt
e) Amortissement du coût des services passés			70 000 Ct	
f) Cotisations		72 000 Dt		
g) Prestations	31 500 Dt	31 500 Ct		
h) Perte actuarielle sur l'obligation	87 000 Ct			87 000 Dt
i) Ajustement du passif additionnel requis				
Écriture récapitulative pour 2001	______	______	______	______
Solde au 31 décembre 2001	810 500 Ct	486 500 Dt	90 000 Dt	92 000 Dt

j) Coût des services rendus en 2002	59 000 Ct			
k) Intérêts débiteurs	81 050 Ct			
l) Rendement prévu des actifs		48 650 Dt		
m) Gain actuariel sur l'actif		12 350 Dt		12 350 Ct
n) Amortissement du coût des services passés			55 000 Ct	
o) Cotisations		81 000 Dt		
p) Prestations	54 000 Dt	54 000 Ct		
q) Amortissement du solde non amorti de la perte actuarielle				548 Ct
r) Ajustement du passif additionnel requis				
Écriture récapitulative pour 2002	_______	_______	_______	_______
Solde au 31 décembre 2002	896 550 Ct	574 500 Dt	35 000 Dt	79 102 Dt

Calculs du tableau:

b) 65 000 \$ = 650 000 \$ × 10 %.

d) 5 000 \$ = (410 000 \$ × 10 %) – 36 000 \$; excédent du rendement prévu sur le rendement réel.

i) et r) Ajustement du passif additionnel requis au titre des prestations constituées au 31 décembre:

	2001	2002
Obligation au titre des prestations constituées sans projection des salaires	(721 800) \$	(789 000) \$
Juste valeur des actifs du régime de retraite	486 500	574 500
Passif minimal au titre des prestations constituées	(235 300)	(214 500)
Passif au titre des prestations constituées	(142 000)	(207 948)
Passif additionnel requis au titre des prestations constituées	(93 300)	(6 552)
Passif additionnel à l'ouverture de l'exercice	(12 300)	(93 300)
Passif additionnel au titre des prestations constituées à inscrire	(81 000) \$ *	86 748 \$ **

* Comme le montant du passif additionnel requis excède le solde non amorti du coût des services passés en 2001, l'excédent de 3 300 \$ sera porté au débit du compte Excédent du passif additionnel au titre des prestations constituées sur le coût non amorti des services passés et le solde sera porté au débit du compte Actif incorporel – Actif au titre des prestations constituées.

** Comme le montant du passif additionnel requis n'excède plus le solde non amorti du coût des services passés, on doit éliminer le compte Excédent du passif additionnel au titre des prestations constituées sur le coût non amorti des services passés, avant de diminuer le solde du compte Actif incorporel – Actif au titre des prestations constituées.

k) 81 050 \$ = 810 500 \$ × 10 %.

m) 12 350 \$ = (486 500 \$ × 10 %) – 61 000 \$; excédent du rendement réel sur le rendement prévu

q) Amortissement minimal requis en 2002:

Solde non amorti des gains et pertes actuariels nets à l'ouverture de l'exercice	92 000 $
10 % du montant le plus élevé des deux montants suivants à l'ouverture de l'exercice:	
Obligation au titre des prestations constituées ou juste valeur des actifs du régime de retraite	81 050
Excédent amortissable en 2002	10 950
Amortissement minimal requis en 2002 (10 950 $ ÷ 20 ans)	548 $

b) Écritures de journal – 2001 et 2002:

2001

	Débit	Crédit
Charge de retraite	134 000	
Caisse		72 000
Passif au titre des prestations constituées		62 000
Actif incorporel – ATPC	77 700	
Excédent du passif additionnel au titre des prestations constituées sur coût non amorti des services passés	3 300	
Passif additionnel au titre des prestations constituées		81 000

2002

	Débit	Crédit
Charge de retraite	146 948	
Caisse		81 000
Passif au titre des prestations constituées		65 948
Passif additionnel au titre des prestations constituées	86 748	
Actif incorporel – ATPC		83 448
Excédent du passif additionnel au titre des prestations constituées sur le coût non amorti des services passés		3 300 *

c) Tableau de rapprochement de la situation de capitalisation du régime de retraite et de l'actif ou passif au titre des prestations constituées au 31 décembre 2002:

Obligation au titre des prestations constituées	(896 550)$
Juste valeur des actifs du régime de retraite	574 500
Situation de capitalisation – Régime sous-capitalisé	(322 050)
Solde non amorti du coût des services passés	35 000
Solde non amorti des pertes actuarielles nettes	79 102
Passif au titre des prestations constituées	(207 948)
Passif additionnel au titre des prestations constituées	(6 552)
Passif au titre des prestations constituées porté au bilan	(214 500)$

*Problème 2-20

a) Le tableau du régime de retraite de la société Violoncelle ltée pour l'exercice se terminant le 31 mai 2003 se présente comme suit:

Société Violoncelle ltée
Tableau du régime de retraite
pour l'exercice se terminant le 31 mai 2003

	Écritures de journal			Notes pour mémoire		
Éléments	Charge de retraite de l'exercice	Caisse	Actif (passif) au titre des prestations constituées	Obligation au titre des prestations constituées	Actifs du régime de retraite	Solde non amorti du coût des services passés
Solde au 1er juin 2002			400 Ct	24 100 Ct	21 700 Dt	2 000 Dt
a) Coût des services rendus en 2003	3 000 Dt			3 000 Ct		
b) Intérêts débiteurs	1 446 Dt			1 446 Ct		
c) Rendement prévu des actifs	1 736 Ct				1 736 Dt	
d) Cotisations		425 Ct			425 Dt	
e) Prestations				500 Dt	500 Ct	
f) Amortissement du coût des services passés	200 Dt	______				200 Ct
Écriture récapitulative pour 2003	2 910 Dt	425 Ct	2 485 Ct			
Solde au 31 mai 2003			2 885 Ct	28 046 Ct	23 361 Dt	1 800 Dt

Données du tableau:

a) Selon le rapport de l'actuaire.

b) 24 100 $ × 0,06.

c) Amortissement du solde non amorti du coût des services passés découlant d'une modification au régime sur une durée résiduelle moyenne d'activité du groupe de salariés actifs.

b) Écritures de journal requises pour refléter la comptabilisation du régime de retraite de la société Violoncelle ltée pour l'exercice se terminant le 31 mai 2003:

Charge de retraite	2 910	
Caisse		425
Passif au titre des prestations constituées		2 485
(Pour inscrire la charge de retraite de l'exercice 2002.)		
Actif incorporel – Actif au titre des prestations constituées	754	
Passif additionnel au titre des prestations constituées		754

Le passif additionnel au titre des prestations constituées à inscrire au 31 décembre 2003 est calculé de la façon suivante:

Obligation au titre des prestations constituées sans projection des salaires	(27 000) $
Juste valeur des actifs du régime	23 361
Passif minimal au titre des prestations constituées	(3 639)
Moins: passif additionnel au titre des prestations constituées à l'ouverture de l'exercice	2 885
Passif additionnel requis au titre des prestations constituées	(754) $

c) Comme le montant du passif additionnel requis excède le solde non amorti du coût des services passés au 31 mai 2003, l'excédent de 1 900 $ sera porté au débit du compte Excédent du passif additionnel au titre des prestations constituées sur le coût non amorti des services passés et le solde de 1 800 $ sera porté au débit du compte Actif incorporel – Actif au titre des prestations constituées. Ainsi, le montant de l'actif incorporel – Actif au titre des prestations constituées est limité par le montant du solde non amorti du coût des services passés. Il est à noter que le montant de 1 900 $ est inscrit au bilan dans le cumul des autres éléments du résultat étendu (en déduction).

DURÉES ET OBJECTIFS DES ÉTUDES DE CAS

Étude de cas 2-1 (15-20 minutes)

Objectif – Permettre à l'étudiant d'examiner certains problèmes d'ordre plus conceptuel en lien avec la comptabilisation des régimes de retraite. Plus spécifiquement, l'étudiant devra définir un régime complémentaire de retraite, faire la distinction entre un régime par capitalisation et un régime sans capitalisation, différencier la comptabilisation effectuée par l'employeur promoteur d'un régime et la comptabilisation effectuée par le régime de retraite. De plus, l'étudiant devra expliquer ce qui justifie la comptabilisation des coûts et obligations au titre des régimes selon la comptabilité d'exercice et déterminer en quoi ce type de comptabilité permet de mesurer plus objectivement les coûts et obligations au titre des régimes que la comptabilité de caisse. L'étudiant devra également définir certains termes importants qui se rapportent aux régimes de retraite.

Étude de cas 2-2 (25-30 minutes)

Objectif – Permettre à l'étudiant de se familiariser avec la terminologie utilisée par la profession comptable dans la présentation aux états financiers des avantages sociaux futurs. Ce problème est recommandé bien que certains termes soient propres aux normes américaines. L'étudiant devra expliquer la signification de certains éléments, comme l'actif au titre des prestations constituées, le passif au titre des prestations constituées, la charge de retraite, l'actif incorporel – actif au titre des prestations constituées et l'excédent du passif additionnel au titre des prestations constituées sur le coût non amorti des services passés.

Étude de cas 2-3 (20-25 minutes)

Objectif – Permettre à l'étudiant d'examiner une étude de cas relativement simple et d'expliquer les raisons qui justifient l'utilisation de la comptabilité d'exercice pour la comptabilisation des régimes d'avantages sociaux futurs. De plus, l'étudiant devra définir certains termes utilisés et préciser les informations qui doivent être fournies dans les états financiers et dans les notes complémentaires.

Étude de cas 2-4 (25-30 minutes)

Objectif – Permettre à l'étudiant d'examiner les raisons expliquant pourquoi le coût des services passés doit être inscrit dans les exercices futurs, et non dans les exercices passés. De plus, l'étudiant devra examiner un certain nombre de problèmes qui se rapportent à la comptabilisation, à la mesure et à la présentation de l'information financière, notamment comment calculer la charge de retraite, quel taux d'intérêt utiliser pour calculer l'obligation au titre des prestations constituées et comment présenter les gains et les pertes actuariels.

Étude de cas 2-5 (30-35 minutes)

Objectif– Permettre à l'étudiant d'examiner l'incidence de certains éléments sur la comptabilisation et la présentation des avantages sociaux futurs. Dans le cas présenté, une société, qui se conforme aux normes comptables, présente un produit de retraite plutôt qu'une charge. L'étudiant doit réfléchir et expliquer les raisons pour lesquelles cette société doit continuer à verser des cotisations alors que le régime engendre un produit.

Étude de cas 2-6 (30-40 minutes)

Objectif – Permettre à l'étudiant d'expliquer en quoi consistent les gains et pertes actuariels, et plus particulièrement en quoi consiste l'amortissement des gains et pertes actuariels selon la méthode du couloir.

***Étude de cas 2-7 (50-60 minutes)**

Objectif – Permettre à l'étudiant de se familiariser avec l'incidence des normes comptables sur la comptabilisation, la mesure et la présentation des avantages sociaux futurs en examinant différentes situations. Cette étude de cas favorise la réflexion et stimule la discussion en groupe.

***Étude de cas 2-8 (50-60 minutes)**

Objectif – Permettre à l'étudiant d'examiner l'incidence des normes comptables portant sur la comptabilisation des avantages sociaux futurs sur les états financiers. L'étudiant devra énumérer les six composantes de la charge de retraite, présenter les principales différences entre l'obligation au titre des prestations constituées sans projection des salaires et l'obligation au titre des prestations projetées, décrire la façon de comptabiliser et de présenter les gains et les pertes actuariels, et expliquer quand un passif minimal au titre des prestations constituées doit être comptabilisé.

SOLUTIONS DES ÉTUDES DE CAS

Étude de cas 2-1

a) Un régime complémentaire de retraite mis en place par une entreprise est une entente en vertu de laquelle un employeur s'engage à servir des prestations de retraite à ses salariés participants selon les dispositions d'un document ou les pratiques de l'entreprise.

Dans un régime de retraite contributif, les employés assument une partie du financement des prestations de retraite tandis que dans un régime de retraite non contributif, c'est l'employeur qui assume la totalité du coût.

b) 1. La caisse de retraite est un fonds constitué dans le but d'assurer le paiement des prestations de retraite prévues aux salariés participant à un régime de retraite. La caisse gère les actifs du fonds, constitués des cotisations patronales et salariales, ainsi que des revenus qui en découlent, et verse les prestations aux salariés retraités. L'obligation au titre des prestations constituées représente la valeur actuarielle de toutes les prestations futures attribuées aux services rendus par les salariés à une date déterminée. Du point de vue du régime de retraite, le terme «capitalisation» fait référence à la relation entre les actifs de la caisse de retraite et l'obligation au titre des prestations constituées. Si, à une date donnée, les actifs de la caisse sont insuffisants pour couvrir l'obligation au titre des prestations constituées, on dit que le régime de retraite est sous-capitalisé. Dans le cas contraire, on dit qu'il est surcapitalisé.

2. Du point de vue de l'employeur, le terme «capitalisation» fait référence à la relation entre les cotisations versées à la caisse de retraite et la charge de retraite comptabilisée par ce dernier. Si l'employeur verse chaque année à la caisse de retraite un montant équivalent à la charge de retraite de l'exercice, l'employeur effectue une capitalisation intégrale. Pour l'employeur, l'obligation au titre des prestations constituées ne correspond pas à une obligation à une date donnée, dans la mesure où les cotisations versées à la caisse de retraite jusqu'à cette date ont permis de constituer une réserve suffisante pour satisfaire aux engagements. Toutefois, il peut y avoir un passif au titre des prestations constituées lorsque le total des charges de retraite portées en résultat jusqu'à une date donnée excède le total des cotisations versées à cette même date.

c) 1. La constatation de la charge de retraite selon la méthode de la comptabilité d'exercice se fonde sur le principe du rapprochement des produits et des charges. Les coûts au titre des régimes de retraite résultent des services rendus par les salariés à leur employeur tout au long de leur carrière active et devraient par conséquent être constatés et répartis entre ces années de service, de manière à rapprocher les coûts de cette rémunération et les produits que le travail rémunéré a pu générer, et donc, à imputer les coûts aux exercices appropriés.

2. Quoique la comptabilité de caisse permette de déterminer de façon très objective l'ensemble des coûts réels du régime de retraite sur une longue période, elle ne permet pas de mesurer comment il faut attribuer ces coûts à chaque exercice. La méthode de la comptabilité d'exercice permet de répartir plus objectivement les coûts du régime entre chaque exercice, dans la mesure où l'on a recours aux méthodes actuarielles pour déterminer la charge de retraite de l'exercice. Les cotisations versées au cours d'un exercice donné peuvent faire l'objet de décisions discrétionnaires et varier fortement d'un exercice à l'autre, en fonction des liquidités disponibles ou d'autres facteurs sans relation avec les avantages économiques que l'employeur retire du régime au cours de ce même exercice. La méthode de la comptabilité de caisse permet de déterminer de façon plus précise le coût final du régime de retraite, mais la méthode de la comptabilité d'exercice permet de mesurer plus objectivement le coût pour un exercice donné.

d) Voici comment on définit les éléments suivants en ce qui concerne les régimes de retraite:

1. Le coût des services rendus au cours de l'exercice correspond à l'accroissement de l'obligation au titre des prestations constituées à verser aux salariés en raison des services qu'ils ont rendus au cours de l'exercice en vertu des dispositions du régime. Ce coût constitue une partie de la charge de retraite de

l'exercice et correspond à la valeur actuarielle des nouvelles prestations que les salariés ont gagnées au cours de l'exercice.

2. Le coût des services passés constitue le coût des avantages attribués par le régime aux salariés pour les années de service antérieures à la mise en place ou à la modification d'un régime de retraite.

3. Les méthodes d'évaluation actuarielles sont des techniques élaborées par les actuaires, qui s'appuient sur les données relatives au groupe de salariés, sur des calculs actuariels et sur des hypothèses au sujet de faits futurs pour déterminer les cotisations périodiques que l'employeur doit verser à la caisse de retraite pour un régime donné. Dans le passé, de nombreuses méthodes d'évaluation actuarielles ont été utilisées aux fins de la comptabilisation des coûts et des obligations au titre des régimes de retraite. Actuellement, on doit se servir de la méthode de répartition des prestations au prorata des années de service, dans le cas où la croissance des salaires a une incidence sur le montant des prestations de retraite futures. Sinon, on doit utiliser la méthode de répartition des prestations constituées.

4. L'acquisition de droits aux prestations est la reconnaissance du droit irrévocable du salarié à recevoir des prestations lors de sa retraite. Souvent, le salarié n'acquiert ces droits qu'après avoir rendu des services durant un nombre minimal d'années auprès de l'employeur promoteur du régime.

Étude de cas 2-2

1. a) L'actif au titre des prestations constituées représente l'excédent du total des cotisations versées par l'employeur à la caisse de retraite à une date donnée sur le total des charges de retraite portées en résultat jusqu'à la même date. Cet élément est porté à l'actif du bilan et est diminué lorsque la charge de retraite de l'exercice est plus élevée que les cotisations que l'employeur verse à la caisse de retraite au cours du même exercice.

   b) L'actif incorporel – actif au titre des prestations constituées est l'élément d'actif qui survient habituellement lorsque l'obligation au titre des prestations constituées sans projection des salaires excède la juste valeur des actifs du régime. Lorsqu'un passif additionnel au titre des prestations constituées est requis, un montant équivalent doit être comptabilisé à titre d'actif incorporel si l'actif ainsi constaté n'excède pas le solde non amorti du coût des services passés.

2. Le passif au titre des prestations constituées représente l'excédent du total des charges de retraite portées en résultat à une date donnée sur le total des cotisations versées par l'employeur à la caisse de retraite jusqu'à la même date. Cet élément est porté au passif du bilan et augmente lorsque la charge de retraite de l'exercice est plus élevée que les cotisations versées à la caisse de retraite au cours du même exercice

3. Il y a un excédent du passif additionnel au titre des prestations constituées sur le coût non amorti des services passés lorsque le passif additionnel requis au titre des prestations constituées excède le solde non amorti du coût des services passés. Ce compte doit être inscrit à titre de réduction parmi les autres éléments du résultat étendu. Il réduit le total des capitaux propres.

4. La charge de retraite de l'exercice représente le montant de la charge constatée par l'employeur relativement à un régime de retraite et imputée à un exercice donné. Les composantes de la charge de retraite sont le coût des services rendus au cours de l'exercice, les intérêts débiteurs sur l'obligation au titre des prestations constituées, le rendement prévu des actifs du régime de retraite, l'amortissement du coût des prestations au titre des services passés, l'amortissement des gains et des pertes actuariels nets et l'amortissement du montant transitoire.

Étude de cas 2-3

a) Voici la signification des expressions relatives à la comptabilisation des coûts et obligations au titre des régimes de retraite et des régimes d'avantages complémentaires de retraite:

1. La juste valeur des actifs du régime est le montant que l'on peut s'attendre à recevoir en contrepartie des actifs du régime en cas de cession volontaire à un acheteur intéressé, en supposant que les parties sont compétentes et qu'elles transigent en toute liberté dans des conditions de pleine concurrence. On utilise généralement le prix du marché comme mesure de la juste valeur. Dans le cas de titres pour lesquels il n'existe pas de marché, le prix de vente d'actifs similaires dans un marché actif ou une valeur obtenue par expertise peut servir de juste valeur.

2. La valeur liée au marché des actifs du régime est une valeur de marché moyenne qui permet de répartir les fluctuations de la valeur de marché sur une période n'excédant pas cinq ans, d'une façon logique et systématique. Lorsqu'on utilise une méthode qui reflète la moyenne des valeurs de marché d'une certaine période, les augmentations ou les diminutions de valeur sont réparties sur une certaine durée, de façon à amoindrir l'incidence des fluctuations à court terme sur l'information. Ainsi, les placements sont évalués de manière à refléter les tendances à long terme du marché, ce qui est plus logique puisque les hypothèses utilisées par l'actuaire pour déterminer l'obligation au titre des prestations constituées sont fondées sur les conditions à long terme du marché.

3. Les méthodes d'évaluation actuarielles sont des techniques élaborées par les actuaires, qui s'appuient sur des données de base concernant un groupe de salariés, sur des calculs actuariels et sur des hypothèses au sujet de faits futurs. Elles sont utilisées pour établir le montant des cotisations périodiques que l'employeur doit verser à la caisse pour un régime donné.

4. L'obligation au titre des prestations projetées correspond à la valeur actuarielle des prestations de retraite gagnées par les salariés (que ceux-ci aient ou non acquis les droits) en raison des services rendus jusqu'à une date donnée et fondées sur les niveaux de salaire futurs. Selon les normes comptables canadiennes, américaines et internationales, l'obligation au titre des prestations projetées correspond au montant de l'obligation au titre des prestations constituées.

5. La méthode du couloir a été mise au point par la profession comptable pour déterminer à quel moment le solde non amorti des gains et pertes actuariels à l'ouverture de l'exercice doit être amorti. Le solde non amorti des gains et pertes actuariels nets est amorti lorsqu'il excède le critère retenu arbitrairement par la profession, c'est-à-dire lorsqu'il est supérieur de 10 % au plus élevé des montants suivants établis à l'ouverture de l'exercice, soit l'obligation au titre des prestations constituées ou la valeur des actifs du régime mesurée selon leur juste valeur ou une valeur liée au marché.

b) L'information suivante au sujet des régimes de retraite d'une entreprise doit être incluse dans les états financiers et dans les notes complémentaires:

Une description du régime, incluant les groupes d'employés couverts, le type de formule utilisée dans le calcul des prestations, la politique de capitalisation, la nature des actifs, et la nature et l'incidence de tout fait significatif susceptible d'influer sur la comparabilité de l'information pour tous les exercices en cause.

Un tableau montrant toutes les composantes de la charge de retraite de l'exercice.

Un tableau de rapprochement montrant les variations de l'obligation au titre des prestations constituées et la juste valeur des actifs du régime de retraite de l'ouverture à la clôture de l'exercice.

Un tableau de rapprochement de la situation de capitalisation du régime (différence entre l'obligation au titre des prestations constituées et la juste valeur des actifs du régime), et les montants comptabilisés et non comptabilisés.

Une présentation des taux et des hypothèses actuarielles utilisés dans le calcul des montants de prestations, du taux d'actualisation, du rendement prévu des actifs du régime et du niveau des salaires, y compris les hypothèses quant à l'évolution future du coût des soins de santé.

Étude de cas 2-4

a) Le problème fondamental au sujet de l'obligation au titre du régime de retraite présenté dans ce cas a trait au coût des services passés. Selon les règles en vigueur, on ne doit pas imputer ces coûts entièrement à l'exercice au cours duquel a lieu la mise en place du régime. Les ententes conclues relativement à des régimes de retraite constituent des contrats inachevés, c'est-à-dire des contrats dans lesquels aucune des deux parties en présence n'a exécuté sa partie du contrat. En offrant à ses employés certains avantages relatifs aux années de service antérieures à l'entrée en vigueur du régime, l'employeur espère en retirer des avantages économiques futurs. Par conséquent, il n'y a pas d'obligation à constater pour le moment, et le coût doit être rapproché des services futurs, et non pas des services passés. Dans le cas présenté, même si les années de service passées sont reconnues par le régime, les prestations correspondantes sont accordées en fonction des avantages futurs que l'employeur s'attend à recevoir des salariés. En conséquence, l'obligation et la charge correspondante devront être constatées sur toutes les années de service futures des salariés qui bénéficieront de ce régime.

Une autre méthode consisterait à inscrire immédiatement un passif et à porter immédiatement la charge en résultat; on pourrait aussi imputer cette charge aux exercices antérieurs, ou encore inscrire un actif incorporel. Si on inscrit un actif incorporel, on doit l'amortir selon une certaine formule correspondant aux avantages que l'on espère en retirer. D'après ce point de vue, on se base sur l'hypothèse que les prestations au titre du régime constituent un passif du fait qu'elles proviennent d'une opération passée, qu'elles sont une obligation réelle et qu'elles requièrent un paiement futur.

Selon les règles en vigueur, on ne considère pas que le coût des prestations au titre des services passés a une signification comptable avant qu'il soit porté en résultat selon la méthode de la comptabilité d'exercice. Ce n'est que dans le cas où le montant des cotisations versées à la caisse de retraite est moins élevé que le total des charges de retraite constaté que l'on inscrit un passif au titre des prestations constituées dans le bilan.

b) Le passif au titre des prestations constituées pour chaque exercice subséquent sera calculé de la même façon que pour le premier exercice, c'est-à-dire que si le montant passé en charges par l'entreprise excède celui qui a été versé à la caisse de retraite, on inscrira la différence à titre de passif au titre des prestations constituées. Si, au contraire, le montant qui a été versé à la caisse de retraite excède le montant passé en charges par l'entreprise, on inscrira la différence à titre de diminution du passif au titre des prestations constituées.

c) La charge de retraite comprend habituellement six composantes. Chacun de ces éléments doit être pris en compte dans la détermination du montant de la charge de retraite à constater à chaque exercice. On porte le montant calculé au débit du compte Charge de retraite et au crédit du compte Passif au titre des prestations constituées.

Voici les six composantes de la charge de retraite:

1. Le coût des services rendus au cours de l'exercice.
2. Les intérêts débiteurs sur l'obligation au titre des prestations constituées.
3. Le rendement prévu des actifs du régime de retraite.
4. L'amortissement du coût des services passés.
5. L'amortissement des gains ou des pertes actuariels.
6. L'amortissement du montant transitoire.

d) Les actifs du régime de retraite ne devront pas être présentés dans le bilan de la société. Il n'y aurait un montant porté à l'actif que si le total des cotisations versées à la caisse de retraite à la date du bilan excédait le total des charges de retraite constatées à cette même date.

e) Le taux d'intérêt utilisé pour calculer l'obligation au titre des prestations constituées doit être celui que la direction considère comme le plus probable. Pour déterminer ce taux, la direction doit s'informer des taux implicites compris dans les prix courants des contrats de rente qui pourraient être conclus en vue d'acquitter l'obligation au titre du régime de retraite. Les employeurs peuvent également se tourner vers les taux de rendement des valeurs à revenu fixe de qualité comparable actuellement disponibles ou qui seront disponibles au moment où les prestations de retraite arriveront à échéance.

Pour ce qui est de l'actif, il faut utiliser le taux de rendement prévu à long terme. Ce taux devrait correspondre au rendement prévu des actifs de la caisse de retraite.

f) Les gains ou pertes actuariels sur l'actif et les gains ou pertes actuariels sur l'obligation sont tous portés à un compte appelé «Solde non amorti des gains et pertes actuariels nets». Ils sont reportés et s'accumulent d'un exercice à l'autre, hors bilan, dans les comptes pour mémoire. Selon la méthode du couloir mise au point par la profession comptable, le solde non amorti des gains et pertes actuariels nets à l'ouverture de l'exercice ne sera amorti que s'il devient important, c'est-à-dire s'il est supérieur de 10 % au plus élevé des montants suivants établis à l'ouverture de l'exercice, soit l'obligation au titre des prestations constituées ou la valeur des actifs du régime mesurée selon leur juste valeur ou une valeur liée au marché. Cet excédent doit être amorti sur la durée résiduelle moyenne d'activité du groupe de salariés actifs qui devraient normalement toucher des prestations en vertu du régime.

Étude de cas 2-5

a) Madame Vielle a raison lorsqu'elle pense que la mise en place d'un régime de retraite entraîne des coûts supplémentaires pour une entreprise. Un régime de retraite est essentiellement une opération d'échange d'une rémunération différée contre des services entre l'employeur et les salariés. Les salariés fournissent des services à l'employeur, qui s'engage à leur verser, en plus des salaires courants, un revenu à la retraite. Les prestations futures promises font partie de la rémunération des salariés et, puisque le paiement en est retardé jusqu'à la retraite, les prestations de retraite constituent une sorte de rémunération différée. Selon la méthode de la comptabilité d'exercice, le coût des prestations promises ainsi que l'engagement de les verser doivent être constatés par l'employeur dans l'exercice au cours duquel la rémunération est gagnée, c'est-à-dire dans l'exercice au cours duquel le salarié fournit ses services.

La constatation d'un produit de retraite de 27 619 $ en 2001 montre que la charge de retraite ne reflète pas seulement le coût des services rendus par les salariés au cours de l'exercice, mais comprend également certaines autres composantes, qui sont le reflet des différents aspects financiers de l'entente, ainsi que des résultats de la caisse de retraite elle-même, laquelle a produit un rendement sur les actifs mis en réserve. La charge de retraite (le produit, dans ce cas) comporte six composantes distinctes:

Le coût des services rendus au cours de l'exercice.

Les intérêts débiteurs sur l'obligation au titre des prestations constituées.

Le rendement prévu des actifs du régime de retraite.

L'amortissement du coût des services passés.

L'amortissement des gains ou des pertes actuariels nets.

L'amortissement du montant transitoire.

On peut considérer les intérêts sur l'obligation au titre des prestations constituées et le rendement prévu des actifs du régime comme des éléments de financement plutôt que des composantes des coûts de la rémunération des salariés. Ils peuvent être modifiés ou même éliminés à la suite d'une modification de l'entente de l'employeur au sujet de la capitalisation.

Les états financiers des Magasins d'aubaines Symphonie présentent un produit de retraite en 2001, principalement du fait que le régime de retraite est passé d'un régime sous-capitalisé à un régime surcapitalisé. Notons que, au 31 décembre 2000, l'obligation au titre des prestations constituées excède les actifs du régime de retraite; par conséquent, le régime est sous-capitalisé. Au 1er janvier 2001, date de transition choisie pour l'application des nouvelles normes comptables, la société doit augmenter son taux d'actualisation à 9 % pour ses calculs comptables. Cette modification a pour effet de diminuer l'obligation au titre des prestations constituées, qui est devenue moins élevée que la juste valeur des actifs du régime de retraite. Le changement de taux d'actualisation a immédiatement fait passer le régime de retraite sous-capitalisé à un régime de retraite surcapitalisé. De plus, il en a résulté immédiatement un actif transitoire de 500 000 $ (2 500 000 $ – 2 000 000 $), qui doit être amorti comme composante de la charge de retraite (il réduit cette charge) sur la durée résiduelle moyenne d'activité du groupe de salariés actifs au 1er janvier 2001. Ainsi, puisque la juste valeur des actifs du régime de retraite excède l'obligation au titre des prestations constituées, le calcul du rendement des actifs du régime entraînera une diminution de la charge de retraite à comptabiliser. Ce facteur, ajouté à l'amortissement de l'actif transitoire en 2001, donne apparemment un montant qui excède la composante de la charge de retraite que représente le coût des services rendus au cours de l'exercice, de sorte que l'on constate un produit net de retraite.

b) Le fait que la société décide de verser 62 300 $ à la caisse de retraite en 2001 constitue un problème distinct du montant de la charge (du produit) de retraite constaté. La question qui consiste à savoir quand et de combien il faut capitaliser la caisse de retraite ne constitue pas un problème comptable, mais bien un problème de financement. Le montant versé au cours d'un exercice est fixé en fonction de bien d'autres facteurs à envisager par la direction, telles les considérations fiscales, les lois relatives aux régimes de retraite, la prudence des dirigeants et d'autres utilisations possibles des flux de trésorerie disponibles (par exemple, le versement de dividendes) qui n'ont pas de rapport avec l'obligation au titre des prestations constituées.

c) Le produit net de retraite de l'exercice comprend les composantes suivantes:

Coût des services rendus au cours de l'exercice[a]	42 381 $
Intérêts débiteurs sur l'obligation au titre des prestations constituées (2 000 000 $ × 9 %)	180 000
Rendement prévu des actifs du régime (2 500 000 $ × 9 %)	(225 000)
Amortissement des gains ou des pertes actuariels nets[b]	0
Amortissement de l'actif transitoire[c]	(25 000)
Charge (produit) nette de retraite	(27 619)$

a Valeur inconnue trouvée par différence:
225 000 $ – 180 000 $ + 25 000 $ – 27 619 $ = 42 381 $ ou 180 000 $ – 225 000 $ – 25 000 $ + 27 619 $

b Au cours de l'année de transition, le solde non amorti des gains ou des pertes actuariels en début d'exercice est nul et il n'y a aucun amortissement minimal requis.

c Au 1er janvier 2000:

Juste valeur des actifs du régime	2 500 000 $
Obligation au titre des prestations constituées	2 000 000
Actif transitoire non comptabilisé	500 000
Amortissement en 2001 (500 000 $ ÷ 20 ans)	25 000 $

Étude de cas 2-6

Destinataire: Nathalie Viole, commis comptable

Expéditeur: Étudiant Studieux, directeur de la comptabilité

Date: 3 janvier 2002

Sujet: Amortissement des gains et des pertes actuariels nets

La charge de retraite comporte plusieurs composantes, dont l'une est parfois l'amortissement des gains ou pertes actuariels nets. Ces gains ou pertes actuariels surviennent pour deux raisons. Premièrement, les actifs du régime de retraite peuvent produire un rendement qui est supérieur ou inférieur à celui qui avait été prévu. Deuxièmement, les changements d'hypothèses actuarielles peuvent entraîner des augmentations ou des diminutions de l'obligation au titre des prestations constituées. Si ces gains ou pertes actuariels sont peu élevés par rapport à l'obligation au titre des prestations constituées ou à la juste valeur des actifs du régime de retraite, ils sont exclus de la charge de retraite de l'exercice.

Si, pour un exercice donné, les gains et les pertes actuariels deviennent trop importants, on doit inclure une partie de ce gain ou de cette perte dans la charge de retraite au moyen de l'amortissement afin de ne pas sous-estimer ni surestimer l'obligation au titre des prestations constituées à la clôture de l'exercice.

Pour déterminer l'inclusion ou non de ces gains ou pertes actuariels dans la charge de retraite de l'exercice, on calcule un «couloir» équivalent à 10 % du plus élevé des deux montants suivants, soit l'obligation au titre des prestations constituées ou la juste valeur des actifs du régime de retraite. Ensuite, on amortit le montant de tout gain ou perte actuariels se situant à l'extérieur de ce couloir sur la durée résiduelle moyenne d'activité du groupe de salariés actifs. (Note: ces gains ou pertes actuariels doivent exister à l'ouverture de l'exercice au cours duquel il y a amortissement [voir a) dans le tableau qui suit]).

Étant donné que le solde du compte Solde non amorti des gains et des pertes actuariels nets était nul à l'ouverture de l'exercice 2001, aucun amortissement minimal de la perte de 280 000 $ n'est requis en 2001, comme le montre le tableau ci-dessous. Toutefois, à l'ouverture de l'exercice 2002, le solde de ce compte s'établissait à 280 000 $. Si le couloir de 10 % est de 260 000 $, la perte excède le couloir de 20 000 $. Étant donné que la durée résiduelle moyenne d'activité du groupe de salariés actifs est de 10 ans, on obtient l'amortissement minimal requis en divisant 20 000 $ par 10: 2 000 $ [voir b) dans le tableau ci-dessous].

À l'ouverture de l'exercice 2003, comme l'indique le tableau ci-dessous, la perte non amortie de l'exercice 2001 (278 000 $) a été ajoutée à la perte de 90 000 $ de l'exercice 2002, ce qui résulte en un solde non amorti de la perte actuarielle nette de 368 000 $ [voir c) ci-dessous]. Ce montant excède le nouveau couloir (290 000 $) de 78 000 $. Toutefois, la durée résiduelle d'activité est passée à 12 ans, ce qui entraîne un amortissement minimal requis de seulement 6 500 $ [voir *d* ci-dessous]

Finalement, si on ajoute les pertes de l'exercice 2003 au solde non amorti de la perte actuarielle nette des exercices précédents, la somme se situe à l'intérieur des limites du couloir 2004 et ne requiert aucun amortissement.

Méthode du couloir

et amortissement minimal des pertes actuarielles nettes

Exercice	Obligation au titre des prestations constituées	Actifs du régime de retraite[a]	Couloir 10 %	Cumul du solde non amorti des gains et pertes actuariels nets	Amortissement minimal des pertes actuarielles
2001	2 200 000 $	1 900 000 $	220 000 $	0 $	0 $
2002	2 400 000	2 600 000	260 000	280 000	2 000 [b]
2003	2 900 000	2 600 000	290 000	368 000 [c]	6 500 [d]
2004	3 900 000	3 000 000	390 000	373 500 [e]	0

a Comme en ouverture d'exercice.

b (280 000 $ – 260 000 $) ÷ 10 ans = 2 000 $

c 280 000 $ – 2 000 $ + 90 000 $ = 368 000 $

d (368 000 $ – 290 000 $) ÷ 12 ans = 6 500 $

e 368 000 $ – 6 500 $ + 12 000 $ = 373 500 $

*Étude de cas 2-7

1. Une telle situation peut survenir selon que les entreprises utilisent un ensemble d'hypothèses implicites ou explicites pour le choix de leurs taux d'intérêt. Avec une approche implicite, plusieurs hypothèses, considérées séparément comme les plus probables, ne procurent pas l'estimation la plus probable de l'obligation future du régime, mais on suppose que leur effet combiné devrait donner à peu de choses près le même résultat qu'une approche explicite. Avec une approche explicite, on présente chaque hypothèse importante qui peut procurer l'estimation la plus probable de l'obligation future au titre du régime. Ainsi, certaines entreprises utilisaient une approche implicite, et d'autres, une approche explicite avant l'application des nouvelles normes américaines. Les normes comptables américaines et canadiennes imposent dorénavant l'utilisation d'hypothèses explicites. Par conséquent, l'écart important entre les taux d'intérêt finira par s'estomper dans une certaine mesure. Toutefois, il est à noter que les entreprises disposeront d'une marge de manœuvre dans l'établissement des taux d'actualisation sur l'obligation au titre des prestations constituées. De plus, le rendement prévu des actifs du régime différera entre les différentes entreprises.

2. Cette situation peut être attribuable à la recommandation voulant que les sociétés calculent et amortissent un montant transitoire. Si, en raison de l'imputation de l'amortissement du montant transitoire à chaque exercice,

la charge de retraite de l'exercice excède le montant des cotisations versées à la caisse, on doit présenter un passif au titre des prestations constituées. L'importance de ce passif dépend du montant non capitalisé à la date de la mise en application des nouvelles normes, ainsi que de la durée résiduelle moyenne d'activité du groupe de salariés actifs couverts par le régime.

3. On peut mettre en doute ces affirmations. Si une mesure de nature financière a pour but de représenter un phénomène qui est sujet à des fluctuations volatiles, la mesure en question doit exprimer cette volatilité, sinon elle ne donnera pas une image fidèle de la situation. Néanmoins, de nombreuses personnes soutiennent qu'il ne convient pas de refléter cette volatilité des fluctuations du marché lorsque l'on veut mesurer des éléments à long terme, comme ceux qui composent un régime de retraite. La constatation des gains et des pertes constitue un bon exemple de cas où il est utile de procéder à un certain nivellement. Si les hypothèses se révèlent être les estimations les plus exactes au fil des années, les gains et les pertes d'un exercice seront effacés par ceux d'un exercice subséquent, et l'amortissement des gains et des pertes aura été inutile. Le point principal à souligner est que, au moment d'élaborer des principes comptables, il ne faut pas considérer que la volatilité des fluctuations du marché est un phénomène indésirable. Même si certaines directions considèrent que ces fluctuations du marché sont mauvaises en soi, ce point de vue ne doit pas avoir d'incidence sur la normalisation. Il est clair, cependant, à la lecture des compromis que l'on trouve dans les normes canadiennes et américaines, que certains procédés recommandés ont pour effet d'atténuer la volatilité des fluctuations du marché.

4. Ni les actifs du régime, ni l'obligation au titre des prestations constituées ne sont portés au bilan des employeurs. Cependant, il est recommandé de présenter la juste valeur des actifs du régime de retraite ainsi que l'obligation au titre des prestations constituées dans les notes complémentaires, de sorte que le lecteur des états financiers puisse déterminer la situation de capitalisation du régime. L'actif de la caisse de retraite paraît dans le bilan du régime de retraite lui-même, en tant qu'entité distincte de l'employeur.

5. a) Dans un régime à cotisations déterminées, le montant des cotisations versées à la caisse est le montant passé en charges. Un tel régime ne pose aucun problème de comptabilisation particulier. À l'inverse, un régime à prestations déterminées comporte de nombreux problèmes de mesure et de constatation, notamment en ce qui a trait aux différentes composantes de la charge de retraite, ainsi qu'à l'obligation au titre du régime.

   En règle générale, des modifications significatives apportées à un régime entraîneront une augmentation du coût des services passés, qui entraînera à son tour une augmentation de la charge de retraite au cours des exercices ultérieurs, en raison de la répartition de ce coût sur la durée résiduelle moyenne d'activité du groupe de salariés actifs qui bénéficieront des nouveaux avantages accordés lors de la modification du régime.

   b) Les participants au régime ont aussi leur importance, notamment en ce qui a trait à la détermination de la durée résiduelle moyenne d'activité du groupe de salariés actifs. Cette durée a une incidence sur l'amortissement du montant transitoire, du coût des services passés et des gains et pertes actuariels nets.

   c) En règle générale, si le régime est sous-capitalisé, la charge de retraite augmentera (tous les autres facteurs étant par ailleurs constants). Si le régime est surcapitalisé, la charge de retraite diminuera (tous les autres facteurs étant par ailleurs constants). En effet, si le régime est sous-capitalisé, le rendement prévu sur les actifs du régime sera moindre, et s'il est surcapitalisé, ce sera l'inverse.

   d) Si, aux fins du calcul des cotisations, l'actuaire utilise une méthode actuarielle différente de celle recommandée par les organismes normalisateurs (la méthode de répartition des prestations au prorata des années de service), et s'il a recours à des hypothèses actuarielles qui ne correspondent pas à celles que la direction de l'entreprise juge les plus probables dans les circonstances, il en résultera des évaluations actuarielles qui ne pourront pas servir à des fins comptables. Ces évaluations pourraient comporter des écarts importants dans la détermination des coûts et des obligations au titre des régimes, et sont inadéquates aux fins de la comptabilisation et de la présentation dans les états financiers du promoteur du régime. Ce dernier devra commander d'autres évaluations actuarielles, applicables à des fins comptables, pour pouvoir constater la charge de retraite conformément aux normes comptables et présenter convenablement dans ses états financiers les renseignements requis au sujet du régime.

e) Le montant transitoire au titre du régime doit être amorti de façon prospective. S'il s'agit d'une obligation transitoire, l'amortissement vient accroître la charge de retraite. S'il s'agit d'un actif transitoire, l'amortissement diminue la charge de retraite. Ce montant transitoire peut avoir une incidence importante sur la charge de retraite et, par conséquent, sur le résultat net d'une entreprise.

6. La méthode du couloir est une approche qui exige la répartition des gains et des pertes actuariels nets uniquement si le solde non amorti de ces gains ou pertes à l'ouverture de l'exercice excède de 10 % le plus élevé des montants suivants mesurés à l'ouverture de l'exercice, soit l'obligation au titre des prestations constituées ou les actifs du régime de retraite. Cet excédent est ensuite amorti sur la durée résiduelle moyenne d'activité du groupe de salariés actifs qui participent au régime. La méthode du couloir vise à constater uniquement les gains et les pertes actuariels nets si le solde devient important, c'est-à-dire s'il excède un certain montant arbitraire, en supposant que les gains et les pertes qui se situent à l'intérieur de ce couloir se compenseront les uns les autres avec le temps.

7. La constatation d'un actif incorporel est fondée sur le fait que la modification apportée au régime de retraite donne lieu à des avantages futurs en ce sens que la modification peut réduire le roulement du personnel, accroître la productivité, réduire les demandes d'augmentation de la rémunération en argent et améliorer les chances d'attirer une main-d'œuvre qualifiée. Cet actif incorporel est créé lorsque l'obligation au titre des prestations constituées sans projection des salaires excède la juste valeur des actifs et que l'entreprise présente un solde non amorti du coût des services passés. L'actif incorporel n'est pas amorti, mais ajusté à la hausse, à la baisse ou éliminé en fonction des circonstances prévalant à la fin de chaque exercice.

8. Ce sont des considérations ayant trait à l'équilibre avantages-coûts qui ont entraîné l'élimination de cette obligation d'information. Plusieurs entreprises se sont plaintes du fait que cette information était: 1) difficile à calculer; 2) d'un intérêt limité pour les utilisateurs de l'information financière; 3) coûteuse à préparer. Le FASB a donné suite à ces doléances, éliminant cette obligation d'information de la version finale de la prise de position sur les régimes de retraite. Les normes comptables canadiennes précisent que la publication de cette information est souhaitable, mais non obligatoire.

*Étude de cas 2-8

a) Les prestations au titre du régime de retraite sont un des éléments qui composent la rémunération reçue par les employés en échange des services rendus. Le versement de ces prestations est différé jusqu'au moment de la retraite. La charge de retraite nette tente d'évaluer cette rémunération différée et comporte les six éléments suivants:

1. La composante «coût des services rendus au cours de l'exercice» est la valeur actuarielle des prestations gagnées par les employés pendant l'exercice concerné.

2. Étant donné qu'un régime de retraite constitue une entente de rémunération différée, un passif est créé au moment de l'adoption du régime de retraite. La composante «intérêts débiteurs sur l'obligation au titre des prestations constituées» représente l'augmentation de ce passif, c'est-à-dire l'obligation au titre des prestations constituées, causée par l'écoulement du temps.

3. Pour se libérer d'une obligation au titre d'un régime de retraite, un employeur verse des cotisations à la caisse de retraite. Le rendement des actifs du régime permet de réduire l'intérêt sur l'obligation au titre du régime. En d'autres mots, le rendement prévu des actifs du régime réduit la charge de retraite. Le rendement prévu est le taux de rendement prévu multiplié par la valeur des actifs du régime évalués soit à leur juste valeur, soit à une valeur liée au marché.

4. Lors de la mise en place ou de la modification d'un régime de retraite, on étend souvent les avantages aux services rendus par les employés lors d'exercices précédents. Ces prestations rétroactives, ou coût des services passés, ne sont pas comptabilisées en totalité comme une charge de retraite dans l'exercice où a lieu la mise en place ou la modification du régime, mais elles sont réparties sur toute la période au cours de laquelle les employés bénéficieront de ces nouveaux avantages.

5. La composante «amortissement des gains et pertes actuariels» provient d'une variation du montant de l'obligation au titre des prestations constituées ou de celui des actifs du régime de retraite. Les gains et pertes actuariels sont amortis à l'aide de la méthode du couloir.

6. La composante «amortissement du montant transitoire» provient de la différence entre l'obligation au titre des prestations constituées et la juste valeur de l'actif du régime à l'ouverture de l'exercice au cours duquel les nouvelles normes sont appliquées pour la première fois. Le montant transitoire doit être ajusté du montant de l'actif ou du passif au titre des prestations constituées à cette date. Lorsqu'une société a opté pour le report du montant transitoire, elle doit l'amortir selon la méthode linéaire sur la durée résiduelle moyenne d'activité du groupe de salariés actifs à cette date.

b) La principale ressemblance entre l'obligation au titre des prestations constituées sans projection des salaires et l'obligation au titre des prestations constituées réside dans le fait que l'une et l'autre représentent la valeur actuarielle des prestations futures attribuées aux services rendus par les employés à une date déterminée en vertu des conditions du régime. Habituellement, au moment du départ à la retraite d'un employé, l'obligation au titre des prestations constituées sans projection des salaires et l'obligation au titre des prestations constituées seront les mêmes.

La principale différence entre l'obligation au titre des prestations constituées sans projection des salaires et l'obligation au titre des prestations constituées est que la première est basée sur la rémunération actuelle, et la seconde, sur la rémunération future. Si on suppose une augmentation de la rémunération avec le temps, l'obligation au titre des prestations constituées devrait être supérieure à l'obligation au titre des prestations constituées sans projection des salaires.

c) 1. Les gains et les pertes actuariels résultent des variations de la valeur de l'obligation au titre des prestations constituées ou de la juste valeur des actifs du régime de retraite. Ces variations découlent des écarts entre les conditions prévues et les conditions réelles ainsi que des modifications apportées aux hypothèses. La volatilité de ces gains et de ces pertes peut indiquer une inévitable incapacité à prédire avec précision pour un ou plusieurs exercices l'un ou l'autre des éléments suivants: niveaux de rémunération, nombre d'années de service des employés, taux de mortalité, âge du départ à la retraite et autres événements pertinents. Par conséquent, la passation en charges immédiate des gains et des pertes actuariels peut entraîner une volatilité qui ne reflète pas les variations réelles survenues en cours d'exercice dans la situation de capitalisation du régime de retraite.

2. Dans le but d'amoindrir la volatilité des résultats des entreprises au titre des régimes de retraite, la profession comptable a adopté la méthode dite «du couloir». Cette approche permet l'amortissement du solde non amorti des gains et des pertes actuariels à l'ouverture de l'exercice, lorsque celui-ci excède de 10 % le plus grand des deux montants suivants calculés à l'ouverture de l'exercice: l'obligation au titre des prestations constituées ou la juste valeur des actifs du régime de retraite.

d) Un passif additionnel au titre des prestations constituées doit être constaté lorsque, à une date donnée, l'obligation au titre des prestations constituées sans projection des salaires excède la juste valeur des actifs du régime de retraite.

EXERCEZ VOTRE JUGEMENT

PROBLÈME DE COMPTABILITÉ: LA SOCIÉTÉ NESTLÉ

a) Nestlé offre deux types de régimes de retraite à ses salariés, soit des régimes à prestations déterminées et des régimes à cotisations déterminées. La majorité des prestations de retraite sont octroyées au personnel du Groupe par des régimes à prestations déterminées, et celles-ci sont habituellement basées sur la rémunération de fin de carrière assurée et sur la durée de service. D'après la note sur les principes comptables relatifs aux engagements du personnel, les régimes à prestations déterminées sont soit financés, soit non financés, ce qui signifie que certains sont des régimes par capitalisation et d'autres des régimes sans capitalisation. De plus, d'après la note complémentaire n° 21, certains régimes à prestations déterminées sont contributifs, c'est-à-dire que les salariés assument une partie du coût du financement des prestations de retraite. Finalement, les salariés des États-Unis et du Canada bénéficient également de régimes d'avantages complémentaires de retraite, soit des régimes d'assurance maladie en faveur des retraités.

b) Il est certain que les salariés des États-Unis et du Canada qui bénéficient de régimes de retraite à prestations déterminées (basées sur leur rémunération de fin de carrière) et de régimes d'assurance maladie se voient offrir une rémunération globale appréciable par leur employeur. Ainsi, non seulement recevront-ils une rémunération intéressante à leur retraite, mais ils seront également protégés en grande partie de l'augmentation vertigineuse des soins de santé.

c) Nestlé a passé en charges un montant de 393 millions de CHF pour ses régimes de retraite à prestations déterminées et 106 millions de CHF pour ses régimes d'assurance maladie et autres avantages complémentaires de retraite, soit un total de 499 millions de CHF pour ses régimes à prestations déterminées et de 310 millions de CHF pour ses régimes à cotisations déterminées. En analysant les composantes de la charge de retraite de 2001, on constate que le rendement prévu des actifs des régimes de retraite à prestations déterminées est plus élevé que les intérêts débiteurs au titre de ces régimes, ce qui signifie que ces régimes sont surcapitalisés en 2001.

d) En examinant le tableau de rapprochement de la situation de capitalisation des régimes et des montants portés au bilan de la société, on constate d'abord que les régimes de retraite à prestations déterminées sont surcapitalisés, qu'ils ne présentent aucun coût des services passés non amorti et aucun montant transitoire non amorti et finalement que le solde non amorti des gains actuariels nets est important. Relativement aux régimes d'avantages complémentaires de retraite, on remarque qu'ils sont au contraire sous-capitalisés, qu'ils ne présentent aucun montant transitoire non amorti et que les soldes du coût des services passés non amorti et des gains actuariels nets non amortis sont minimes.

e) La charge de retraite de l'exercice 2001 représente 8,8 % (809 ÷ 9 218) du bénéfice d'exploitation de la société, un pourcentage relativement peu important. De plus, l'engagement net envers le personnel représente 4 % (2 304 ÷ 59 557) du total du passif de la société à la clôture de 2001, ce qui est relativement raisonnable.

ANALYSE D'ÉTATS FINANCIERS

La somme de 1,8 milliard mentionnée dans l'article du *Wall Street Journal* représentait la passation en charges immédiate par General Electric de l'obligation transitoire au titre des avantages complémentaires de retraite qui existait au moment de l'adoption de la norme FAS 106 du FASB. Conformément aux normes canadiennes, le montant transitoire représente la différence entre: 1) l'obligation au titre des prestations constituées; 2) la juste valeur des actifs des régimes d'avantages complémentaires de retraite à l'ouverture de l'exercice au cours duquel on applique les nouvelles normes pour la première fois. Essentiellement, cela signifie que General Electric a décidé de passer immédiatement en charges le solde non amorti du coût des services passés et le solde non amorti des gains et pertes actuariels nets découlant des méthodes de comptabilisation antérieures à la FAS 106.

La présidente de la société Tuba ltée devrait savoir qu'en vertu des nouvelles normes comptables canadiennes, trois choix s'offrent aux entreprises canadiennes pour constater ces montants transitoires. Tuba ltée peut choisir d'appliquer les nouvelles normes prospectivement ou rétroactivement, avec ou sans retraitement des états financiers des exercices antérieurs. Afin de faciliter la tâche aux entreprises qui doivent faire le rapprochement avec les principes comptables généralement reconnus aux États-Unis, l'entité peut également utiliser les mêmes soldes que ceux utilisés aux fins de la présentation de l'information aux États-Unis. Cette dernière méthode ne peut être appliquée que rétroactivement.

Lorsque la société choisit d'appliquer les normes rétroactivement, le montant transitoire est inscrit au compte Actif ou passif au titre des prestations constituées et présenté dans le bilan de l'entreprise, et la contrepartie est débitée du compte Bénéfices non répartis. La méthode rétroactive n'a donc aucune incidence sur les résultats des exercices futurs. Toutefois, lorsque les normes sont appliquées prospectivement, le montant transitoire est amorti à compter de la date de leur mise en application, sur la durée moyenne résiduelle d'activité du groupe de salariés actifs couverts par le régime de retraite. Ainsi, lorsqu'une entité choisit la méthode d'adoption prospective, celle-ci a une incidence sur les résultats des exercices futurs. La méthode d'adoption suivie doit être clairement indiquée dans les états financiers et appliquée uniformément à l'ensemble des régimes d'avantages sociaux de l'entreprise pour lesquels une modification comptable est nécessaire.

ANALYSE COMPARATIVE

a) Les sociétés Coca-Cola et PepsiCo offrent toutes les deux des régimes de retraite à prestations déterminées non contributifs et des régimes d'assurance maladie et d'assurance vie qui couvrent pratiquement tous les employés aux États-Unis et certains employés à l'étranger. Coca-Cola parraine également des régimes à prestations déterminées sans capitalisation et non déductibles des impôts offerts à certains cadres et employés. PepsiCo offre également un régime à prestations déterminées contributif à certains employés du groupe.

b) En 2001, Coca-Cola a inscrit une charge de retraite de 62 millions de dollars américains pour ses régimes de retraite à prestations déterminées, de 48 millions de dollars américains pour ses régimes d'avantages complémentaires de retraite et de 32 millions de dollars américains (142 millions – 62 millions – 48 millions) pour ses régimes de retraite à cotisations déterminées. La charge de retraite totalise 142 millions de dollars américains pour l'ensemble de ses régimes, ce qui représente 2,6 % (142 millions ÷ 5 352 millions) du bénéfice d'exploitation de Coca-Cola. En examinant les composantes de la charge de retraite de 2001, on constate que le montant du rendement prévu des actifs des régimes de retraite excède légèrement celui des intérêts débiteurs sur l'obligation au titre des prestations constituées.

   En 2001, PepsiCo a inscrit une charge de retraite de 83 millions de dollars américains pour ses régimes de retraite et de 72 millions de dollars américains pour ses régimes d'avantages complémentaires de retraite. La charge de retraite de PepsiCo totalise 153 millions de dollars pour l'ensemble de ses régimes, ce qui représente 3,8 % (153 millions ÷ 4 021 millions) du bénéfice d'exploitation de la société. Ce pourcentage se compare à celui de Coca-Cola, bien qu'il soit plus important. En examinant les composantes de la charge de retraite de 2001, on constate que le montant du rendement prévu des actifs des régimes de retraite dépasse largement celui des intérêts débiteurs sur l'obligation au titre des prestations constituées et que la société a subi une perte découlant du règlement d'une partie ou de la totalité d'un de ses régimes de retraite.

c) À la clôture des exercices 2000 et 2001, les régimes de retraite et les régimes d'avantages complémentaires de retraite de la société Coca-Cola sont tous les deux sous-capitalisés.

À la clôture des exercices 2000 et 2001, les régimes de retraite et les régimes d'avantages complémentaires de retraite de la société PepsiCo sont tous sous-capitalisés. On remarque toutefois que les régimes de retraite étaient surcapitalisés à la clôture de l'exercice 2000. En examinant le tableau de rapprochement de la situation de capitalisation des régimes de retraite et des montants portés au bilan de la société PepsiCo, on constate que le solde non amorti des pertes actuarielles nettes est tellement important que le montant net porté au bilan de la société est un actif au titre des prestations constituées alors que les régimes sont sous-capitalisés.

d) Voici les taux d'intérêt utilisés par les deux sociétés pour calculer l'information sur les régimes:

	Régimes de retraite		Régimes complémentaires	
	Coca-Cola	PepsiCo	Coca-Cola	PepsiCo
Taux d'actualisation sur l'OTPC	6,50 %	7,4 %	7,25 %	7,5 %
Taux d'augmentation des niveaux de rémunération	4,25 %	4,6 %	4,5 %	S/O
Taux de rendement prévu à long terme sur les actifs du régime	8,5 %	9,8 %	S/O	S/O

Il est étonnant de constater qu'il existe une différence de 1 % dans le taux d'actualisation utilisé par les deux sociétés sur l'obligation au titre des prestations constituées des régimes de retraite, lorsqu'on sait qu'une baisse de 1 % du taux d'actualisation peut entraîner une augmentation de 15 % de l'obligation au titre des prestations constituées.

TRAVAIL DE RECHERCHE

Cas 1

Les réponses des élèves varieront en fonction des entreprises choisies.

Cas 2

a) Si on utilise des taux de rendement élevés sur les actifs des régimes de retraite, les cotisations en argent requises seront réduites. L'utilisation de taux d'actualisation élevés entraînera une réduction du passif et de la charge de retraite.

b) Dans une lettre adressée au *Emerging Task Force* du FASB, le directeur de la comptabilité de la SEC indique que son organisme avait prévu que les entreprises utiliseraient des taux d'actualisation moins élevés.

c) Cet article cherchait à vérifier si l'utilisation de taux d'intérêt inadéquats dans la mesure des avantages sociaux futurs était répandue dans les sociétés américaines. Pour ce faire, les auteurs ont examiné l'information sur les taux d'intérêt présentée dans les rapports annuels et ont réalisé un sondage auprès d'un échantillon d'entreprises américaines.

d) Les auteurs en sont arrivés à la conclusion que même si les rumeurs d'abus dénoncées par le FASB sont dénuées de fondement, il n'en demeure pas moins que les entreprises américaines ont été lentes à refléter l'incidence de la baisse prononcée des taux d'intérêt du début des années 1990 sur leurs états financiers.

COMPTABILITÉ INTERNATIONALE

a) La plupart des engagements du Groupe Volvo relatifs aux régimes de retraite s'appliquent à des régimes à cotisations déterminées; il n'existe pas de différence entre les nomes comptables des États-Unis et celles de la Suède en ce qui a trait à la comptabilité de ces régimes de retraite. En ce qui a trait aux régimes à prestations déterminées, voici les principales différences: 1) l'utilisation de taux d'actualisation différents; 2) selon les règles suédoises, l'obligation au titre des prestations constituées est basée sur les niveaux de rémunération courants, alors qu'aux États-Unis et au Canada, l'obligation au titre des prestations constituées tient compte de l'évolution future des salaires jusqu'au moment de la retraite; 3) conformément aux normes américaines, on doit comptabiliser un passif minimal au titre des prestations constituées lorsque l'obligation au titre des prestations constituées sans projection des salaires excède la juste valeur des actifs du régime; 4) selon les PCGR des États-Unis, il faut porter à l'actif du bilan la juste valeur des actifs du régime de retraite qui excèdent l'obligation au titre des prestations projetées, tandis qu'en Suède, on ne la «comptabilise» pas.

b) Le montant porté au bilan à la clôture de 2001 conformément aux normes suédoises se calcule comme suit:

	Régime de retraite en Suède	Régime de retraite hors Suède	Autres avantages hors Suède
Régimes sous-capitalisés	(542) $	(5 171) $	(8 084) $
Pertes (gains) actuarielles nettes non amorties	1 155	2 004	(93)
Obligation (actif) transitoire non amortie	(52)	0	34
Coût des services passés non amorti	0	400	398
Actif (passif) porté au bilan selon les PCGR suédois	561	(2 767)	(7 745)
Actif (passif) porté au bilan selon les PCGR canadiens	561	(2 767)	(7 745)
Actif (passif) porté au bilan selon les PCGR américains incluant le passif minimal	15	(4 458)	(7 745)

c) La charge au titre des régimes de retraite pour l'exercice 2001 est de 3 332 millions de dollars américains conformément aux PCGR suédois et de 2 876 millions de dollars américains conformément aux PCGR américains et canadiens. Ainsi, l'utilisation de taux d'actualisation plus élevés aux États-Unis et au Canada entraîne une réduction du passif et de la charge de retraite.

d) La juste valeur des actifs des régimes et de l'obligation au titre des prestations constituées a augmenté de façon très importante au cours de l'exercice 2001 par suite de l'acquisition de Mack Trucks Inc. et de Renault V.I. par le Groupe Volvo. Volvo a ainsi dû reconnaître une obligation au titre des régimes des sociétés acquises d'une valeur de plus de 17 milliards de dollars et a reçu des actifs d'une valeur de plus de 8 milliards de dollars, actifs qui n'étaient pas gérés par un fonds indépendant.

PROBLÈMES DE DÉONTOLOGIE

Cas 1

En dépit du fait que Catherine peut avoir raison lorsqu'elle suppose que la mise à pied des salariés sans droits acquis diminuera son passif au titre du régime de retraite et la charge correspondante, le simple fait de suggérer que le congédiement d'employés permettrait de pallier la sous-capitalisation du régime de retraite de PEL reste inacceptable. Se débarrasser de manière arbitraire d'employés productifs qui n'ont pas acquis leurs droits à l'égard du régime de retraite afin d'éviter de comptabiliser un passif et de constater une charge relève de la mauvaise gestion.

Emmanuel doit examiner sur les plans déontologique, légal et financier les conséquences des solutions de rechange possibles ainsi que les normes comptables relatives à cette situation. Technologie Harmonie aurait dû prendre acte de ces coûts et obligations au titre du régime de retraite et de leur effet sur les états financiers lors du contrôle préalable (*due diligence*) de PEL à l'occasion des pourparlers entourant la fusion. Technologie Harmonie doit maintenant comptabiliser les coûts et obligations au titre du régime de retraite de PEL conformément aux normes comptables canadiennes.

Cas 2

a) Vincent doit tenir compte des obligations envers les employés et les retraités de Xérula. Si une promesse a été faite au sujet des avantages complémentaires de retraite, Vincent doit tout mettre en œuvre pour veiller au respect de cet engagement. En résumé, les assurances couvrant les soins médicaux et dentaires ne doivent pas être considérées comme des charges discrétionnaires; un engagement a été pris envers les retraités, lesquels comptent sur le respect de cette promesse.

b) Le salaire annuel du directeur général ne changera pas ma réponse. Toutefois, il est possible que Xérula puisse continuer à soutenir les retraités en sabrant dans l'indemnisation versée à Vincent.

c) La plupart des experts s'entendent sur le fait que la FAS 106 adoptée par le FASB, aux États-Unis, conformément à laquelle les entreprises américaines sont tenues de comptabiliser les avantages complémentaires de retraite selon la comptabilité d'exercice, a réduit le niveau des prestations d'assurance maladie offertes aux retraités actuels et futurs. Réduire les avantages offerts aux salariés à cause de leurs effets sur les états financiers et de leurs conséquences sur le plan économique est-il justifié sur le plan déontologique? Qu'en pensez-vous?

CHAPITRE 3 LES CONTRATS DE LOCATION

CLASSEMENT DES TRAVAUX

	Sujets	Questions	Exercices courts	Exercices	Problèmes	Études de cas
1.	Analyse théorique des contrats de location.	1, 2, 4				1, 2
2.	Preneur; classement des contrats de location; traitement comptable par le preneur.	3, 6, 7, 8, 14	1, 2, 3, 4	1, 2, 3, 5, 7, 8, 11, 12, 13,14	1, 2, 3, 4, 6, 7, 8, 9, 11, 13, 15, 16, 17	1, 2, 3, 4, 5
3.	Informations à fournir sur les contrats de location.	19			4, 5, 7, 8	2, 3, 5
4.	Bailleur; classement des contrats de location; traitement comptable par le bailleur.	5, 9, 10, 11, 12, 13	6, 7, 8, 11	4, 5, 6, 7, 9, 10, 12, 13, 14	1, 2, 3, 5, 10, 12, 14, 17	4
5.	Valeurs résiduelles; option d'achat à prix de faveur; frais initiaux directs.	15, 16, 17, 18	5, 9, 10	4, 8, 9, 10	6, 7, 8, 9, 14, 15, 17	2, 5
*6.	Contrats de location de biens immobiliers et contrats de cession-bail	20, 21, 22	12	6, 15, 16		6, 7

***Note**: Ce sujet se rapporte à la matière vue dans les annexes de ce chapitre.

CARACTÉRISTIQUES DES TRAVAUX

Numéro	Description	Degré de difficulté	Durée (minutes)
E3-1	Écritures par le preneur, location-acquisition avec valeur résiduelle non garantie	Facile	15-20
E3-2	Classement par le preneur, location-acquisition avec valeur résiduelle garantie	Modéré	15-20
E3-3	Écritures par le preneur, location-acquisition avec frais accessoires et valeur résiduelle non garantie	Modéré	20-25
E3-4	Écritures par le bailleur, location-financement avec option d'achat	Modéré	20-25
E3-5	Classement d'un contrat de location, tableau d'amortissement	Facile	15-20
E3-6	Écritures par le bailleur, contrat de location-vente	Modéré	15-20
E3-7	Écritures par le preneur et le bailleur, location-vente	Modéré	20-25
E3-8	Écritures par le preneur, option d'achat à prix de faveur	Modéré	20-30
E3-9	Écritures par le bailleur, option d'achat à prix de faveur	Modéré	20-30
E3-10	Calcul des loyers annuels requis, écritures par le bailleur	Modéré	15-20
E3-11	Tableau d'amortissement et écritures par le preneur	Modéré	20-25
E3-12	Comptabilisation d'une location-exploitation	Facile	10-15
E3-13	Comptabilisation d'une location-vente	Facile	15-20
E3-14	Comptabilisation d'une location-exploitation par le preneur et le bailleur	Facile	15-20
*E3-15	Cession-bail	Modéré	20-30
*E3-16	Comptabilisation d'une cession-bail par le preneur et le bailleur	Modéré	20-25
P3-1	Écritures par le preneur et le bailleur, location-vente	Facile	15-20
P3-2	Écritures par le preneur et le bailleur, location-exploitation	Facile	25-30
P3-3	Écritures par le preneur et le bailleur, location-vente	Modéré	40-45
P3-4	Présentation dans le bilan et dans l'état des résultats du preneur, location-acquisition	Modéré	20-25
P3-5	Présentation dans le bilan et dans l'état des résultats du bailleur, location-financement	Modéré	25-30
P3-6	Écritures par le preneur, location-acquisition avec valeur résiduelle	Modéré	20-25
P3-7	Écritures et présentation dans le bilan par le preneur, location-acquisition, loyers de début de période	Modéré	35-40
P3-8	Écritures et présentation dans le bilan par le preneur, location-acquisition, loyers de début de période	Modéré	35-40
P3-9	Écritures par le preneur, location-acquisition avec versements mensuels	Modéré	25-30
P3-10	Calculs et écritures par le bailleur, location-vente avec valeur résiduelle non garantie	Modéré	35-40
P3-11	Calculs et écritures par le preneur, location-acquisition avec valeur	Modéré	35-40

	résiduelle non garantie		
P3-12	Calculs par le bailleur, produits financiers non acquis, amortissement proportionnel à l'ordre numérique inversé des mois	Modéré	30-35
P3-13	Location-acquisition pour le preneur, calcul plus complexe de la valeur actualisée	Modéré	30-35
P3-14	Calculs et écritures par le bailleur, location-vente avec valeur résiduelle garantie	Difficile	35-40
P3-15	Calculs et écritures par le preneur; location-acquisition avec valeur résiduelle garantie	Modéré	35-40
P3-16	Location-exploitation versus location-financement	Modéré	30-35
P3-17	Comptabilisation d'un contrat de location avec valeur résiduelle par le preneur et le bailleur	Modéré	30-35
C3-1	Comptabilisation et présentation d'une location acquisition par le preneur	Facile	15-20
C3-2	Comptabilisation et présentation d'une location-acquisition par le preneur et d'une location-financement par le bailleur	Facile	25-30
C3-3	Conditions de classement d'un contrat de location par le preneur	Facile	15-20
C3-4	Comparaison de différents types de contrats de location par le preneur et le bailleur	Modéré	15-20
C3-5	Présentation dans les notes complémentaires d'une location-acquisition comportant une option d'achat à prix de faveur	Modéré	20-30
*C3-6	Contrat de cession-bail	Modéré	15-25
*C3-7	Contrat de cession-bail	Modéré	20-25

*** Note**: Les exercices, problèmes ou études de cas précédés d'un astérisque se rapportent à la matière vue dans les annexes de ce chapitre.

RÉPONSES AUX QUESTIONS

1. a) Avantages possibles de la location:

   - La location permet de déduire, à des fins fiscales, le coût total du bien (y compris le coût du terrain). En effet, les loyers sont en général entièrement déductibles même s'ils ont trait à un terrain.
   - La location constitue souvent un moyen de financement flexible du fait que les contrats de location contiennent moins de dispositions restrictives que les autres contrats d'emprunt.
   - La location permet de financer à 100 % le coût du bien.
   - La location permet de renouveler rapidement le matériel, réduit le risque de désuétude et transfère au bailleur ou à un tiers le risque de perte lié à la valeur résiduelle.

     Dans le cas où il est possible de disposer de fonds au moyen d'une émission de titres d'emprunt, il se peut qu'il n'y ait pas nombre d'avantages (en plus de ceux mentionnés ci-dessus) à conclure un contrat de location à long terme non résiliable. Un des avantages habituels de la location est qu'elle constitue souvent le seul mode de financement possible.

   b) Désavantages possibles de la location:

   - Dans une économie où l'inflation est persistante, il peut être souhaitable de conserver le droit de propriété sur des actifs non monétaires comme protection contre l'inflation.
   - Les taux d'intérêt implicites de la location sont souvent plus élevés que ceux ayant trait à des emprunts.

   c) Puisqu'un contrat de location à long terme non résiliable entraîne généralement l'inscription du bien loué au bilan et la constatation de l'obligation locative dans le bilan, l'incidence de la location ne sera guère différente de celle de l'acquisition du bien au moyen de l'émission d'une obligation. Les biens loués en vertu de contrats à long terme doivent être portés au bilan, à la date d'entrée en vigueur du bail, à titre d'actif et de dette dont le montant correspond à la valeur actualisée des paiements futurs exigibles en vertu du bail, valeur qui se rapprochera sensiblement du prix d'achat du bien. La valeur des obligations émises au pair devrait pratiquement correspondre à la valeur actualisée des paiements futurs exigibles en vertu du bail. Dans les deux cas, on ne porte pas au bilan les intérêts. Les montants et le classement présentés dans le bilan seront assez comparables même si les libellés spécifiques (bien loué et obligation locative) seront différents.

2. Il faudrait dire à la présidente, Julie Sureau, de tenir compte des dispositions suivantes dans ses discussions avec le bailleur:

   1. La durée du bail.
   2. Le montant du loyer: est-il stable ou est-il sujet à des variations?
   3. Les engagements du bailleur en matière d'impôts fonciers, d'assurances, d'entretien, etc.
   4. Les restrictions qu'impose le bailleur aux opérations de financement ou de distribution des dividendes.
   5. Les droits et les pénalités prévus en cas de résiliation anticipée.
   6. Les dispositions prévues en cas de non-paiement du loyer.
   7. Les options offertes à la fin du bail: a) option d'achat ou b) option de renouvellement du bail.
   8. La valeur résiduelle garantie par le preneur (ou valeur résiduelle garantie par des tiers).

3. Les preneurs peuvent classer les contrats de location de deux manières: a) la location-exploitation et b) la location-acquisition. Dans un contrat de location-exploitation, le bien loué figure dans les comptes du bailleur. Le preneur porte les versements de loyer en charges de l'exercice. Généralement, c'est le bailleur qui assume l'assurance, les impôts fonciers et les frais d'entretien relatifs au bien loué. Dans le cas d'un contrat de

location-acquisition, le preneur traite l'opération de location comme un achat à crédit. Par conséquent, le preneur: 1) inscrit le bien et l'obligation correspondante dans ses comptes; 2) comptabilise l'amortissement du bien; 3) constate progressivement des intérêts débiteurs calculés sur le solde restant de l'obligation locative; 4) diminue l'obligation locative lors du versement de loyer.

4. La location sporadique et à court terme d'un entrepôt par la société Jonquille ltée pourrait difficilement être considérée comme l'acquisition d'un bien ou même comme une entente de financement. Le contrat consiste essentiellement en une entente par laquelle le bailleur fournit un service au preneur, moyennant une compensation monétaire – le loyer que paie le preneur vient compenser le service que fournit le bailleur. Même s'il était possible de prouver qu'il y a acquisition de certains droits de propriété, il serait assez difficile d'évaluer ces droits. Le traitement comptable dans ce cas consiste à inscrire uniquement les versements périodiques de loyers au moment où ils sont effectués et à répartir la charge de loyers sur les exercices qui en retireront des avantages. Dans ce cas, Jonquille ltée constatera un actif et inscrira une obligation locative seulement si les services reçus du bailleur sont plus importants que les montants de loyers, c'est-à-dire seulement s'il y a des arriérés de loyer. Enfin, ce bail doit être présenté comme un contrat de location-exploitation.

5. Les loyers minimaux prévus pour la durée du bail sont les versements de loyer qu'effectue périodiquement le preneur et que reçoit le bailleur. On doit exclure les loyers conditionnels qui varient selon le niveau du chiffre d'affaires, le volume de production ou le degré d'utilisation du bien loué. Les paiements minimaux exigibles en vertu du bail comprennent les loyers minimaux prévus pour la durée de bail de même que la valeur résiduelle garantie (le cas échéant), toute pénalité exigée du preneur s'il décide de ne pas renouveler le bail ou le prix d'exercice d'une option d'achat à prix de faveur offerte au preneur. Ces paiements excluent les frais accessoires tels que l'entretien, les taxes et les assurances, si de tels frais sont inclus dans les versements de loyer. Le preneur doit porter à son bilan la valeur actualisée des paiements minimaux exigibles en vertu du bail.

6. Il y a lieu de tenir compte de la valeur actuelle et l'appliquer à la comptabilisation des contrats de location puisque, dans le cadre d'un contrat de location-acquisition, les paiements s'effectuent sur plus d'une année. La portion des intérêts correspond à la différence entre la valeur actuelle des loyers minimaux prévus et les paiements effectués.

7. Le taux d'intérêt marginal du preneur est le taux d'intérêt que le preneur devrait payer, à la date d'entrée en vigueur du bail, s'il voulait emprunter, pour une même durée et moyennant une garantie comparable, les fonds nécessaires pour acheter le bien loué. Le taux d'intérêt implicite du bail correspond au taux d'actualisation qu'il faut appliquer aux paiements minimaux exigibles et à la valeur résiduelle non garantie qui revient au bailleur pour que la valeur actualisée globale soit égale à la juste valeur du bien. 1) Si le preneur connaît le taux d'intérêt implicite du bail et 2) que ce taux implicite est inférieur au taux d'intérêt marginal du preneur, celui-ci doit utiliser le taux d'intérêt implicite du bail. La valeur du bien loué portée au bilan ne peut dépasser en aucun cas sa juste valeur à la date d'entrée en vigueur du bail.

8. Pour le preneur, le traitement comptable qu'il faut appliquer à un contrat de location-exploitation consiste à accumuler jour après jour une charge de loyer et une obligation correspondante au fur et à mesure que le bien est utilisé. Le preneur impute les loyers exigibles à l'exercice au cours duquel des avantages sont retirés de cette location et il ne se préoccupe pas de comptabiliser les engagements relatifs aux loyers futurs. Si l'exercice financier se termine entre deux dates de versement du loyer, il doit procéder aux régularisations nécessaires.

Pour le bailleur, le traitement comptable qu'il faut appliquer à un contrat de location-exploitation consiste à accumuler jour après jour un produit de loyer et une créance correspondante au fur et à mesure que le preneur utilise le bien. Seuls les montants reçus au cours de l'exercice et ceux que le preneur doit payer en fin d'exercice sont présentés dans les résultats de l'exercice. Si l'exercice se termine entre deux dates d'encaissement du loyer, le bailleur doit procéder aux régularisations nécessaires.

9. Le traitement comptable à appliquer à un contrat de location-acquisition consiste à comptabiliser le bien comme s'il avait été acheté à la date d'entrée en vigueur du bail; on le considère donc comme une opération de financement dans laquelle le preneur acquiert un bien et contracte une obligation. Le bien loué et l'obligation locative sont présentés dans le bilan du preneur à une valeur qui correspond à la moins élevée des deux valeurs suivantes: 1) la valeur actualisée des paiements minimaux exigibles en vertu du bail (à l'exclusion des frais accessoires) ou 2) la juste valeur du bien loué à la date d'entrée en vigueur du bail. On calcule la valeur actualisée des paiements minimaux exigibles en utilisant le taux d'intérêt marginal d'emprunt du preneur, à moins que le taux d'intérêt implicite du bail soit moins élevé et soit connu du preneur. La valeur du bien loué portée au bilan ne peut en aucun cas être supérieure à sa juste valeur à la date d'entrée en vigueur du bail. On utilise la méthode de l'intérêt réel pour répartir chaque versement de loyer entre la charge d'intérêt et la diminution de l'obligation locative.

Si le contrat de location prévoit le transfert du droit de propriété ou une option d'achat à prix de faveur à la fin du bail, le preneur amortit le bien en utilisant une méthode compatible avec ses pratiques habituelles d'amortissement d'immobilisations, sur la base de la durée économique du bien loué et en tenant compte de la valeur résiduelle de celui-ci. Si le contrat de location ne prévoit pas le transfert du droit de propriété ou d'option d'achat à prix de faveur, le bien loué est amorti sur la durée du bail.

10. Pour le bailleur, les contrats de location peuvent se classer comme: a) contrats de location-exploitation, b) contrats de location-financement ou c) contrats de location-vente.

Le bailleur classera comme contrats de location-financement ou de location-vente les contrats qui remplissent au moins une des trois conditions suivantes:

1. Il est pratiquement assuré que le preneur accédera à la propriété du bien au terme de la durée du bail.
2. La durée du bail est telle que le preneur jouira de pratiquement tous les avantages économiques que l'on prévoit pouvoir tirer de l'utilisation du bien loué pendant sa durée économique prévue. On considère que cette condition est satisfaite lorsque la durée du bail couvre une portion considérable (habituellement 75 % ou plus) de la durée économique du bien loué.
3. La valeur actualisée des paiements minimaux exigibles en vertu du bail (abstraction faite des frais accessoires) représente la quasi-totalité (habituellement 90 % ou plus) de la juste valeur du bien loué.

Les contrats doivent remplir également les deux conditions suivantes pour être classés comme contrats de location-financement ou de location-vente:

1. Le risque qui caractérise le recouvrement des loyers n'est pas supérieur au risque lié normalement au recouvrement de créances similaires.
2. Le montant des coûts non remboursables que le bailleur pourrait être amené à assumer aux termes du bail peut être estimé avec assez de précision.

On devra classer tous les autres contrats comme des contrats de location-exploitation. Dans le cas du bailleur, on distingue un contrat de location-financement d'un contrat de location-vente d'après l'absence ou la présence d'un profit (ou d'une perte) sur la cession du bien loué, et ce pour le bailleur, qui est alors un fabricant ou un distributeur. Autrement dit, un contrat de location-vente comporte un profit ou une perte sur cession qui échoit au fabricant ou au distributeur, alors que le contrat de location-financement n'en comporte aucun.

11. Si le contrat de location remplit les conditions requises pour qu'il soit classé comme un contrat de location-financement, le bailleur remplace le bien loué par un compte Créances locatives. Les créances locatives sont comptabilisées à leur montant brut, c'est-à-dire d'après la somme des paiements minimaux exigibles (à l'exclusion des frais accessoires et de l'élément de bénéfice qui y est inclus), à laquelle s'ajoute la valeur résiduelle non garantie qui revient au bailleur. La différence entre l'investissement brut (les créances locatives) et le coût du bien ou sa valeur comptable pour le bailleur est inscrite comme produits financiers non acquis, que l'on amortit dans les produits d'intérêt sur la durée du bail en appliquant la méthode de l'intérêt réel.

12. Le traitement comptable qu'il faut appliquer à un contrat de location-vente ressemble à celui d'un contrat de location-financement, sauf qu'à la date d'entrée en vigueur du bail, le bailleur réalisera un profit ou une perte qui correspond à la différence entre la juste valeur du bien et son coût.

13. Si, à la date d'entrée en vigueur du bail, un profit ou une perte échoit au fabricant ou au distributeur, et que le contrat passé par la société Pavot ltée remplit au moins une des trois conditions du Groupe I et les deux conditions du Groupe II (voir ci-dessous), elle le comptabilisera comme un contrat de location-vente.

Groupe I:

1. Il est pratiquement assuré que le preneur accédera à la propriété du bien au terme de la durée du bail.

2. La durée du bail est telle que le preneur jouira de pratiquement tous les avantages économiques que l'on prévoit pouvoir tirer de l'utilisation du bien loué pendant sa durée économique prévue. On considère que cette condition est satisfaite lorsque la durée du bail couvre une portion considérable (habituellement 75 % ou plus) de la durée économique du bien loué.

3. La valeur actualisée des paiements minimaux exigibles en vertu du bail (abstraction faite des frais accessoires) représente la quasi-totalité (habituellement 90 % ou plus) de la juste valeur du bien loué.

Groupe II:

1. Le risque qui caractérise le recouvrement des loyers n'est pas supérieur au risque lié normalement au recouvrement de créances similaires.

2. Le montant des coûts non remboursables que le bailleur pourrait être amené à assumer aux termes du bail peut être estimé avec assez de précision.

14. À la date d'entrée en vigueur du bail, soit dans l'exercice au cours duquel le contrat de location-vente commence et les biens sont transférés au preneur, la société Cador ltée devrait comptabiliser à titre de produit (marge bénéficiaire brute) l'écart entre le prix de vente normal du bien loué et son coût. Le prix de vente du bien correspond à la valeur actualisée des paiements minimaux exigibles en vertu du bail. Le coût du bien vendu correspond au coût d'acquisition du bien, auquel on soustrait la valeur actualisée de toute valeur résiduelle non garantie revenant au bailleur. Le solde de l'opération est traité comme on le ferait pour un contrat de location-financement (c'est-à-dire que les produits d'intérêts sont répartis sur la durée du bail).

15. a) 1. La comptabilisation par le preneur d'un contrat de location comportant une valeur résiduelle non garantie est la même que celle d'un contrat de location ne comportant pas de valeur résiduelle, en ce qui concerne le calcul des paiements minimaux exigibles, et celui de la valeur portée au bilan pour le bien loué et l'obligation locative.

2. Une valeur résiduelle garantie modifie le calcul des paiements minimaux exigibles, et de la valeur portée au bilan pour le bien loué et l'obligation locative. La valeur portée au bilan pour le bien loué et l'obligation locative devra inclure un montant additionnel qui correspond à la valeur actualisée de cette valeur résiduelle. Généralement, si la valeur résiduelle est garantie, le montant de l'actif loué et de l'obligation locative portés au bilan correspond à la juste valeur du bien à la date d'entrée en vigueur du bail. L'amortissement de l'obligation locative fera en sorte que, à la fin de la durée du bail, le solde de l'obligation locative sera égal à la valeur résiduelle garantie. À la fin du bail, le preneur devra constater un profit ou une perte, selon le rapport qui existe entre la valeur résiduelle réelle et le montant ayant été garanti.

b) Le montant que recouvrera le bailleur demeure le même, que la valeur résiduelle soit garantie ou non. Par conséquent, que la valeur résiduelle soit garantie ou non, le montant des intérêts créditeurs sera le même.

16. Si l'estimation de la valeur résiduelle est modifiée à la baisse, le bailleur doit comptabiliser une perte correspondant à la diminution de la valeur dans l'exercice au cours duquel cette baisse est survenue. Au sens strict, le bailleur doit revoir en entier toute la comptabilisation de l'opération pour tenir compte de la révision d'estimations comptables. On réduit les créances locatives à hauteur de la diminution de la valeur résiduelle estimative. On n'effectue pas d'ajustements subséquents si la valeur résiduelle estimative augmente par la suite.

17. S'il existe une option d'achat à prix de faveur, le preneur doit inclure la valeur actualisée du prix d'exercice de l'option dans les montants de l'actif loué et de l'obligation locative portés au bilan. Une option d'achat à prix de faveur influe également sur la durée de l'amortissement du bien loué, puisqu'il est presque certain que le preneur fera l'acquisition du bien à la fin du bail. C'est pourquoi le preneur devra amortir le bien sur sa durée de vie utile plutôt que sur la durée du bail. Si le preneur ne se prévaut pas de cette option, il doit retirer des comptes tous les soldes restants relativement au bien loué et constater une perte correspondant au montant de la valeur non amortie du bien, moins la valeur du solde de l'obligation restante.

18. Les frais initiaux directs sont les frais marginaux qu'engage le bailleur relativement à la négociation, à la conclusion et à l'exécution initiale du contrat de location. Dans un contrat de location-exploitation, le bailleur doit reporter les frais initiaux directs et les répartir sur la durée du bail au rythme où l'on comptabilise les produits locatifs. Dans un contrat de location-vente, le bailleur doit imputer les frais initiaux directs à l'exercice au cours duquel ils sont engagés (c'est-à-dire à l'exercice au cours duquel il constate le bénéfice de la vente). Dans un contrat de location-financement, les frais initiaux directs doivent être répartis sur la durée du bail. À cette fin, on porte en résultats les frais initiaux lorsqu'ils sont engagés, et on reconnaît un montant égal aux frais initiaux directs comme produits financiers de l'exercice considéré en portant cette somme en contrepartie des produits financiers non acquis. On amortira le reste des produits financiers non acquis sur la durée du bail en appliquant la méthode de l'intérêt réel.

19. En ce qui a trait aux contrats pour lesquels le bien loué et l'obligation ne sont pas portés au bilan, on doit fournir les informations suivantes:

a) Le total des paiements minimaux futurs exigibles en vertu des contrats de location-exploitation, ainsi que leur montant pour chacun des cinq exercices à venir.

b) Le total des paiements minimaux de loyers à recevoir au titre des sous-locations non résiliables, s'il y en a à la date à laquelle est présenté le dernier bilan.

c) Le total de la charge de loyer, en présentant séparément les paiements minimaux de loyers, les loyers conditionnels et les produits de sous-location.

***20.** Le contrat de location qu'ont conclu le docteur Charles Chèvrefeuille et la société Immeubles Primevère ltée semble consister en un achat d'immeuble. Puisque le bail prévoit une option d'achat à prix de faveur qui transfère le titre de propriété du bien au preneur, le contrat en est un de location-acquisition. D'autre part, le fait que le bailleur recouvre tous les frais plus un taux de rendement raisonnable sur l'investissement constitue une autre preuve à cet égard. Puisqu'il s'agit d'un contrat de location-acquisition, le preneur doit comptabiliser le bien loué et l'obligation correspondante d'après la valeur actualisée des paiements futurs exigibles en vertu du bail, en répartissant ce montant entre le terrain et le bâtiment en proportion de leurs justes valeurs respectives à la date d'entrée en vigueur du bail. Le bâtiment sera amorti sur sa durée de vie utile prévue.

***21.** Le terme «cession-bail» désigne une opération par laquelle le détenteur d'un bien cède celui-ci à une autre entité et le lui reprend immédiatement en location. Généralement, dans ce genre d'opération, la propriété est vendue à un prix égal à la valeur de marché et est reprise en location pour une durée se rapprochant de la durée économique du bien; les loyers sont calculés en vue de procurer à l'acheteur le remboursement de l'investissement, en plus d'un rendement sur celui-ci.

Cette opération permet au preneur d'obtenir des fonds moyennant la cession d'une propriété en garantie. Le preneur comptabilise la cession-bail comme un contrat de location-acquisition si les conditions en sont remplies, et le bailleur la comptabilise comme un achat et un contrat de location-financement si les conditions en sont remplies. Tout profit que réalise le vendeur-preneur sur la cession des biens qui sont repris en location doit être reporté et amorti sur la durée du bail (ou sur la durée économique du bien si la première condition est remplie), au rythme de l'amortissement des biens loués. Toute perte doit être constatée immédiatement.

***22.** Si le terrain est le seul bien loué, le preneur comptabilisera le bail comme un contrat de location-acquisition seulement 1) si le contrat transfère la propriété du bien ou 2) s'il contient une option d'achat à prix de faveur; autrement, le preneur doit comptabiliser l'opération comme un contrat de location-exploitation.

SOLUTIONS DES EXERCICES COURTS

Exercice court 3-1

Ce contrat de location ne satisfait pas aux critères relatifs au transfert de propriété, à l'option d'achat à prix de faveur ou à la durée économique [(5 ans ÷ 8 ans) < 75 %]. Toutefois, il répond au critère du recouvrement de l'investissement. La valeur actuelle des loyers minimaux prévus (30 000 $ × 4,16986 = 125 096 $) est supérieure à 90 % de la juste valeur de marché de l'actif (90 % × 138 000 $ = 124 200 $). Par conséquent, la société Chrysanthème ltée doit classer ce contrat de location comme un contrat de location-acquisition.

Exercice court 3-2

Matériel loué en vertu d'un contrat de location-acquisition	130 000	
Obligations locatives (37 283 $ x 3,48685)		130 000
Obligations locatives	37 283	
Caisse		37 283

Exercice court 3-3

Intérêts débiteurs	19 686	
Intérêts à payer [(200 000 $ – 35 947 $) × 12 %]		19 686
Charge d'amortissement – matériel loué	25 000	
Amortissement cumulé – matériel loué (200 000 $ × 1/8)		25 000

Exercice court 3-4

Intérêts à payer	19 686	
Obligations locatives	16 261	
Caisse		35 947

Exercice court 3-5

Charges locatives	37 500	
Caisse		37 500

Exercice court 3-6

Comme le bail conclu par le bailleur remplit l'une des trois premières conditions de classement du Groupe 1 (la durée du bail correspond à la durée économique du bien loué) et les deux conditions du Groupe 2, il doit être classé comme une location-financement puisque la valeur comptable du bien égale sa juste valeur.

Créances locatives	184 062	
Matériel		150 000
Produits financiers non acquis – contrat de location		34 062

[Créances locatives: 184 062 \$ = (6 × 30 677 \$)
VA des locations: 150 000 \$ = (4,88965 × 30 677 \$)
Produits financiers non acquis: 34 062 \$ = (184 062 \$ – 150 000 \$)]

Caisse	30 677	
Créances locatives		30 677

Exercice court 3-7

Produits financiers non acquis – contrat de location	10 739	
Produits financiers – contrat de location [(150 000 \$ – 30 677 \$) × 9 %]		10 739

Exercice court 3-8

Caisse	15 000	
Produits locatifs		15 000

Charge d'amortissement – matériel loué	9 000	
Amortissement cumulé – matériel loué (72 000 \$ × 1/8)		9 000

Exercice court 3-9

Matériel loué en vertu d'un contrat de location-acquisition	155 013	
Obligations locatives		155 013

VA du matériel loué: (4,79079 × 30 000 \$) =	143 724 \$
VA de la VR garantie: (0,56447 × 20 000 \$) =	11 289 \$
	155 013 \$

Obligations locatives	30 000	
Caisse		30 000

Exercice court 3-10

Créances locatives*	200 000	
Matériel		155 013
Produits financiers non acquis – contrat de location		44 987

* [(30 000 $ × 6) + 20 000 $ = 200 000 $]

Caisse	30 000	
Créances locatives		30 000

Exercice court 3-11

Créances locatives (45 400 $ x 5)	227 000	
Ventes		183 296
Produits financiers non acquis – contrat de location (45 400 $ × 4,03735 = 183 296 $)		43 704

Coût des biens vendus	110 000	
Stock		110 000

Caisse	45 400	
Créances locatives		45 400

*Exercice court 3-12

Caisse	35 000	
Camion		28 000
Profit reporté sur contrat de cession-bail		7 000

Camion loué en vertu d'un contrat de location-acquisition	35 000	
Obligations locatives (9 233 $ × 3,79079)		35 000

Charge d'amortissement – camion loué	7 000	
Amortissement cumulé – camion loué (35 000 $ × 1/5)		7 000

Profit reporté sur contrat de cession-bail	1 400	
Charge d'amortissement – camion loué (7 000 × 1/5) ou profit sur contrat de cession-bail [a]		1 400

[a] La charge d'amortissement-camion loué serait présentée nette du profit sur contrat de cession-bail.

Intérêts débiteurs (35 000 $ × 10 %)	3 500	
Obligations locatives	5 733	
Caisse		9 233

SOLUTIONS DES EXERCICES

Exercice 3-1 (15-20 minutes)

a) Classement du bail

La société Marguerite ltée devrait comptabiliser ce contrat comme un contrat de location-acquisition puisque la durée du bail couvre plus de 75% de la durée économique du bien (5 ans ÷ 6 ans = 83%).

b) Valeur actualisée des paiements minimaux exigibles en vertu du bail:

8 668 $ × 4,16986[a] = 36 144 $

a. Valeur actuelle d'une annuité de début d'exercice à 10 % pour 5 exercices.

c) Écritures de journal – 1er janvier 2001 au 1er janvier 2002

<u>1er janvier 2001</u>		
Matériel loué en vertu d'un contrat de location-acquisition	36 144	
Obligations locatives		36 144
Obligations locatives	8 668	
Caisse		8 668
<u>31 décembre 2001</u>		
Amortissement	7 229	
Amortissement cumulé – matériel loué (36 144 $ ÷ 5 = 7 229 $)		7 229
Intérêts débiteurs [(36 144 $ – 8 668 $) × 0,10]	2 748	
Intérêts à payer		2 748
<u>1er janvier 2002</u>		
Intérêts à payer	2 748	
Obligations locatives	5 920	
Caisse		8 668

Exercice 3-2 (15-20 minutes)

a) Classement du contrat de location

Pour la société Cyclamen ltée, le preneur, ce contrat en est de location-acquisition parce que le bail remplit les conditions suivantes:

1. La durée du bail est supérieure à 75 % de la durée économique du bien loué; en effet, la durée correspond à 83 ⅓ % (50/60) de la durée économique.

2. La valeur actualisée des paiements minimaux exigibles en vertu du bail est supérieure à 90 % de la juste valeur du bien loué; la valeur actualisée de 8 555 $ (voir ci-dessous) correspond à 98 % de la juste valeur du bien loué (8 555 $ ÷ 8 725 $).

b) Valeur actualisée des paiements minimaux exigibles

Dans le cas où le preneur garantit la valeur résiduelle, on inclut celle-ci dans les paiements minimaux exigibles. La valeur actualisée se calcule comme suit:

Paiements mensuels de 200 $ pour 50 mois	7 840 $
Valeur résiduelle de 1 180 $	715
Valeur actualisée des paiements minimaux	8 555 $

c) Écriture de journal à la signature du bail

Automobile louée	8 555	
Obligations locatives		8 555

d) Écriture de journal – premier mois d'utilisation

Amortissement – automobile louée	147,50	
Amortissement cumulé – automobile louée [(8 555 $ – 1 180 $) / 50 mois = 147,50 $]		147,50

e) Écriture de journal – versement du loyer du 1er mois

Obligation locative	114,45	
Intérêts débiteurs (1% × 8 555 $)	85,55	
Caisse		200,00

Exercice 3-3 (20-25 minutes)

Écritures de journal – 2001 et 2002

Montant porté au bilan à la signature du bail:

Loyer annuel	72 000,00 $
Frais accessoires inclus dans le loyer annuel	2 470,51
Paiements minimaux annuels exigibles	69 529,49 $

Valeur actualisée des paiements minimaux exigibles: 69 529,49$ × 6,32825 = 440 000 $

Écritures de journal – 2001 et 2002

1er janvier 2001

Bâtiment loué	440 000,00	
Obligations locatives		440 000,00

1er janvier 2001

Frais accessoires – impôts fonciers	2 470,51	
Obligations locatives	69 529,49	
Caisse		72 000,00

31 décembre 2001

Amortissement – bâtiment loué	44 000,00	
Amortissement cumulé – bâtiment loué (440 000 $ ÷ 10)		44 000,00

31 décembre 2001

Intérêts débiteurs	44 456,46	
Intérêts à payer		44 456,46

1er janvier 2002

Frais accessoires – impôts fonciers	2 470,51	
Intérêts à payer	44 456,46	
Obligations locatives	25 073,03	
Caisse		72 000,00

31 décembre 2002

Amortissement – bâtiment loué	44 000,00	
Amortissement cumulé – bâtiment loué		44 000,00

31 décembre 2002

Intérêts débiteurs	41 447,70	
Obligations locatives		41 447,70

Phlox ltée (preneur)

Tableau d'amortissement du contrat de location

Date	Versements annuels moins les frais accessoires	Intérêt de 12% sur le solde de l'obligation	Diminution du montant de l'obligation	Solde de l'obligation
1er janvier 2001				440 000,00 $
1er janvier 2001	69 529,49 $	0	69 529,49 $	370 470,51
1er janvier 2002	69 529,49	44 456,46 $	25 073,03	345 397,48
1er janvier 2003	69 529,49	41 447,70	28 081,79	317 315,69

Exercice 3-4 (20-25 minutes)

Calcul des loyers annuels

Coût (juste valeur)	160 000,00 $
Moins: Valeur actualisée de la valeur résiduelle – 16 000 $ × 0,82645 (valeur actualisée de 2 versements de 1 $ à 10 %)	(13 223,20)
Montant de l'investissement à recouvrer par les loyers	146 776,80 $

Loyers annuels excluant les frais accessoires mais incluant les intérêts créditeurs (146 776,80 $ ÷ 1,73554[a])	84 571,26 $

a Valeur actualisée de deux versements périodiques de 1 $ à 10 % d'intérêt.

Calcul des créances locatives

Loyers annuels (84 571,26 $ × 2)	169 142,52 $
Valeur résiduelle	16 000,00
Créances locatives	185 142,52 $

Calcul des produits financiers non acquis

Créances locatives	185 142,52 $
Coût du bien (juste valeur)	160 000,00
Produits financiers non acquis	25 142,52 $

Locatout ltée (bailleur)
Tableau d'amortissement de l'investissement net

Date	Loyers annuels moins les frais accessoires	Intérêts sur l'investissement net	Recouvrement de l'investissement net	Investissement net
1er janvier 2001				160 000,00 $
31 décembre 2001	84 571,26 $	16 000,00 $	68 571,26 $	91 428,74
31 décembre 2002	84 571,26	9 142,52[a]	75 428,74	16 000,00
		25 142,52 $		

a. Arrondi de 35 cents.

a) Écritures de journal 2001 et 2002

1er janvier 2001

Créances locatives	185 142,52	
Matériel		160 000,00
Produits financiers non acquis		25 142,52

<u>31 décembre 2001</u>		
Caisse (84 571,26 $ + 5 000 $)	89 571,26	
Frais accessoires à payer		5 000,00
Créances locatives		84 571,26
Produits financiers non acquis – contrat de location	16 000,00	
Produits financiers – contrat de location		16 000,00
<u>31 décembre 2002</u>		
Caisse	89 571,26	
Frais accessoires à payer		5 000,00
Créances locatives		84 571,26
Produits financiers non acquis – contrat de location	9 142,52	
Produits financiers – contrat de location		9 142,52

b) Écriture de journal pour inscrire la vente au preneur le 31 décembre 2002

Caisse	16 000,00	
Créances locatives		16 000,00

Exercice 3-5 (15-20 minutes)

a) Classement et traitement comptable – bailleur et preneur

Puisque la durée du bail s'étend sur plus de 75 % de la durée économique du bien et que le bailleur récupérera plus de 90 % de la juste valeur du bien, le preneur doit traiter ce bail comme un contrat de location-acquisition. Si l'on suppose que l'encaissement des loyers est raisonnablement assuré et qu'il ne subsiste aucune incertitude importante concernant les coûts non remboursables que le bailleur aura à assumer, le bail constitue un contrat de location-financement pour le bailleur.

Le preneur doit comptabiliser ce contrat comme un contrat de location-acquisition et inscrire le bien loué et l'obligation correspondante d'après le montant de la valeur actualisée des paiements minimaux exigibles futurs, en appliquant le taux d'intérêt marginal d'emprunt ou le taux d'intérêt implicite du bail, si celui-ci est moins élevé que le taux marginal et s'il est connu du preneur. Le preneur devra procéder à l'amortissement du bien en fonction de l'existence, dans les clauses du contrat, d'un transfert du droit de propriété au preneur ou d'une option d'achat à prix de faveur. Si l'une de ces conditions figure au bail, l'amortissement s'effectuera sur la durée économique du bien; autrement, le preneur devra amortir le bien sur la durée du bail. Puisque la durée économique de trois ans correspond à la durée du bail, le preneur amortira le bien sur cette durée.

Le bailleur doit comptabiliser ce contrat comme un contrat de location-financement et remplacer le coût du bien (95 000 $) par des créances locatives de 112 590 $ et des produits financiers non acquis de 17 590 $. Il constatera les produits financiers annuellement à un taux constant sur le solde de l'investissement net restant.

b)

Coût du bien (valeur de marché)	95 000 $
Montant de l'investissement net à recouvrir par le bailleur	95 000 $
Loyers annuels (3 ans) [95 000 $ ÷ 2,53130[a]]	37 530 $

a. Valeur actuelle d'une annuité de 1 $ pour 3 périodes à 9 %.

Tableau d'amortissement du contrat de location

Date	Loyers	Intérêts créditeurs ou débiteurs	Amortissement du principal	Obligation nette ou investissement net à la clôture
1er janvier 2001				95 000 $
31 décembre 2001	37 530 $	8 550$[a]	28 980 $	66 020
31 décembre 2002	37 530	5 942	31 588	34 432
31 décembre 2003	37 530	3 098 [b]	34 432	0

a. (95 000 $ × 0,09) = 8 550 $
b. Arrondi

Exercice 3-6 (15-20 minutes)

a) Investissement brut et produits financiers non acquis

1. Calcul de l'investissement brut: (35 013 $ × 8) = 280 104 $

2. Calcul du produit financier non acquis:

Vente = valeur actualisée des paiements minimaux exigibles	200 001 $[a]
Prix coûtant de la machine = coût – valeur actualisée de la valeur résiduelle non garantie revenant au bail	160 000 $
Produit financier non acquis = créances locatives – valeur actualisée des créances locatives (280 104 $ - 200 001 $)	80 103 $

a. 35 013 $ × 5,7122

b) Écritures de journal – 2001

	Débit	Crédit
1er janvier 2001		
Créances locatives	280 104	
Coût des biens vendus	160 000	
Ventes		200 001
Stocks		160 000
Produits financiers non acquis – contrat de location		80 103
Caisse	35 013	
Créances locatives		35 013
31 décembre 2001		
Produits financiers non acquis – contrat de location	18 139	
Intérêts débiteurs [(200 001 $ – 35 103 $) × 11 %]		18 139

Exercice 3-7 (20-25 minutes)

a) Classement du contrat de location

Il s'agit d'un contrat de location-acquisition pour Pivoine ltée puisque la durée du bail est égale à 75 % (6 ÷ 8) de la durée économique du bien. De plus, la valeur actualisée des paiements minimaux exigibles prévus est supérieure à 90 % de la juste valeur de ce bien.

Il s'agit d'un contrat de location-vente pour Jacinthe ltée parce que le bail remplit l'une des conditions du Groupe 1 (la durée du bail est égale à 75 % de la durée économique du bien) et les deux conditions du Groupe 2 (il est raisonnablement assuré que les loyers seront recouvrés, et il ne subsiste aucune incertitude importante quant aux coûts que devra encourir le bailleur); de plus, la juste valeur du matériel (150 000 $) excède son coût pour le bailleur (120 000 $).

b) Calcul du loyer annuel:

$$\frac{150\,000\ \$ - (10\,000\ \$ \times 0{,}53464^{a})}{4{,}6959^{b}} = 30\,804\ \$$$

a. Valeur actualisée de 1 $ à 11 % pour 6 périodes.

b. Valeur actualisée d'une annuité de début de période à 11 % pour 6 périodes.

c) Écritures de journal de 2001 – Pivoine ltée (preneur)

<u>1er janvier 2001</u>

	Débit	Crédit
Outillage loué en vertu d'un contrat de location-acquisition	141 846	
Obligations locatives		141 846
Obligations locatives	30 804	
Caisse		30 804

31 décembre 2001

	Débit	Crédit
Charge d'amortissement – outillage loué	23 641	
Amortissement cumulé – outillage loué (141 846 $ ÷ 6 ans)		23 641
Intérêts débiteurs	13 325	
Intérêts à payer [(141 846 $ – 30 804 $) × 0,12]		13 325

d) Écritures de journal de 2001 – Jacinthe ltée (bailleur)

1er janvier 2001

	Débit	Crédit
Créances locatives	194 824 [a]	
Coût des biens vendus	114 654 [b]	
Ventes		144 654 [c]
Stocks		120 000
Produits financiers non acquis – contrat de location		44 824 [d]

a. [(30 804 $ × 6) + 10 000 $] = 194 824 $

b. [120 000 $ – (10 000 $ x 0,53464)] = 114 654 $

c. (30 804 $ x 4,69590) = 144 654 $

d. [194 824 $ – (114 654 $ + 5 346 $)] = 44 824 $

Caisse	30 804	
Créances locatives		30 804
31 décembre 2001		
Produits financiers non acquis – contrat de location	13 112	
Produits financiers – contrat de location [(150 000 $ – 30 804 $) × 0,11]		13 112

Exercice 3-8 (20-30 minutes)

a) Classement du bail – Iris ltée (preneur)

Pour la société Iris ltée, il s'agit d'un contrat de location-acquisition puisque ce contrat comprend une option d'achat à prix de faveur. De plus, la valeur actualisée des paiements minimaux exigibles prévus est supérieure à 90 % de la juste valeur de ce bien.

b) Classement du bail – Rose ltée (bailleur)

Le contrat de location contient une option d'achat à prix de faveur. Le recouvrement des loyers est pratiquement assuré, et il ne subsiste pas d'incertitudes importantes quant aux coûts que Rose ltée devrait encore engager. Par conséquent, le bail ne constitue pas un contrat de location-exploitation pour le bailleur. Puisque le montant initial de l'investissement net (qui, dans ce cas, est égal à la valeur actualisée des paiements minimaux exigibles, soit 91 000 $) est supérieur au coût pour le bailleur (65 000 $), Rose ltée doit traiter ce bail comme un contrat de location-vente.

c) Tableau d'amortissement de l'obligation locative selon la durée du bail

L'obligation locative correspond à la valeur actualisée des composantes de l'obligation locative.

Calcul de l'obligation locative

	21 227,65 $	Loyers annuels
×	4,16986	VA de 5 versements de début de période de 1 $ à 10 %
	88 516,32 $	VA des loyers périodiques
	4 000,00 $	Option d'achat à prix de faveur
×	0,62092	VA de 1 $ pour 5 périodes à 10 %
	2 483,68 $	VA de l'option d'achat à prix de faveur
	88 516,32 $	VA des loyers périodiques
+	2 483,68	VA de l'option d'achat à prix de faveur
	91 000,00 $	Obligation locative initiale d'Iris ltée

Rose ltée
Tableau d'amortissement du bail

Date	Paiements	Intérêts de 10 % sur le solde de l'obligation locative	Réduction de l'obligation locative	Solde de l'obligation locative à la clôture
1er mai 2001				91 000,00 $
1er mai 2001	21 227,65 $	0	21 227,65 $	69 772,35
1er mai 2002	21 227,65	6 977,24 $	14 250,41	55 521,94
1er mai 2003	21 227,65	5 552,19	15 675,46	39 846,48
1er mai 2004	21 227,65	3 984,65	17 243,00	22 603,48
1er mai 2005	21 227,65	2 260,35	18 967,30	3 636,18
31 avril 2006	4 000,00	363,82[a]	3 636,18	0
	110 138,25 $	19 138,25 $	91 000,00 $	

a Arrondi de 20 cents.

d) Écritures de journal de preneur – 2001 et 2002

1er mai 2001

Équipement loué	91 000,000	
Obligations locatives		91 000,00
Obligations locatives	21 227,65	
Caisse		21 227,65

31 décembre 2001

Intérêts débiteurs	4 651,49	
Intérêts à payer (6 977,24 $ × 8/12 = 4 651,49 $)		4 651,49
Amortissement – équipement loué	6 066,67	
Amortissement cumulé – équipement loué (91 000 $ ÷ 10 = 9 100 $ × 8/12 = 6 066,67 $)		6 066,67

1er janvier 2002

Intérêts à payer	4 651,49	
Intérêts débiteurs		4 651,49

1er mai 2002

Intérêts débiteurs	6 977,24	
Obligations locatives	14 250,41	
Caisse		21 227,65

31 décembre 2002

Intérêts débiteurs	3 701,46	
Intérêts à payer (5 552,19 $ × 8/12 = 3 701,46 $)		3 701,46

31 décembre 2002

Amortissement – équipement loué	9 100,00	
Amortissement cumulé – équipement loué (91 000 $ ÷ 10 ans = 9 100 $)		9 100,00

Note: Puisque l'option d'achat à prix de faveur a été exercée, le bien est amorti sur sa durée de vie économique plutôt que sur la durée du bail.

Exercice 3-9 (20-30 minutes)

Note: Le contrat de location contient une option d'achat à prix de faveur. Le recouvrement des loyers est pratiquement assuré, et il ne subsiste pas d'incertitudes importantes quant aux coûts que devrait encore engager le bailleur. Par conséquent, le bail ne constitue pas un contrat de location-exploitation pour le bailleur. Puisque le montant initial de l'investissement net (qui, dans ce cas, est égal à la valeur actualisée des paiements minimaux exigibles, soit 91 000 $) est supérieur au coût pour le bailleur (65 000 $), le bail doit être traité comme un contrat de location-vente.

a) Investissement brut dans le contrat de location

Investissement brut = paiements minimaux exigibles + valeur résiduelle non garantie

Les paiements minimaux exigibles relatifs à ce contrat se composent des loyers annuels et de l'option d'achat à prix de faveur. Il n'y a pas dans ce contrat de valeur résiduelle dont le bailleur doive tenir compte.

Investissement brut =	21 227,65 $ × 5	=	106 138,25 $
			+ 4 000,00
			110 138,25 $

b) Investissement net dans le contrat de location

Le montant de la vente correspond à la valeur actualisée des paiements minimums exigibles.

21 227,65 $	Loyers annuels
× 4,16986	VA de 5 versements de début de période de 1 $ à 10 %
88 516,32 $	VA des loyers périodiques
4 000,00 $	Option d'achat à prix de faveur
× 0,62092	VA de 1 pour 5 périodes à 10 %
2 483,68 $	VA de l'option d'achat à prix de faveur
88 516,32 $	VA des loyers périodiques
+ 2 483,68	VA de l'option d'achat à prix de faveur
91 000,00 $	Investissement net initial

Prix coûtant de la marchandise vendue =	65 000 $
Produits financiers non acquis = 110 138,25 $ – 91 000 $ =	19 138,25 $

L'investissement net correspond au montant de l'investissement brut diminué du montant des produits financiers non acquis, soit 91 000 $ (110 138,25 $ – 19 138,25 $).

c) Tableau d'amortissement de l'investissement net

Rose ltée

Tableau d'amortissement de l'investissement net

Date	Créances locatives	Intérêts de 10 % sur le solde de l'investissement net	Réduction de l'investissement net	Solde de l'investissement net à la clôture
1er mai 2001				91 000,00 $
1er mai 2001	21 227,65 $	0	21 227,65 $	69 772,35
1er mai 2002	21 227,65	6 977,24 $	14 250,41	55 521,94
1er mai 2003	21 227,65	5 552,19	15 675,46	39 846,48
1er mai 2004	21 227,65	3 984,65	17 243,00	22 603,48
1er mai 2005	21 227,65	2 260,35	18 967,30	3 636,18
30 avril 2006	4 000,00	363,82[a]	3 636,18	0
	110 138,25 $	19 138,25 $	91 000,00 $	

a Arrondi de 20 cents.

d) Écritures de journal de bailleur – 2001 et 2002

1er mai 2001

Créances locatives	110 138,25	
Coût des marchandises vendues	65 000,00	
Ventes		91 000,00
Produits financiers non acquis		19 138,25
Matériel		65 000,00
Caisse	21 227,65	
Créances locatives		21 227,65

31 décembre 2001

Produits financiers non acquis	4 651,49	
Intérêts créditeurs (6 977,24 $ × 8/12 = 4 651,49 $)		4 651,49

1er mai 2002

Caisse	21 227,65	
Créances locatives		21 227,65
Produits financiers non acquis – contrat de location	2 325,75	
Produits financiers – contrat de location (6 977,24 $ – 4 651,49 $)		2 325,75

31 décembre 2002

Produits financiers non acquis – contrat de location	3 701,46	
Produits financiers – contrat de location (5 552,19 $ × 8/12 = 3 701,46 $)		3 701,46

1er mai 2003

Caisse	21 227,65	
Créances locatives		21 227,65
Produits financiers non acquis – contrat de location	1 850,73	
Produits financiers – contrat de location (5 552,19 $ – 3 701,46 $)		1 850,73

31 décembre 2003

Produits financiers non acquis – contrat de location	2 656,43	
Produits financiers – contrat de location (3 984,65 $ × 8/12= 2 656,43 $)		2 656,43

Exercice 3-10 (15-20 minutes)

a) Loyer annuel requis

Juste valeur du bien loué pour le bailleur	245 000,00 $
Moins: Valeur actualisée de la valeur résiduelle non garantie, 43 622 $ × 0,56447 (valeur actualisée de 1 $ à 10 % pour 6 périodes)	24 623,31
Montant de l'investissement net à recouvrer au moyen des paiements de loyers	220 376,69 $
Loyer annuel requis (220 376,69 $ ÷ 4,79079[a])	46 000,00 $

a. Valeur actualisée de 6 versements de début de période de 1 $ à 10 %.

b) Tableau d'amortissement de l'investissement net

Iris ltée (bailleur)

Tableau d'amortissement de l'investissement net

Date	Loyers annuels plus valeur résiduelle non garantie	Intérêt de 10 % sur le solde de l'investissement net	Recouvrement de l'investissement net	Solde de l'investissement net à la clôture
1er janvier 2001				245 000,00
1er janvier 2001	46 000,00 $		46 000,00 $	199 000,00
1er janvier 2002	46 000,00	19 900,00 $	26 100,00	172 900,00
1er janvier 2003	46 000,00	17 290,00	28 710,00	144 190,00
1er janvier 2004	46 000,00	14 419,00	31 581,00	112 609,00
1er janvier 2005	46 000,00	11 261,00	34 739,00	77 870,00
1er janvier 2006	46 000,00	7 787,00	38 213,00	39 657,00
31 décembre 2006	43 622,00	3 965,00	39 657,00	0
	319 622,00 $	74 622,00 $	245 000,000 $	

c) Écritures de journal d'Iris ltée – 2001 et 2002

1er janvier 2001

Créances locatives	319 622,00	
Matériel		245 000,00
Produits financiers non acquis – contrat de location		74 622,00
Caisse	46 000,00	
Créances locatives		46 000,00

31 décembre 2001

Produits financiers non acquis – contrat de location	19 900,00	
Produits financiers – contrat de location		19 900,00

1er janvier 2002

Caisse	46 000,00	
Créances locatives		46 000,00

31 décembre 2002

Produits financiers non acquis – contrat de location	17 290,00	
Produits financiers – contrat de location		17 290,00

Exercice 3-11 (20-25 minutes)

Note: Ce contrat en est un de location-acquisition pour le preneur parce que la durée du bail (5 ans) est supérieure à 75 % de la durée économique restante du bien (5 ans). De même, la valeur actualisée des paiements minimaux exigibles en vertu du bail dépasse 90 % de la juste valeur du bien.

a) Tableau d'amortissement de l'obligation locative

18 142,95 $	Loyer annuel
× 4,16986	VA de 5 versements de début de période de 1 $ à 10 %
75 653,56 $	VA des paiements minimaux exigibles

Lilas ltée (preneur)

Tableau d'amortissement du bail

Date	Versements des loyers	Intérêt de 10 % sur le solde de l'obligation locative	Diminution du montant de l'obligation locative	Solde de l'obligation locative à la clôture
1er janvier 2001				75 653,56 $
1er janvier 2001	18 142,95 $		18 142,95 $	57 510,61
1er janvier 2002	18 142,95	5 751,06 $	12 391,89	45 118,72
1er janvier 2003	18 142,95	4 511,87	13 631,08	31 487,64
1er janvier 2004	18 142,95	3 148,76	14 994,19	16 493,45
1er janvier 2005	18 142,95	1 649,50[a]	16 493,45	0
	90 714,75 $	15 061,19 $	75 653,56 $	

a. Arrondi de 15 cents.

b) Écritures de journal de Lilas ltée – 2001 et 2002

1er janvier 2001		
Matériel loué	75 653,56	
Obligations locatives		75 653,56
Obligations locatives	18 142,95	
Caisse		18 142,95
Au cours de 2001		
Assurance	900	
Caisse		900
Impôts fonciers	1 600	
Caisse		1 600
31 décembre 2001		
Intérêts débiteurs	5 751,06	
Intérêts à payer		5 751,06
Amortissement – matériel loué	15 130,71	
Amortissement cumulé – matériel loué (76 653,56 $ ÷ 5 = 15 130,71 $)		15 130,71
1er janvier 2002		
Intérêts à payer	5 751,06	
Obligations locatives	12 391,89	
Caisse		18 142,95

Au cours de 2002

Assurance	900	
Caisse		900
Impôts fonciers	1 600	
Caisse		1 600

31 décembre 2002

Intérêts débiteurs	4 511,87	
Intérêts à payer		4 511,87
Amortissement – matériel loué	15 130,71	
Amortissement cumulé – matériel loué		15 130,71

Notes:

1. Le bailleur détermine les loyers annuels de la façon suivante:

Juste valeur du bien loué pour le bailleur	80 000,00 $
Valeur actualisée de la valeur résiduelle non garantie	
7 000 $ × 0,62092 (valeur actualisée de 1 $ à 10 % pour 5 périodes)	4 346,44
Montant de l'investissement net à recouvrer au moyen des versements de loyers	75 653,56 $
Loyer annuel (75 653,56 $ ÷ 4,16986)	18 142,95 $

2. On ne soustrait pas la valeur résiduelle pour amortir le bien loué.

Exercice 3-12 (10-15 minutes)

a) Écritures de journal de Campanule ltée – 2001

1er janvier 2001

Bâtiment	4 500 000	
Caisse		4 500 000

31 décembre 2001

Caisse	275 000	
Produits locatifs		275 000
Amortissement – bâtiment	90 000	
Amortissement cumulé – bâtiment (4 500 000 $ ÷ 50)		90 000
Impôts fonciers	85 000	
Assurance	10 000	
Caisse		95 000

b) Écritures de journal de Reine-Marguerite ltée – 2001

31 décembre 2001

Charges locatives	275 000	
Caisse		275 000

c) Les honoraires versés à un courtier devraient être amortis de façon linéaire pendant la période de 10 ans. La charge imputable à chaque exercice, et donc à l'exercice 2001, serait de 3 000 $ (30 000 $ ÷ 10 ans).

Exercice 3-13 (15-20 minutes)

a) Résultats avant impôts de Rhododendron ltée – 2001

Loyer annuel	210 000 $
Moins: Frais accessoires	(25 000)
Amortissement (900 000 $ ÷ 8 ans)	(112 500)
Résultats avant impôts de 2001	72 500 $

b) Laurier-Rose doit inscrire pour 2001 une charge locative de 210 000 $.

Note: Les versements concernant le dépôt de garantie et le paiement à l'avance du dernier mois de loyer doivent être portés à l'actif.

Exercice 3-14 (15-20 minutes)

a) Charges portées à l'état des résultats de Bégonia ltée – 2001

Bégonia ltée
Charges à constater
pour l'exercice clos le 31 décembre 2001

Loyers mensuels	19 500 $
Durée du bail en 2001 (de mars à décembre)	× 10 mois
	195 000 $

b)

Paquerette ltée
Bénéfice ou perte avant impôts concernant le bail
pour l'exercice clos le 31 décembre 2001

Produits locatifs (19 500 $ × 10 mois)		195 000 $
Moins: Charges		
Amortissement	125 000$[a]	
Commissions relatives à la négociation du bail (30 000 $ × 10/48)	6 250 [b]	131 250
Bénéfice avant impôts concernant le bail		63 750 $

[a] Coût de 1 500 000 $ ÷ 10 ans = 150 000 $ par année; 150 000 $ × 10/12 = 125 000 $.

[b] Dans le but de rapprocher les produits et les charges, les 30 000 $ de commissions doivent être amortis sur la durée du bail.

*Exercice 3-15 (20-30 minutes)

Écritures de journal de Tournesol ltée (preneur)[a]

1er janvier 2001		
Caisse	680 000	
Ordinateur		600 000
Profit reporté sur cession d'immobilisations		80 000
Ordinateur loué	680 000	
Obligations locatives (110 666,81 $ × 6,144 57)		680 000
Au cours de 2001		
Frais accessoires	9 000	
Fournisseurs ou Caisse		9 000
31 décembre 2001		
Profit reporté sur cession d'immobilisations	8 000	
Profit sur cession d'immobilisations[b] (80 000 $ ÷ 10 ans)		8 000
Amortissement – ordinateur loué	68 000	
Amortissement cumulé – ordinateur loué (680 000 $ ÷ 10)		68 000
Intérêts débiteurs	68 000,00	
Obligations locatives	42 666,81	
Caisse		110 666,81

a. Le bail doit être considéré comme un contrat de location-acquisition parce que la valeur actualisée des paiements minimaux exigibles correspond à la juste valeur de l'ordinateur.
b. On pourrait créditer le compte Amortissement.

Notes:

1. Il faut utiliser la valeur actualisée de 10 versements de fin de période à 10 % pour porter l'actif au bilan. Dans ce cas, la société Tournesol ltée doit utiliser le taux d'intérêt implicite du bailleur parce qu'il est moins élevé que son propre taux d'intérêt marginal d'emprunt.

2. Le profit reporté sur cession d'immobilisation doit être amorti sur la même durée que celle de l'ordinateur loué.

Tableau partiel de l'amortissement de l'obligation locative

Date	Loyers	Intérêt de 10 %	Amortissement de l'obligation locative	Solde de l'obligation locative à la clôture
1er janvier 2001				680 000,00 $
31 décembre 2001	110 666,81 $	68 000,00 $	42 666,81 $	637 333,19

Écritures de journal de Camomille ltée (bailleur)[a]

1er janvier 2001

Ordinateur	680 000	
Caisse		680 000
Créances locatives (110 666,81 $ × 10)	1 106 668,10	
Produits financiers non acquis – contrat de location		426 668,10
Ordinateur		680 000,00

31 décembre 2001

Caisse	110 666,81	
Créances locatives		110 666,81
Produits financiers non acquis – contrat de location	68 000	
Produits financiers – contrat de location		68 000

[a] Le bail doit être classé comme un contrat de location-financement parce que: 1) la valeur actualisée des paiements minimaux exigibles en vertu du bail est égale à la juste valeur de l'ordinateur; 2) on est pratiquement assuré de recouvrer les loyers; 3) il ne subsiste pas d'incertitudes importantes concernant les frais futurs qui pourraient incomber au bailleur; 4) le coût pour le bailleur est égal à la juste valeur du bien à la date d'entrée en vigueur du bail.

*Exercice 3-16 (20-25 minutes)

a) Les ententes de cession-bail sont traitées comme si les deux opérations consistaient en une simple opération de financement dans la mesure où le contrat satisfait aux conditions d'un contrat de location-acquisition. Tout profit ou perte sur cession est reporté et amorti sur la durée du bail (si la propriété revient au bailleur) ou sur la durée économique (si la propriété est transférée au preneur). Dans le cas présent, le contrat se qualifie comme un contrat de location-acquisition parce que la durée du bail (10 ans) est égale à 83 1/3 % de la durée économique du bien loué (12 ans). Par conséquent, au 31 décembre 2002, le profit de 120 000 $ (520 000 $ – 400 000 $) doit être reporté et amorti sur 10 ans. Puisque la vente a eu lieu le 31 décembre 2002, il n'y a pas de charge d'amortissement à constater pour 2002, et le montant du profit reporté sur cession-bail à inscrire s'élève à 120 000 $.

b) On considère habituellement une cession-bail comme une simple opération de financement par rapport à laquelle le vendeur reporte et amortit tout profit sur cession sur la durée du bail. Cependant, la norme *FAS No. 28* et le CPN-25 du *Manuel de l'ICCA* ont établi deux exceptions à cette règle de base lorsque la reprise du bien en location par le vendeur-preneur représente une fraction peu importante de la juste valeur totale du bien (10 % ou moins) ou lorsqu'elle représente entre 10 % et 90 % de la juste valeur totale du bien. Le cas présent illustre la première situation. En effet, la valeur actualisée des loyers (35 000 $) est inférieure à 10 % de la juste valeur du bien (480 000 $). Dans ces circonstances, la vente et la reprise du bien en location sont comptabilisées comme deux opérations séparées. De la sorte, Calla ltée constatera le profit sur cession d'immobilisations en totalité (480 000 $ – 420 000 $ = 60 000 $). Le solde du profit reporté est par conséquent nul.

c) Le profit sur cession d'immobilisation de 121 000 $ doit être reporté et amorti sur la durée du bail. Puisque le bien loué est amorti selon la méthode de l'amortissement proportionnel à l'ordre numérique inversé des années, le profit reporté doit être amorti de la même façon. Par conséquent, au cours du premier exercice, il faut constater un profit sur cession d'immobilisation de 22 000 $ (10/55 × 121 000 $).

d) Dans ce cas, la société Chicorée ltée devrait présenter une perte de 87 300 $ (300 000 $ – 212 700 $), qui résulte de la différence entre la valeur comptable et la juste valeur, qui est moins élevée. La profession comptable recommande que, lorsque la juste valeur d'un bien est inférieure à sa valeur comptable, on comptabilise une perte immédiatement. En outre, Chicorée ltée devrait également comptabiliser une charge locative de 72 000 $.

DURÉES ET OBJECTIFS DES PROBLÈMES

Problème 3-1 (20-25 minutes)

Objectif – Permettre à l'étudiant de comprendre les principes comptables utilisés dans les contrats de location-vente pour le preneur et pour le bailleur. L'étudiant doit examiner la nature du contrat de location et passer les écritures nécessaires pour les deux parties.

Problème 3-2 (15-20 minutes)

Objectif – Permettre à l'étudiant de mieux comprendre le traitement comptable à appliquer aux contrats de location. D'après les données fournies, l'étudiant doit déterminer le type de contrat en cause, expliquer les raisons de son classement et analyser le traitement comptable à appliquer à ce contrat, et ce tant pour le preneur que pour le bailleur. Il doit également passer les écritures nécessaires pour inscrire les opérations relatives à la première année du bail, à la fois pour le bailleur et le preneur, et expliquer comment s'effectuera la présentation de ce contrat dans le bilan des deux parties.

Problème 3-3 (40-45 minutes)

Objectif – Permettre à l'étudiant de mieux comprendre le traitement comptable à appliquer à un contrat de location-vente. L'étudiant doit expliquer la nature d'un tel contrat de location, tant du point de vue du preneur que de celui du bailleur. On lui demande également de passer les écritures nécessaires pour inscrire le contrat dans les comptes du preneur et du bailleur, et d'indiquer les comptes et les soldes qui seront présentés dans les bilans du preneur et du bailleur pour le premier exercice.

Problème 3-4 (20-25 minutes)

Objectif – Permettre à l'étudiant de comprendre comment l'information sur les contrats de location-acquisition est inscrite dans le bilan et dans l'état des résultats du preneur pour trois exercices différents. Des modifications sont apportées à la date de clôture de l'exercice pour aider l'étudiant à mieux comprendre les difficultés inhérentes aux résultats partiels.

Problème 3-5 (25-30 minutes)

Objectif – Permettre à l'étudiant de comprendre comment l'information sur les contrats de location-financement est inscrite dans le bilan et dans l'état des résultats du bailleur pour trois exercices différents. Des modifications sont apportées à la date de clôture de l'exercice pour aider l'étudiant à mieux comprendre les difficultés inhérentes aux résultats partiels.

Problème 3-6 (20-25 minutes)

Objectif – Permettre à l'étudiant de mieux comprendre les écritures de journal qu'il faut inscrire dans les comptes du preneur, dans le cas où la valeur résiduelle est garantie. L'étudiant doit passer les écritures de journal pour deux exercices.

Problème 3-7 (35-40 minutes)

Objectif – Permettre à l'étudiant de mieux comprendre comment le preneur doit comptabiliser un contrat de location-acquisition lorsque les loyers sont exigibles en début de période. On demande à l'étudiant de préparer un tableau d'amortissement de l'obligation locative sur la durée du bail et de passer les écritures pour inscrire les opérations relatives au bail au cours de deux exercices. On lui demande également d'indiquer tous les montants que le preneur doit présenter dans son bilan.

Problème 3-8 (35-40 minutes)

Objectif – Permettre à l'étudiant de mieux comprendre comment le preneur doit comptabiliser un contrat de location-acquisition lorsque les loyers sont exigibles en début de période. L'étudiant doit passer les écritures nécessaires pour inscrire le bail à la date d'entrée en vigueur du contrat, l'amortissement du bien loué et le versement du premier loyer. Il doit également déterminer les montants qui seront présentés dans le bilan du preneur un an après la date d'entrée en vigueur du bail.

Problème 3-9 (25-30 minutes)

Objectif – Permettre à l'étudiant de comprendre le traitement comptable qu'il faut appliquer à un contrat de location-acquisition lorsque les loyers mensuels. L'étudiant doit passer les écritures nécessaires pour inscrire le bien loué au cours du premier mois du bail.

Problème 3-10 (35-40 minutes)

Objectif – Permettre à l'étudiant de comprendre les calculs que doit effectuer le bailleur pour comptabiliser un contrat de location-vente qui inclut une valeur résiduelle non garantie. L'étudiant doit calculer le montant de l'investissement brut relatif au bail, des produits financiers non acquis, de la vente et du coût du bien vendu à la date d'entrée en vigueur du bail, et préparer le tableau d'amortissement de l'investissement net pour la durée du bail. Il doit aussi passer les écritures nécessaires pour inscrire le bail à la signature de celui-ci et à la clôture du premier exercice.

Problème 3-11 (35-40 minutes)

Objectif – Permettre à l'étudiant de comprendre les calculs que doit effectuer le preneur pour comptabiliser le contrat de location du problème 3-10, qui inclut une valeur résiduelle non garantie. L'étudiant doit calculer la valeur actualisée du bien loué et de l'obligation locative pour le preneur à la date d'entrée en vigueur du bail et préparer le tableau d'amortissement de l'obligation locative pour la durée du bail. L'étudiant doit aussi passer les écritures nécessaires pour inscrire le contrat de location-acquisition à la signature du bail et à la clôture du premier exercice.

Problème 3-12 (30-35 minutes)

Objectif – Permettre à l'étudiant de comprendre les calculs que doit effectuer le bailleur pour comptabiliser un contrat de location-vente dont les produits financiers sont constatés selon la méthode de l'amortissement proportionnel à l'ordre numérique inversé des mois. On demande à l'étudiant de calculer l'investissement brut à la date d'entrée en vigueur du bail, les produits financiers non acquis et la valeur actualisée des créances locatives à la clôture du premier exercice.

Problème 3-13 (30-35 minutes)

Objectif – Permettre à l'étudiant de mieux comprendre de quelle façon on doit comptabiliser un contrat de location-acquisition lorsque le montant des versements de loyers n'est pas le même au cours de la deuxième portion du contrat. On demande à l'étudiant de calculer la valeur actualisée du bien loué et de l'obligation locative pour le preneur à la date d'entrée en vigueur du bail. On lui demande également de passer les écritures nécessaires pour inscrire le versement du troisième loyer, l'amortissement du bien loué et les intérêts débiteurs pour le troisième exercice suivant la signature du bail.

Problème 3-14 (35-40 minutes)

Objectif – Permettre à l'étudiant de comprendre le traitement comptable qu'il faut appliquer à un contrat de location-vente comprenant une valeur résiduelle garantie. L'étudiant doit expliquer comment le bailleur doit classer le contrat. On lui demande d'autre part de calculer l'investissement brut, les produits financiers non acquis, le prix de vente et le coût du bien vendu à la signature du bail. Enfin, il doit préparer un tableau d'amortissement de l'investissement net sur 10 ans et passer toutes les écritures nécessaires pour inscrire la location-vente au cours de la première année du bail.

Problème 3-15 (35-40 minutes)

Objectif – Permettre à l'étudiant de comprendre la comptabilisation d'un contrat de location-acquisition comprenant une valeur résiduelle garantie. L'étudiant doit expliquer comment le preneur doit classer ce contrat. On lui demande d'autre part de calculer le solde initial de l'obligation locative. Il doit ensuite préparer un tableau d'amortissement de l'obligation locative sur 10 ans et passer toutes les écritures requises pour inscrire le contrat de location-acquisition au cours du premier exercice.

Problème 3-16 (30-35 minutes)

Objectif – Donner à l'étudiant l'occasion de rédiger une note à l'intention d'un vérificateur (auditeur) pour présenter: 1) les raisons qui expliquent pourquoi il considère nécessaire d'examiner le contrat de location; 2) les conclusions auxquelles il est parvenu quant au contrat en question; 3) la recommandation qu'il ferait au client quant au traitement comptable à appliquer au contrat de location. Enfin, l'étudiant doit passer les écritures nécessaires pour inscrire adéquatement ce contrat de location.

Problème 3-17 (30-35 minutes)

Objectif – Permettre à l'étudiant de comprendre le traitement comptable à appliquer à un contrat de location comprenant une valeur résiduelle garantie. L'étudiant doit expliquer comment le preneur et le bailleur doivent comptabiliser les opérations relatives au bail; il doit ensuite passer les écritures nécessaires à la date d'entrée en vigueur du bail. On lui demande également de passer les écritures nécessaires, tant pour le preneur que pour le bailleur, pour inscrire le contrat de location pour le premier exercice. Finalement, l'étudiant doit déterminer le montant que doivent inscrire le preneur et le bailleur si un tiers a garanti la valeur résiduelle.

SOLUTIONS DES PROBLÈMES

Problème 3-1

a) Classement du bail pour le preneur et le bailleur

Il s'agit d'une location-acquisition pour Œillet ltée puisque la durée du bail est supérieure à 75 % (7 ÷ 9) de la durée économique de l'actif loué.

Il ne s'agit pas d'une location-exploitation pour Fuchsia ltée puisque le caractère recouvrable des loyers est raisonnablement prévisible, qu'il ne subsiste aucune incertitude importante quant aux coûts que devra assumer Fuchsia ltée, et que la durée du bail est supérieure à 75 % de la durée économique de l'actif. Étant donné que la juste valeur du matériel (560 000 $) excède le coût du bailleur (420 000 $), le contrat de location, pour Fuchsia ltée, en est un de location-vente.

b) Calcul du loyer annuel:

$$\frac{560\,000\ \$ - (80\,000\ \$ \times 0{,}51316^{a})}{5{,}35526^{b}} = 96\,904\ \$$$

a. Valeur actualisée de 1 $ à 10 % pour 7 exercices.

b. Valeur actualisée d'une annuité de début d'exercice à 10 % pour 7 périodes.

c) Calcul de la valeur actualisée des loyers minimaux prévus:

VA des loyers annuels (96 904 $ × 5,23054[a])	506 860 $
VA de la valeur résiduelle garantie (80 000 $ × 0,48166[b])	38 533
	545 393 $

a. Valeur actualisée d'une annuité de début d'exercice à 11 % pour 7 périodes.

b. Valeur actualisée de 1 $ à 11 % pour 7 périodes.

d) Écritures de journal d'Œillet ltée – 2001 et 2002

	Débit	Crédit
1er janvier 2001		
Outillage loué en vertu d'un contrat de location-acquisition	545 393	
Obligations locatives		545 393
Obligations locatives	96 904	
Caisse		96 904
31 décembre 2001		
Charge d'amortissement – outillage loué	66 485	
Amortissement cumulé – outillage loué [(545 393 $ – 80 000 $) ÷ 7]		66 485
Intérêts débiteurs	49 334	
Intérêts à payer [(545 393 $ – 96 904 $) × 0,11]		49 334

1er janvier 2002

Obligations locatives	47 570	
Intérêts à payer	49 334	
Caisse		96 904

31 décembre 2002

Charge d'amortissement – outillage loué	66 485	
Amortissement cumulé – outillage loué		66 485
Intérêts débiteurs	44 101	
Intérêts à payer [(545 393 $ – 96 904 $ – 47 570 $) × 11 %]		44 101

e) Écritures de journal de Fuchsia ltée – 2001 et 2002

1er janvier 2001

Créances locatives [(96 904 $ × 7) + 80 000 $]	758 328	
Coût des marchandises vendues	420 000	
Ventes		560 000
Stocks		420 000
Produits financiers non acquis – contrat de location		198 328
Caisse	96 904	
Créances locatives		96 904

31 décembre 2001

Produits financiers non acquis – contrat de location	46 310	
Produits financiers – contrat de location [(560 000 $ – 96 904 $) × 0,10]		46 310

1er janvier 2002

Caisse	96 904	
Créances locatives		96 904

31 décembre 2002

Produits financiers non acquis – contrat de location	41 250	
Produits financiers – contrat de location [(560 000 $ – 96 904 $ – 50 594 $)]		41 250

Problème 3-2

a) Le contrat en est un de location-exploitation à la fois pour le preneur et le bailleur, pour les raisons suivantes: 1) il ne comprend pas de transfert de propriété du bien; 2) il ne contient pas d'option d'achat à prix de faveur; 3) il ne couvre pas au moins 75 % de la durée économique de la juste valeur de la grue; 4) la valeur actualisée des versements de loyers ne correspond pas à au moins 90 % de la juste valeur de la grue louée.

La valeur actualisée des versements de loyers, soit 93 273,84 $ (loyers annuels de 22 000 $ × VA de 5 versements périodiques de début de période à 9 % = 22 000 $ × 4,23972), correspond à moins de 90 % de la juste valeur de la grue (144 000 $). Il faudrait qu'au moins une des quatre conditions précédentes soit remplie pour que le bail puisse être classé autrement que comme un contrat de location-exploitation.

Lorsqu'il s'agit d'un contrat de location-exploitation, le preneur porte en résultats les loyers exigibles, selon une formule linéaire appliquée à la durée du bail, ou selon toute autre formule qui convient le mieux à la courbe en fonction de laquelle l'utilisateur tire avantage du bien loué. D'autre part, dans un contrat de location-exploitation, le bailleur comptabilise chaque encaissement de loyer comme un produit locatif tiré de l'exploitation du bien loué et amortit celui-ci de manière habituelle de façon à rapprocher la dotation à l'amortissement de l'exercice du produit correspondant. Le montant du produit est déterminé selon une formule linéaire, à moins qu'on estime qu'une autre formule soit plus appropriée et corresponde davantage au rythme en fonction duquel le bien procure des avantages.

b) Écritures de journal pour le preneur – 2001

Charges locatives	22 000	
Caisse		22 000

Écritures de journal pour le bailleur – 2001

Assurance	500	
Impôts fonciers	2 000	
Frais d'entretien	650	
Caisse ou Fournisseurs		3 150
Amortissement – grue louée	12 500	
Amortissement cumulé – grue louée [(160 000 $ – 10 000 $) ÷ 12]		12 500
Caisse	22 000	
Produits locatifs		22 000

c) Myosotis ltée, en tant que preneur, doit présenter 22 000 $ de charges locatives dans son état des résultats et mentionner dans les notes complémentaires de celui-ci les versements futurs de loyers requis au 1er janvier (soit, en totalité, 88 000 $ et, pour chacun des quatre prochains exercices: 2002 – 22 000 $; 2003 – 22 000 $; 2004 – 22 000 $; 2005 – 22 000 $). Enfin, elle ne présentera aucun actif ni passif relatif à ce contrat dans son bilan.

Location Coquelicot ltée, en tant que bailleur, doit présenter dans son bilan ou par voie de notes le coût de la grue louée, soit 160 000 $, et l'amortissement cumulé correspondant de 12 500 $, sous une rubrique distincte de celle des immobilisations non louées. En outre, elle doit mentionner par voie de notes le total des loyers futurs minimaux, soit 88 000 $, et les loyers en question pour chacun des quatre exercices suivants: 2002 – 22 000 $; 2003 – 22 000 $; 2004 – 22 000 $; 2005 – 22 000 $.

Problème 3-3

a) Surfinia Rail ltée doit traiter ce contrat comme un contrat de location-acquisition et elle doit porter les biens loués à l'actif de son bilan. Ce contrat en est un de location-acquisition parce que: 1) le titre de propriété des génératrices est transféré au preneur; 2) la durée du bail est égale à la durée économique estimative des biens; 3) la valeur actualisée des paiements minimaux exigibles est supérieure à 90 % de la juste valeur des génératrices louées. Il faut noter qu'il est nécessaire que le contrat satisfasse à l'un de ces trois critères pour qu'on puisse le classer comme une location-acquisition. Le fait que le contrat satisfasse à ces trois critères constitue un argument solide justifiant le classement du contrat en une location-acquisition. Du point de vue économique, l'opération ressemble à un achat à tempérament sur une période de 10 ans.

Pour la société Lobelia ltée, cette opération constitue un contrat de location-vente qui comporte une marge brute attribuable à la fabrication des génératrices. Les clauses du contrat de location correspondent également à un financement de l'opération sur une durée de 10 ans.

Créances locatives

Loyers par période	620 956 $
Nombre de périodes	× 10
Loyers à recevoir	6 209 560 $
Valeur actualisée des créances locatives (620 956 $ × 7,24689[a])	4 500 000 $

Produits financiers non acquis

Loyers à recevoir	6 209 560 $
Moins: Valeur actualisée des créances locatives	4 500 000
Produits financiers non acquis	1 709 560 $

Marge brute attribuable à la fabrication

Ventes = VA des loyers – VA du bien loué	4 500 000 $
Moins: Coût	3 900 000
Marge brute sur cession	600 000 $

a Valeur actualisée de 10 versements périodiques à 8 %.

b) Écriture de journal de Surfina Rail ltée – 1er janvier 2001

Génératrices louées en vertu d'un contrat de location-acquisition	4 500 000	
Obligations locatives		4 500 000

c) Écriture de journal de Lobelia ltée – 1er janvier 2001

Créances locatives	6 209 560	
Coût des marchandises vendues	3 900 000	
Ventes		4 500 000
Stocks		3 900 000
Produits financiers non acquis – contrat de location		1 709 560

d) Écritures de journal pour le 1er versement – preneur et bailleur

Écriture pour le preneur

Obligations locatives	620 956	
Caisse		620 956

Écriture pour le bailleur

Caisse	620 956	
Créances locatives		620 956

e) Écritures de journal pour inscrire la charge ou le produit d'intérêt – 2001

Surfinia Rail ltée et Lobelia ltée
Tableau d'amortissement de l'obligation locative / investissement net

Date	Loyer annuel	Charge ou produit d'intérêt de 8 %	Réduction de la valeur actualisée de l'obligation locative / investissement net	Solde de l'obligation locative / investissement net à la clôture
1er janvier 2001				4 500 000 $
1er janvier 2001	620 956 $		(620 956) $	3 879 044
1er janvier 2002	620 956	310 324	(310 632)	3 568 412
1er janvier 2003	620 956	285 473	(335 483)	3 232 929

Écriture pour le preneur (31 décembre 2001)

Intérêts débiteurs	310 324	
Obligations locatives		310 324

Écriture pour le bailleur (31 décembre 2001)

Produits financiers non acquis – contrat de location	310 324	
Produits financiers – contrat de location		310 324

f) Bilans de Surfinia Rail ltée et de Lobelia ltée – 31 décembre 2001

Surfinia Rail ltée
Bilan
au 31 décembre 2001

Immobilisations corporelles	
Bien loué	4 500 000 $
Moins: Amortissement cumulé	450 000 [a]
	4 050 000 $
Passif à court terme	
Intérêts à payer	310 324 $
Obligations locatives	310 632 [b]

Passif à long terme

Obligations locatives	3 568 412 [c]

a. 4 500 000 $ ÷ 10 = 450 000 $
b. (620 956 $ – 310 324 $) = 310 632 $
c. Aucune tranche de ce montant ne sera payée au cours du prochain exercice.

Lobelia ltée
Bilan
au 31 décembre 2001

Actifs à court terme

Investissement net dans un contrat de location-vente	620 956 $

Actifs à long terme

Investissement net dans un contrat de location-vente	3 568 412 $ [a]

a. Créances locatives	4 967 648 $	(6 209 560 $ – 620 956 $ –620 956 $)
Moins: Produits financiers non acquis	1 399 236	(1 709 560 $ – 310 324 $)
	3 568 412 $	

Problème 3-4

a) 1. Voici les comptes et leurs soldes respectifs devant faire l'objet d'une présentation dans l'état des résultats du preneur au 30 septembre 2002:

15 846 $	Intérêts débiteurs (voir le tableau d'amortissement)
5 500 $	Frais accessoires du bail
33 376 $	Amortissement (200 255 $ ÷ 6 = 33 376 $)

2. Voici les comptes et leurs soldes respectifs devant faire l'objet d'une présentation dans le bilan du preneur au 30 septembre 2002:

Passif à court terme

25 954 $	Obligations locatives
15 846 $	Intérêts à payer

Passif à long terme

132 501 $	Obligations locatives

Immobilisations corporelles

200 255 $	Ordinateur loué
(33 376) $	Amortissement cumulé – ordinateur loué

3. Voici les comptes et leurs soldes respectifs devant faire l'objet d'une présentation dans l'état des résultats du preneur au 30 septembre 2003:

13 250 $	Intérêts débiteurs (voir le tableau d'amortissement)
5 500 $	Frais accessoires du bail
33 376 $	Amortissement – ordinateur loué (200 255 $ ÷ 6 = 33 376 $)

4. Voici les comptes et leurs soldes respectifs devant faire l'objet d'une présentation dans le bilan du preneur au 30 septembre 2003:

Passifs à court terme

28 550 $	Obligations locatives
13 250 $	Intérêts à payer

Passifs à long terme

103 951 $	Obligations locatives

Immobilisations corporelles

200 255 $	Ordinateur loué
(66 752) $	Amortissement cumulé – ordinateur loué

b) 1. Voici les comptes et leurs soldes respectifs devant faire l'objet d'une présentation dans l'état des résultats du preneur au 31 décembre 2001:

	Intérêts débiteurs – contrat de location-acquisition
3 962 $	(15 846 $ × 3/12 = 3 962 $)
1 375 $	Frais accessoires rattachés au bail (5 500 $ × 3/12 = 1 375 $)
8 344 $	Amortissement – ordinateur loué (200 255 $ ÷ 6 = 33 376 $; 33 376 $ × 3/12 = 8 344 $)

2. Voici les comptes et leurs soldes respectifs devant faire l'objet d'une présentation dans le bilan du preneur au 31 décembre 2001:

Passifs à court terme

25 954 $	Obligations locatives
3 962 $	Intérêts à payer

Passifs à long terme

132 501 $	Obligations locatives

Immobilisations corporelles

200 255 $	Ordinateur loué
(8 344) $	Amortissement cumulé – ordinateur loué

Actifs à court terme

4 125 $	Frais accessoires du bail payés d'avance (5 500 $ × 9/12 = 4 125 $)

3. Voici les comptes et leurs soldes respectifs devant faire l'objet d'une présentation dans l'état des résultats du preneur au 31 décembre 2002:

15 197 $	Intérêts débiteurs – contrat de location-acquisition [(15 846 $ – 3 962 $) + (13 250 $ × 3/12) = 11 884 $ + 3 313 $ = 15 197 $]
5 500 $	Frais accessoires rattachés au bail
33 376 $	Amortissement – ordinateur loué (200 255 $ ÷ 6 = 33 376 $)

4. Voici les comptes et leurs soldes respectifs devant faire l'objet d'une présentation dans le bilan du preneur au 31 décembre 2002:

Passifs à court terme

28 550 $	Obligations locatives
3 313 $	Intérêts à payer (13 250 $ × 3/12 = 3 313 $)

Passifs à long terme

103 951 $	Obligations locatives

Immobilisations corporelles

200 255 $	Ordinateur loué
(41 720) $	Amortissement cumulé – ordinateur loué (8 344 $ + 33 376 $ = 41 720 $)

Actifs à court terme

4 125 $	Frais accessoires du bail payés d'avance (5 500 $ × 9/12 = 4 125 $)

Problème 3-5

a) 1. Voici les comptes et leurs soldes respectifs devant faire l'objet d'une présentation dans l'état des résultats du bailleur au 30 septembre 2002:

15 846 $	Produits financiers – contrat de location

2. Voici les comptes et leurs soldes respectifs devant faire l'objet d'une présentation dans le bilan du bailleur au 30 septembre 2002:

Actifs à court terme

41 800 $	Investissement net dans un contrat de location (note 1)

Actifs à long terme

132 501 $	Investissement net dans un contrat de location (note 1)

Note 1: L'investissement net dans le contrat de location-financement se compose des montants suivants:

209 000 $	Créances locatives
(34 699)	Produits financiers non acquis (50 545 $ – 15 846 $ = 34 699 $)
174 301	Investissement net dans un contrat de location
(41 800)	Portion à court terme de l'investissement net dans un contrat de location
132 501 $	Portion à long terme de l'investissement net dans un contrat de location

3. Voici les comptes et leurs soldes respectifs devant faire l'objet d'une présentation dans l'état des résultats du bailleur au 30 septembre 2003:

13 250 $	Produits financiers – contrat de location

4. Voici les comptes et leurs soldes respectifs devant faire l'objet d'une présentation dans le bilan du bailleur au 30 septembre 2003:

Actifs à court terme

41 800 $	Investissement net dans un contrat de location (note 1)

Actifs à long terme

103 951 $	Investissement net dans un contrat de location (note 1)

Note 1: L'investissement net dans le contrat de location-financement se compose des montants suivants:

167 200 $	Créances locatives
(21 449)	Produits financiers non acquis (50 545 $ – 15 846 $ = 34 699 $)
145 751	Investissement net dans un contrat de location
(41 800)	Portion à court terme de l'investissement net dans un contrat de location
103 951 $	Portion à long terme de l'investissement net dans un contrat de location

b) 1. Voici les comptes et leurs soldes respectifs devant faire l'objet d'une présentation dans l'état des résultats du bailleur au 31 décembre 2001:

3 962 $	Produits financiers – contrat de location-financement (15 846 $ × 3/12 = 3 962 $)

2. Voici les comptes et leurs soldes respectifs devant faire l'objet d'une présentation dans le bilan du bailleur au 31 décembre 2001:

Actifs à court terme

29 916 $	Investissement net dans un contrat de location (note 1)

Actifs à long terme

132 501 $	Investissement net dans un contrat de location (note 1)

Note 1: L'investissement net dans le contrat de location-financement se compose des montants suivants:

209 000 $	Créances locatives
(46 583)	Produits financiers non acquis (50 545 $ – 3 962 $ = 46 583 $)
162 417 $	Investissement net dans un contrat de location
(29 916)	Portion à court terme de l'investissement net dans un contrat de location [41 800 $ – (15 846 $ – 3 962 $)]
132 501 $	Portion à long terme de l'investissement net dans un contrat de location

3. Voici les comptes et leurs soldes respectifs devant faire l'objet d'une présentation dans l'état des résultats du bailleur au 31 décembre 2002:

15 197 $	Produits financiers – contrat de location-financement [(15 846 $ – 3 962 $) + (13 250 $ × 3/12) = 11 884 $ + 3 313 $ = 15 197 $]

4. Voici les comptes et leurs soldes respectifs devant faire l'objet d'une présentation dans le bilan du bailleur au 31 décembre 2002:

Actifs à court terme

31 863 $	Investissement net dans un contrat de location (note 1)

Actifs à long terme

103 951 $	Investissement net dans un contrat de location (note 1)

Note 1: L'investissement net dans le contrat de location-financement se compose des montants suivants:

167 200 $	Créances locatives
(31 386)	Produits financiers non acquis (46 583 $ – 15 197 $)
135 814	Investissement net dans un contrat de location
(31 863)	Portion à court terme de l'investissement net dans un contrat de location [41 800 $ – (13 250 $ – 3 313 $)]
103 951 $	Portion à long terme de l'investissement net dans un contrat de location

Problème 3-6

Note: Pour le preneur, ce contrat en est un de location-acquisition parce que la durée du bail (6 ans) est supérieure à 75 % de la durée économique restante du bien (6 ans). De plus, la valeur actualisée des paiements minimaux exigibles est supérieure à 90 % de la juste valeur du bien.

81 365 $	Loyer annuel
× 4,60478	VA de 6 versements périodiques à 12 %
374 668 $	VA des loyers périodiques

50 000 $	Valeur résiduelle garantie
× 0,50663	VA de 1 pour 6 périodes à 12 %
25 332 $	VA de la valeur résiduelle garantie

374 668 $	VA des loyers
+ 25 332	VA de la valeur résiduelle
400 000,00 $	VA des paiements minimaux exigibles

a) Tableau d'amortissement de l'obligation locative et de l'investissement net pour la durée du bail

Muscari ltée (preneur) et Marguerite ltée (bailleur)
Tableau d'amortissement de l'obligation locative et de l'investissement net

Date	Loyers annuels plus option d'achat à prix de faveur	Intérêt de 12 % sur le solde de l'obligation ou de l'investissement	Diminution de l'obligation ou de l'investissement net	Solde de l'obligation ou de l'investissement net
1er janvier 2001				400 000,00 $
1er janvier 2001	81 365 $		81 365 $	318 635
1er janvier 2002	81 365	38 236 $	43 129	275 506
1er janvier 2003	81 365	33 061	48 304	227 202
1er janvier 2004	81 365	27 264	54 101	173 101
1er janvier 2005	81 365	20 772	60 593	112 508
1er janvier 2006	81 365	13 501	67 864	44 644
31 décembre 2006	50 000	5 356 [a]	44 644	0
	538 190 $	138 190 $	400 000,00 $	

a Arrondi de 1 $.

b) Écritures de journal du preneur – 2001 et 2002

1er janvier 2001

Matériel loué	400 000	
Obligations locatives		400 000
Obligations locatives	81 365	
Caisse		81 365

Au cours de 2001

Frais accessoires du bail	4 000	
Caisse		4 000

31 décembre 2001

Intérêts débiteurs	38 236	
Intérêts à payer		38 236
Amortissement – matériel loué	58 333	
Amortissement cumulé – matériel loué [(400 000 $ – 50 000 $) ÷ 6]		58 333

1er janvier 2002

Intérêts à payer	38 236	
Intérêts débiteurs		38 236
Intérêts débiteurs	38 236	

Obligation locative	43 129	
Caisse		81 365

Au cours de 2002

Frais accessoires du bail	4 000	
Caisse		4 000

31 décembre 2002

Intérêts débiteurs	33 061	
Intérêts à payer		33 061
Amortissement – matériel loué	58 333	
Amortissement cumulé – matériel loué		58 333

Note: La valeur résiduelle garantie a été soustraite dans le calcul de l'assiette de l'amortissement. La raison en est que, à la fin de la durée du bail, on espère que ce solde compensera le solde de l'obligation locative. Si on amortissait le bien jusqu'à zéro, on obtiendrait un profit important au cours de l'exercice final pour autant que la valeur résiduelle soit au moins égale à sa valeur garantie.

Problème 3-7

a) Écritures de journal de Weigela ltée – 2001

31 décembre 2001

Matériel loué	129 195	
Obligations locatives		129 195

(Inscription du bien loué et de l'obligation locative à la valeur actualisée à 12 % des cinq versements futurs de loyers de 32 000 $: (32 000 $ × 4,03735))

31 décembre 2001

Obligation locative	32 000	
Caisse		32 000

(Inscription du premier versement de loyer)

b) Écritures de journal de Weigela ltée – 2002

31 décembre 2002

Amortissement – matériel loué	18 456	
Amortissement cumulé – matériel loué		18 456

(Inscription de l'amortissement du bien loué sur la base du coût de 129 195 $ et d'une durée de 7 ans)

Intérêts débiteurs | 11 663 |
Obligations locatives | 20 337 |
Caisse | | 32 000

(Inscription du paiement annuel en vertu du contrat, dont 11 663 $ représentent les intérêts de 12 % sur le solde de l'obligation locative de 97 195 $)

Weigela ltée (preneur)
Tableau d'amortissement de l'obligation locative
(Loyer de début de période)

Date	Loyers annuels	Intérêt de 12 % sur le solde de l'obligation	Diminution de l'obligation	Solde de l'obligation
31 décembre 2001				129 195 $
31 décembre 2001	32 000 $	0	32 000 $	97 195
31 décembre 2002	32 000	11 663 $	20 337	76 858
31 décembre 2003	32 000	9 223	22 777	54 081
31 décembre 2004	32 000	6 490	25 510	28 571
31 décembre 2005	32 000	3 429	28 571	0

c) Écritures de journal de Weigela ltée – 2003

31 décembre 2003

Intérêts débiteurs | 9 223 |
Obligations locatives | 22 777 |
Caisse | | 32 000

(Inscription du versement annuel découlant de l'obligation, dont 9 223 $ représentent les intérêts à 12 % sur le solde de l'obligation locative de 76 858 $)

Amortissement – matériel loué | 18 456 |
Amortissement cumulé – matériel loué | | 18 456

(Inscription de l'amortissement du bien loué)

d)

Weigela ltée
Bilan

au 31 décembre	2003	2002
Immobilisations corporelles	129 195	129 195
Matériel loué	36 912	18 456
Moins: Amortissement cumulé	92 283 $	110 739 $
Passifs à court terme		
Obligations locatives	25 510 $	22 777 $
Passifs à long terme		
Obligations locatives	28 571 $	54 081 $

Problème 3-8

a) Les 370 000 $ correspondent à la valeur actualisée des 5 versements de loyers de 94 372 $, desquels on soustrait les 6 000 $ attribuables au paiement des impôts fonciers, de l'assurance et des frais d'entretien. En d'autres mots, ils correspondent à la valeur actualisée à 10 % de 5 versements de 88 732 $, effectués au début de chaque exercice; le taux de 10 % correspond au taux le moins élevé entre le taux d'intérêt implicite du bail et le taux d'intérêt marginal d'emprunt du preneur (puisque celui-ci connaît le taux implicite). Les frais d'impôts fonciers, d'assurance et d'entretien constituent des services que le bailleur devra fournir dans le futur et qui ne doivent pas être portés au bilan. Le montant porté à l'actif correspond au service qu'a déjà rendu le bailleur, service qui a permis que le bien soit disponible; les impôts fonciers, l'assurance et les frais d'entretien constituent des services inachevés que doit rendre le bailleur.

b) Écritures de journal de Giroflée ltée – 1er janvier 2001

Matériel loué (88 732 $ × 4,16987[a])	370 000	
Obligations locatives		370 000

a Facteur d'actualisation de 5 versements de début de période à 10 %.

Impôts fonciers, assurance et frais d'entretien	6 000	
Obligations locatives	88 732	
Caisse		94 732

c) Écriture de journal pour inscrire l'amortissement – 2001

Amortissement – matériel loué	74 000	
Amortissement cumulé – matériel loué (370 000 $ ÷ 5)		74 000

d) Écriture de journal pour inscrire la charge d'intérêts – 2001

Intérêts débiteurs	28 127	
Intérêts à payer		28 127

e) Écriture de journal pour inscrire le versement du loyer – 1er janvier 2002

Impôts fonciers, assurance et frais d'entretien	6 000	
Intérêts à payer	28 127	
Obligations locatives	60 605	
Caisse		94 732

Giroflée ltée (preneur)
Tableau d'amortissement de l'obligation locative

Date	Loyers annuels	Intérêt de 10 % sur le solde de l'obligation	Diminution de l'obligation	Solde de l'obligation à la clôture
1er janvier 2001				370 000 $
1er janvier 2001	88 732		88 732 $	281 268
1er janvier 2002	88 732	28 127	60 605	220 663
1er janvier 2003	88 732	22 066	66 666	153 997

f) Bilan de Giroflée ltée – 31 décembre 2001

Giroflée ltée Bilan au 31 décembre 2001	
Immobilisations corporelles	
Bien loué	370 000 $
Moins: Amortissement cumulé	74 000
	296 000 $
Passifs à court terme	
Intérêts à payer	28 127 $
Obligations locatives	60 605 [a]
Passifs à long terme	
Obligations locatives	220 663 $

a. Voir le tableau d'amortissement en e).

Problème 3-9

Écritures de journal – 1er août 2001

Matériel loué	3 537 354	
Obligations locatives		3 537 354

Explication et calcul: Il s'agit d'un contrat de location-acquisition parce que la durée du bail est supérieure à 75 % de la durée d'utilisation du bien. En outre, l'option d'achat à 75 % de la juste valeur peut être considérée comme une option d'achat à prix de faveur.

L'ordinateur loué et l'obligation locative sont inscrits à la valeur actualisée des paiements minimaux exigibles, les frais d'entretien étant exclus: [(50 000 $ – 4 000 $) × 76,899 = 3 537 354 $].

Frais d'entretien de l'ordinateur	4 000	
Obligations locatives	46 000	
Caisse		50 000

Explication: On passe cette écriture pour inscrire le premier versement de loyer au 1er août 2001. On ne constate aucun intérêt parce que le bail entre en vigueur à cette date. Le versement effectué comprend 4 000 $ de frais d'entretien.

Écritures de journal – 31 août 2001

Intérêts débiteurs	34 914	
Intérêts à payer		34 914

Explication et calcul: Les intérêts courus entre le 1er et le 31 août 2001 sur le solde de l'obligation locative se calculent comme suit: [(3 537 354 $ – 46 000 $) × 0,01 = 34 914 $].

Amortissement – matériel loué	19 652	
Amortissement cumulé – matériel loué		19 652

Explication et calcul: On inscrit l'amortissement pour un mois d'utilisation de l'ordinateur en recourant à la durée économique estimative du matériel plutôt qu'à la durée du bail, en raison de l'existence d'une option d'achat à prix de faveur: [3 537 354 $ × 1/15 × 1/12 = 19 652 $].

Note: Puisqu'on ne connaît pas le montant de l'option d'achat à prix de faveur à la date du contrat de location, on ne porte pas cet élément au bilan.

Problème 3-10

a) Ce contrat en est un de location-vente parce que: 1) la durée du bail couvre plus de 75 % de la durée économique du bien loué; 2) le recouvrement des loyers est raisonnablement assuré, et aucuns frais additionnels ne seront engagés dans le futur; 3) à la cession du bien, la société Pourpier ltée réalise un profit, auquel s'ajoutent des produits financiers.

1. L'investissement brut s'élève à 320 000 $ (10 loyers annuels de 30 000 $ chacun, plus la valeur résiduelle non garantie de 20 000 $).

2. Les produits financiers non acquis s'élèvent à 109 518 $ (investissement brut de 320 000 $ moins 210 482 $, valeur actualisée initiale de l'investissement brut, que l'on calcule comme suit:

Valeur actualisée à 10 % de 10 versements de début de période de 1 $	6,75902
Loyers annuels	× 30 000 $
Valeur actualisée des 10 loyers	202 771 $
Plus: Valeur actualisée à 10 % de la valeur résiduelle estimative de 20 000 $ dans 10 ans (20 000 $ × 0,38554)	7 711
Valeur actualisée initiale de l'investissement brut	210 482 $

3. Le prix de vente s'élève à 202 771 $ (valeur actualisée des 10 loyers annuels); il correspond aussi à la valeur actualisée initiale de 210 482 $ moins la valeur actualisée de la valeur résiduelle non garantie de 7 711 $.

4. Le coût du bien vendu s'élève à 127 289 $ (le coût du bien est de 135 000 $ moins la valeur actualisée de la valeur résiduelle non garantie).

b)

Pourpier ltée
Tableau d'amortissement de l'investissement net
(loyers de début de période et valeur résiduelle non garantie)

Début de l'exercice	Loyers annuels plus valeur résiduelle non garantie[a]	Intérêt de 10 % sur le solde de l'investissement net[b]	Recouvrement de l'investissement net[c]	Solde de l'investissement net[d]
VA initiale				210 482 $
1	30 000 $		30 000 $	180 482
2	30 000	18 048 $	11 952	168 530
3	30 000	16 853	13 147	155 383
4	30 000	15 538	14 462	140 921
5	30 000	14 092	15 908	125 013
6	30 000	12 501	17 499	107 514
7	30 000	10 751	19 249	88 265
8	30 000	8 827	21 173	67 092
9	30 000	6 709	23 291	43 801
10	30 000	4 380	25 620	18 181
Fin de l'exercice 10	20 000	1 819 [e]	18 181	0
	320 000 $	109 518 $	210 482 $	

a. Loyers annuels requis en vertu du contrat de location.

b. Solde précédent de [d] × 10 %, sauf au début de l'exercice 1.

c. a. moins b.

d. Solde précédent moins c.

e. Arrondi de 1 $.

c) Écritures de journal du bailleur

À l'ouverture de l'exercice

Créances locatives	320 000	
Coût des ventes	127 289	
Ventes		202 771
Stocks d'ordinateurs		135 000
Produits financiers non acquis – contrat de location		109 518
(Inscription de la vente et du coût des ventes relatifs au contrat de location)		
Frais de vente	4 000	
Caisse		4 000
(Inscription des frais initiaux directs relatifs au contrat)		
Caisse	30 000	
Créances locatives		30 000
(Inscription de l'encaissement du premier loyer)		

À la clôture de l'exercice

Produits financiers non acquis – contrat de location	18 048	
Produits financiers – contrat de location		18 048
(Inscription des intérêts réalisés au cours du premier exercice du bail)		

Problème 3-11

a) Le contrat en est un de location-acquisition parce que: 1) la durée du bail couvre plus de 75 % de la durée économique du bien; 2) la valeur actualisée des paiements minimaux exigibles dépasse 90 % de la juste valeur du bien loué.

Solde initial de l'obligation locative

Paiements minimaux exigibles × facteur d'actualisation de 10 versements de début de période à 10 %:

30 000 $ × 6,75902 = 202 771 $

b) Tableau d'amortissement de l'obligation locative

Hibiscus Air ltée
Tableau d'amortissement de l'obligation locative
(loyers de début de période et valeur résiduelle non garantie)

Début de l'exercice	Loyers annuels plus valeur résiduelle non garantie[a]	Intérêt de 10 % sur le solde de l'obligation locative[b]	Diminution de l'obligation locative[c]	Solde de l'obligation locative à la clôture[d]
VA initiale				202 771 $
1	30 000 $		30 000 $	172 771
2	30 000	17 277 $	12 723	160 048
3	30 000	16 005	13 995	146 053
4	30 000	14 605	15 395	130 658
5	30 000	13 066	16 934	113 724
6	30 000	11 372	18 628	95 096
7	30 000	9 510	20 490	74 606
8	30 000	7 461	22 539	52 067
9	30 000	5 207	24 793	27 274
10	30 000	2 726 [e]	27 274	0
	300 000 $	97 229 $	202 771 $	

a. Loyers annuels requis en vertu du contrat de location.

b. Solde précédent de d × 10 %, sauf au début de l'exercice 1.

c. a. moins b.

d. Solde précédent moins c.

e. Arrondi de 1 $.

c) Écritures de journal – 1er exercice

À l'ouverture de l'exercice

Matériel loué	202 771	
Obligations locatives		202 771
(Inscription de la location de l'ordinateur comme contrat de location-acquisition)		
Obligations locatives	30 000	
Caisse		30 000

À la clôture de l'exercice

Intérêts débiteurs	17 277	
Intérêts à payer		17 277
(Inscription des intérêts courus sur l'obligation locative)		
Amortissement – matériel loué	20 277	
Amortissement cumulé – matériel loué		20 277
(Inscription de l'amortissement pour le premier exercice: 202 771 $ ÷ 10)		

Problème 3-12

a) Tableau des créances locatives

Pois de senteur ltée
Tableau des créances locatives pour la location du matériel
à la signature du bail

	Matrice	Presse
Date du contrat	1er juillet 2001 au 30 juin 2005	1er septembre 2001 au 31 août 2004
Durée du bail (années)	4	3
Coût du matériel	150 000 $	120 000 $
Facteur d'actualisation	× 0,0263	× 0,0332
Loyers mensuels	3 945 $	3 984 $
Durée du contrat (mois)	× 48	× 36
Loyers totaux	189 360 $	143 424 $
Option d'achat obligatoire	15 000	12 000
Créances locatives	204 360 $	155 424 $

b) Tableau des produits financiers non acquis au 31 décembre 2001

Pois de senteur ltée

Tableau des produits financiers non acquis

au 31 décembre 2001

	Matrice	Presse
Créances locatives pour la location du matériel	204 360 $	155 424 $
Moins: Coût du matériel loué:	150 000	120 000
Produits de financement non acquis à la date d'entrée en vigueur du bail	54 360	35 424
Moins: Produits financiers réalisés en 2001:		
273 ÷ 1 176[a] × 54 360 $	12 619	
138 ÷ 666[b] × 35 424 $	______	7 340
Produits financiers non acquis	41 741 $	28 084 $

a. 4 ans = 48 mois; 48 (48 + 1) ÷ 2 = 1 176; 48 + 47 + 46 + 45 + 44 + 43 = 273

b. 3 ans = 36 mois; 36 (36 + 1) ÷ 2 = 666; 36 + 35 + 34 + 33 = 138

c) Valeur actualisée des créances locatives – 31 décembre 2001

Valeur actualisée des créances locatives

au 31 décembre 2001

	Matrice	Presse	Total
Créances locatives pour le matériel loué sur la durée du bail	189 360 $	143 424 $	
Moins: Loyers mensuels reçus en 2001:			
3 945 $ × 6 mois	23 670		
3 984 $ × 4 mois	_____	15 936	
Créances brutes locatives pour le matériel loué au 31 décembre 2001	165 690 $	127 488 $	293 178 $
Moins: Produits financiers non acquis (chiffre donné dans l'énoncé de la question)			68 000
Valeur actualisée des créances locatives			225 178 $

Problème 3-13

a) Calcul de la valeur actualisée des paiements minimaux exigibles

Viorne ltée
Tableau du calcul de la valeur actualisée des paiements minimaux exigibles pour le preneur
au 1er janvier 2001

Valeur actualisée des 10 premiers versements:		
Versement immédiat	900 000 $	
Valeur actualisée de 9 versements de fin de période à 6 % (900 000 $ × 6,801692)	6 121 523	
Valeur actualisée des 10 premiers versements		7 021 523$[a]
Valeur actualisée des 10 derniers versements:		
Premier paiement	320 000	
Valeur actualisée de 9 versements de fin de période à 6 % (320 000 $ × 6,801692)	2 176 541	
Valeur actualisée des 10 derniers versements de loyer au 1er janvier 2010	2 496 541	
Actualisation au 1er janvier 2001 (2 496 541 $ × 0,558395)		1 394 056
Valeur actualisée des paiements minimaux exigibles		8 415 579 $

a. Il se peut que l'étudiant obtienne le chiffre 7 021 523 $ en utilisant la valeur actualisée de 10 versements de début de période à 6 % (7,801169 × 900 000 $ = 7 021 521 $). Pour les 10 derniers versements, on peut calculer la valeur actualisée de 20 versements de début de période moins la valeur actualisée de 10 versements de début de période comme suit: [(12,15812 – 7,80169) × 320 000 $ = 1 394 056 $].

b) 1. Écriture de journal pour inscrire le versement du 1er janvier 2003

1er janvier 2003

Intérêts courus à payer	423 000	
Obligations locatives	477 000	
Impôts fonciers	125 000	
Assurance	23 000	
Caisse		1 048 000

Tableau partiel de l'obligation locative
(pour des versements de début de période)

Date	Loyers	Frais accessoires	Intérêt de 6 %	Amortissement du principal	Solde du principal
1er janvier 2001					8 400 000 $
1er janvier 2001	1 048 000 $	148 000 $	0	900 000 $	7 500 000
1er janvier 2002	1 048 000	148 000	450 000 $	450 000	7 050 000
1er janvier 2003	1 048 000	148 000	423 000	477 000	6 573 000
1er janvier 2004	1 048 000	148 000	394 380	505 620	6 067 380

2. Écriture de journal pour inscrire l'amortissement de 2003

<u>31 décembre 2003</u>

Amortissement – installations louées	210 000	
Amortissement cumulé – installations louées (8 400 000 $ ÷ 40)		210 000
(Inscription de l'amortissement annuel du bien loué)		

Note: Le bien loué est amorti sur sa durée économique parce qu'il existe une option d'achat à prix de faveur au terme de la durée du bail.

3. Écriture de journal pour inscrire les intérêts débiteurs de 2003

<u>31 décembre 2003</u>

Intérêts débiteurs	394 380	
Intérêts courus à payer		394 380
(Inscription des intérêts courus à 6 % sur le solde de l'obligation locative de 6 573 000 $)		

Problème 3-14

a) Le contrat en est un de location-vente parce que: 1) la durée du bail couvre 83 % de la durée économique du bien loué; 2) la valeur actualisée des paiements minimaux exigibles est égale à la juste valeur du bien loué; 3) on a l'assurance raisonnable de recouvrer les loyers, et il n'existe aucune incertitude importante quant aux frais non remboursables que devrait encore engager le bailleur; 4) le contrat de location permet au bailleur de réaliser à la cession du bien un profit, auquel s'ajoutent des produits financiers.

Valeur actualisée des paiements minimaux exigibles:

Valeur actualisée des loyers annuels de 50 000 $ versés au début de chaque période pendant 10 ans: 50 000 $ × 6,75902 (valeur actualisée à 10 % de 10 versements de début de période)	337 951 $
Valeur actualisée de la valeur résiduelle garantie (15 000 $ × 0,38554)	5 783
Valeur actualisée des paiements minimaux	343 734 $

1. Investissement brut:

Loyers de 50 000 $ versés au début de chaque période pendant 10 ans	500 000 $
Valeur résiduelle garantie à la fin des 10 ans	15 000
Investissement brut	515 000 $

2. Produits financiers non acquis:

Investissement brut	515 000 $
Moins: Valeur actualisée des paiements minimaux exigibles	343 734
Produits financiers non acquis	171 266 $

3. Le prix de vente correspond à la valeur actualisée des paiements minimaux exigibles en vertu du bail (si l'on suppose que la valeur résiduelle est garantie), soit 343 734 $.

4. Le coût du bien vendu correspond au coût de fabrication de l'appareil de radiographie (si l'on suppose que la valeur résiduelle est garantie), soit 210 000 $.

b) Tableau de l'amortissement de l'investissement net

Monnaie-du-pape ltée (bailleur)
Tableau d'amortissement de l'investissement net
(loyers de début de période et valeur résiduelle garantie)

Début de l'exercice	Loyers annuels plus valeur résiduelle garantie[a]	Intérêt de 10 % sur le solde de l'investissement net[b]	Recouvrement de l'investissement net[c]	Solde de l'investissement net[d]
VA initiale				343 734 $
1	50 000 $		50 000 $	293 734
2	50 000	29 373 $	20 627	273 107
3	50 000	27 311	22 689	250 418
4	50 000	25 042	24 958	225 460
5	50 000	22 546	27 454	198 006
6	50 000	19 801	30 199	167 807
7	50 000	16 781	33 219	134 588
8	50 000	13 459	36 541	98 047
9	50 000	9 805	40 195	57 852
10	50 000	5 785	44 215	13 637
Fin de l'exercice 10	15 000	1 363 [e]	13 637	0
	515 000 $	171 266 $	343 734 $	

a. Loyers annuels requis en vertu du contrat de location.

b. Solde précédent de d × 10 %, sauf au début de l'exercice 1.

c. a moins b.

d. Solde précédent moins c.

e. Arrondi de 1 $.

c) Écriture de journal – 1re année du bail

À l'ouverture de l'exercice

Créances locatives	515 000	
Coût des ventes	210 000	
Ventes		343 734
Stocks d'appareils de radiographie		210 000
Produits financiers non acquis – contrat de location		171 266

(Inscription de la location-vente à la signature du bail)

Caisse 50 000

Créances locatives 50 000

(Inscription de l'encaissement du premier loyer)

À la clôture de l'exercice

Produits financiers non acquis – contrat de location 29 373

Produits financiers – contrat de location 29 373

(Inscription de l'intérêt relatif au contrat de location pour la première année du bail)

Problème 3-15

a) Le contrat en est un de location-acquisition parce que: 1) la durée du bail couvre 83 % de la durée économique du bien loué; 2) la valeur actualisée des paiements minimaux exigibles en vertu du bail est égale à la juste valeur du bien loué (si l'on suppose que la valeur résiduelle est garantie par le preneur).

Solde initial de l'obligation locative:

VA des loyers, 50 000 $ × 6,75902	337 951 $
VA de la valeur résiduelle, si l'on suppose qu'elle est garantie (15 000 $ × 0,38554)	5 783
Solde initial de l'obligation locative	343 734 $

b) Tableau de l'amortissement de l'obligation locative

Hôpital Reine-des-prés (preneur)
Tableau d'amortissement de l'obligation locative
(loyers de début de période et valeur résiduelle garantie)

Début de l'exercice	Loyers annuels plus valeur résiduelle garantie[a]	Intérêt de 10 % sur le solde de l'investissement net[b]	Réduction de l'obligation locative[c]	Solde de l'obligation locative[d]
VA initiale				343 734 $
1	50 000 $		50 000 $	293 734
2	50 000	29 373 $	20 627	273 107
3	50 000	27 311	22 689	250 418
4	50 000	25 042	24 958	225 460
5	50 000	22 546	27 454	198 006
6	50 000	19 801	30 199	167 807
7	50 000	16 781	33 219	134 588
8	50 000	13 459	36 541	98 047
9	50 000	9 805	40 195	57 852
10	50 000	5 785	44 215	13 637
Fin de l'exercice 10	15 000	1 363 [e]	13 637	0
	515 000 $	171 266 $	343 734 $	

a Loyers annuels requis en vertu du contrat de location.

b Solde précédent de d × 10 %, sauf au début de l'exercice 1.

c a moins b.

d Solde précédent moins c.

e Arrondi de 1 $.

c) Écritures de journal – 1re année du bail

1er janvier

Matériel loué	343 734	
Obligations locatives		343 734
(Inscription de la location de l'appareil de radiographie)		
Obligations locatives	50 000	
Caisse		50 000
31 décembre		
Intérêts débiteurs	29 373	
Intérêts à payer		29 373
(Inscription de la charge d'intérêts sur l'obligation locative)		
Amortissement – matériel loué	32 873	
Amortissement cumulé – matériel loué		32 873
(Inscription de l'amortissement annuel selon la méthode de l'amortissement linéaire [(343 734 $ – 15 000 $) ÷ 10 ans])		

Problème 3-16

NOTE DE SERVICE

DESTINATAIRE: [Nom du supérieur]

EXPÉDITEUR: [Votre nom]

DATE: 31 décembre 2001

OBJET: Sauge ltée – Reclassement d'un contrat de location de véhicule en un contrat de location-acquisition

Lors d'une inspection de routine dans le garage d'un client, j'ai remarqué une automobile de marque Shirk, modèle 2001, non inscrite dans le grand livre auxiliaire du matériel. J'en ai glissé un mot à la directrice de l'usine, Sara Laviolette, et elle m'a expliqué que la Shirk ne se trouvait pas parmi les actifs de l'entreprise parce qu'il s'agit d'un véhicule loué. Étant donné que le contrat a été comptabilisé comme une activité de location, la société Sauge ltée a comptabilisé la somme de 2 160 $ en 2001 à titre de charges locatives.

Si on examine de plus près le contrat de location signé le 1er janvier 2001 entre Sauge ltée et Voitures neuves et usagées Pétunia ltée, j'en suis arrivé à la conclusion que la Shirk doit être portée au bilan, car la durée du bail (50 mois) est supérieure à 75 % de la durée de vie utile du bien (60 mois).

J'ai conseillé au client de porter au bilan ce contrat de location à la valeur actualisée des loyers minimaux prévus: 7 055 $ (valeur actualisée des loyers mensuels) plus 669 $ (valeur actualisée de la valeur résiduelle garantie). Je recommande de passer l'écriture suivante:

Automobile louée en vertu d'un contrat de location-acquisition	7 724	
Obligations locatives		7 724

Pour comptabiliser les versements de la première année ainsi que pour rectifier une erreur découverte dans les comptes de l'entité, j'ai conseillé au client de passer l'écriture suivante:

Obligations locatives	1 303	
Intérêts débiteurs	857	
Charge locative		2 160

Finalement, cette Shirk doit être amortie sur la durée du bail. Avec l'amortissement linéaire, j'ai calculé un amortissement mensuel de 132,48 $ (le montant porté au bilan, 7 724 $, moins la valeur résiduelle garantie, 1 100 $, divisé par la durée du bail de 50 mois). Je conseille au client de passer l'écriture suivante pour inscrire l'amortissement de 2001:

Charge d'amortissement – automobile louée	1 590	
Amortissement cumulé – automobile louée		1 590

Si vous désirez obtenir des précisions à ce sujet, n'hésitez pas à communiquer avec moi.

Le chef de mission,

(Signature)
[Votre nom]

Problème 3-17

a) Le contrat couvre la totalité de la durée économique (durée du bail, 10 ans; durée économique, 10 ans), et la valeur actualisée des paiements minimaux exigibles couvre la totalité de la juste valeur du bien loué. De plus, le recouvrement des loyers est raisonnablement assuré, et il ne subsiste aucune incertitude importante quant aux frais qu'aurait encore à engager le bailleur. Pour le preneur, il s'agit donc d'un contrat de location-acquisition, et, pour le bailleur, il s'agit d'un contrat de location-financement (puisque le coût se rapproche de la juste valeur).

Dans le cas d'un contrat de location-acquisition, le preneur traite l'opération de location comme un achat à tempérament. Par conséquent, le preneur: 1) inscrit le bien et l'obligation correspondante dans ses comptes; 2) comptabilise l'amortissement du bien; 3) constate progressivement des intérêts débiteurs calculés sur le solde restant de l'obligation locative; 4) diminue l'obligation locative lors du versement de loyer.

Lorsqu'il s'agit d'un contrat de location-financement, le bailleur remplace le bien loué par un compte Créances locatives. Les créances locatives sont comptabilisées à leur montant brut, c'est-à-dire d'après la somme des paiements minimaux exigibles (à l'exclusion des frais accessoires et de l'élément de bénéfice qui y est inclus), à laquelle s'ajoute la valeur résiduelle non garantie qui revient au bailleur. La différence entre l'investissement brut (les créances locatives) et le coût du bien ou sa valeur comptable pour le bailleur est inscrite comme produits financiers non acquis, que l'on amortit dans les produits d'intérêt sur la durée du bail en appliquant la méthode de l'intérêt réel.

b) Écritures de journal du preneur et du bailleur – 2001

Écritures de journal du preneur

1er janvier 2001

Matériel loué	185 000[a]	
Obligations locatives		185 000

a. On utilise la juste valeur du matériel parce qu'elle est moins élevée que la valeur actualisée (la différence est attribuable à l'arrondissement), puisque le taux d'intérêt marginal égale le taux implicite du bail:

25 250 $ × 6,99525	=	176 630,06 $
20 000 $ × 0,42241	=	8 448,20
		185 078,26 $

	Débit	Crédit
Obligations locatives	25 250	
Caisse		25 250
31 décembre 2001		
Intérêts débiteurs	14 385	
Intérêts à payer [(185 078 $ – 25 250 $) × 0,09]		14 385
Amortissement – matériel loué	16 500	
Amortissement cumulé – matériel loué [(185 000 $ – 20 000 $) ÷ 10]		16 500

Écritures de journal du bailleur

	Débit	Crédit
Créances locatives	272 500[a]	
Matériel		185 078
Produits financiers non acquis		87 422

a 252 500 $ = 10 × 25 250 $; on ajoute 20 000 $ pour la valeur résiduelle.

	Débit	Crédit
Caisse	25 250	
Créances locatives		25 250
Produits financiers non acquis – contrat de location	14 385	
Produits financiers – contrat de location		14 385

c) À la fois pour la situation 1 et la situation 2, le montant à porter au bilan s'élèverait à 176 630 $ parce que le preneur ne serait pas tenu de payer la valeur résiduelle.

d) À la fois pour la situation 1 et la situation 2, le montant à inscrire comme investissement net s'élèverait à 185 078 $, du fait qu'il existe une valeur résiduelle, qu'elle soit garantie ou non.

e) La valeur résiduelle du bien après 10 ans devrait être de 68 682 $ (20 000 $ de cette valeur garantie par le preneur et 48 682 $ par un tiers) pour que le bail soit classé comme une location-exploitation. Ainsi, si le preneur conserve les mêmes paiements minimaux exigibles dont la valeur actualisée est de 185 078 $, la juste valeur du bien doit dorénavant s'élever à au moins 205 642 $. La valeur actualisée de la valeur résiduelle garantie par un tiers s'élèvera donc à 20 564 $ (205 642 $ - 185 078 $) et sa valeur future pour 10 paiements à 9 % à 48 682 $.

DURÉES ET OBJECTIFS DES ÉTUDES DE CAS

Étude de cas 3-1 (15-20 minutes)

Objectif – Permettre à l'étudiant de comprendre les raisons qui justifient le fait de porter certains contrats de location au bilan du preneur. De plus, l'étudiant doit expliquer le traitement comptable qu'il faut appliquer à un contrat de location acquisition à la date d'entrée en vigueur du bail. Il doit expliquer comment on calcule les charges incombant au preneur pour le premier exercice et présenter le contrat de location dans le bilan de clôture de ce même exercice.

Étude de cas 3-2 (25-30 minutes)

Objectif – Permettre à l'étudiant de comprendre les concepts qui sous-tendent la comptabilisation d'un contrat de location, tant du point de vue du preneur que de celui du bailleur. On demande à l'étudiant de déterminer, à la fois pour le bailleur et pour le preneur, le classement du bail, le traitement comptable qu'il faut appliquer à ce contrat ainsi que les informations à fournir dans leurs états financiers respectifs.

Étude de cas 3-3 (15-20 minutes)

Objectif – Permettre à l'étudiant de comprendre le classement qu'il s'agit d'adopter pour trois contrats de location. L'étudiant doit déterminer de quelle façon le preneur doit classer chaque contrat, le montant que le preneur doit inscrire au passif à la date d'entrée en vigueur de chaque bail et de quelle façon le preneur devra inscrire chaque versement de loyer pour chacun des contrats.

Étude de cas 3-4 (15-20 minutes)

Objectif – Permettre à l'étudiant de décrire: a) la comptabilisation d'un contrat de location-acquisition et b) la comptabilisation d'un contrat de location-exploitation, à la date d'entrée en vigueur du bail ainsi que durant le premier exercice. On demande également à l'étudiant de comparer un contrat de location-vente et un contrat de location-financement.

Étude de cas 3-5 (20-30 minutes)

Objectif – Donner à l'étudiant l'occasion de travailler sur un contrat de location comprenant une option d'achat à prix de faveur. On lui demande de calculer les montants qui devront être inscrits dans les comptes du preneur à la date d'entrée en vigueur du contrat et ensuite de présenter celui-ci dans les états financiers du preneur à la clôture du premier exercice.

Étude de cas 3-6 (15-25 minutes)

Objectif – Permettre à l'étudiant de discuter de la théorie concernant les contrats de location-acquisition. De plus, l'étudiant devra discuter du traitement comptable à appliquer aux opérations de cession-bail.

Étude de cas 3-7 (20-25 minutes)

Objectif – Permettre à l'étudiant d'appliquer les critères concernant les opérations de cession-bail et de discuter de la façon de comptabiliser cette opération.

SOLUTIONS DES ÉTUDES DE CAS

Étude de cas 3-1

a) Lorsqu'un contrat de location transfère au preneur tous les avantages et risques inhérents à la propriété du bien, le preneur doit porter le bien loué à son bilan. À bien des égards, l'incidence économique d'un tel contrat ressemble à celle d'un achat à tempérament.

b) À la date d'entrée en vigueur du bail, la société Azalée ltée doit comptabiliser le contrat de location en portant le bien loué à l'actif et l'obligation correspondante au passif de son bilan, selon un montant correspondant à la valeur actualisée des paiements minimaux exigibles sur la durée du bail, à l'exclusion de la partie de ces paiements ayant trait aux frais accessoires qui y serait incluse. Cependant, si le montant ainsi établi était plus élevé que la juste valeur de la machine à la date d'entrée en vigueur du bail, c'est la juste valeur de la machine qu'il faudrait inscrire dans l'actif et le passif.

c) Azalée ltée inscrira une charge d'intérêts égale au taux d'intérêt utilisé pour porter au bilan le contrat de location à sa date d'entrée en vigueur, multiplié par la valeur actualisée de l'obligation locative à cette date.

En outre, Azalée ltée devra inscrire un amortissement relatif au bien loué porté à son bilan. La dotation à l'amortissement portée à l'état des résultats sera calculée sur la base de la durée économique estimative du bien loué, et la méthode d'amortissement utilisée devra être cohérente avec les politiques d'amortissement d'Azalée ltée pour ses immobilisations corporelles.

d) L'actif loué porté au bilan et l'amortissement cumulé correspondant devront être classés dans l'actif à long terme d'Azalée ltée au 31 décembre 2001 et devront être présentés distinctement dans le bilan ou dans les notes complémentaires. L'obligation locative devra être classée à la fois dans le passif à court terme et dans le passif à long terme du bilan au 31 décembre 2001.

Étude de cas 3-2

a) 1. Puisque la valeur actualisée des paiements minimaux exigibles est plus élevée que 90 % de la juste valeur du bien à la date d'entrée en vigueur du bail, la société Auriculaire ltée a conclu un contrat de location-acquisition.

2. Puisque les données indiquent qu'Auriculaire ltée (le preneur) n'a pas accès à l'information qui lui permettrait de déterminer le taux implicite du bail qu'utilise la société Locatout ltée, elle devra déterminer la valeur actualisée des paiements minimaux exigibles en utilisant comme taux d'actualisation son taux marginal d'emprunt, soit 16 %. Cela correspond au taux d'intérêt qu'Auriculaire ltée devrait verser pour un emprunt similaire normalement négocié auprès d'un tiers (une banque ou un autre service de financement direct).

3. Le montant porté à l'actif du bilan d'Auriculaire ltée doit être présenté dans la section des immobilisations corporelles, sous la rubrique Matériel loué ou une rubrique similaire. Au même moment, on doit inscrire une dette correspondante évaluée au même montant (sous Obligation locative). Cette dette doit être classée à la fois dans le court et le long terme, la portion à court terme correspondant au montant de la dette qui sera remboursé au cours de l'exercice suivant. On rapproche le coût de la location des produits qu'en retire la société, en amortissant la machine sur la durée du bail. Puisque la propriété de la machine n'est pas expressément transférée à Auriculaire ltée selon les termes du bail à sa date d'entrée en vigueur, la durée du bail constitue la durée qu'il est approprié d'utiliser pour calculer l'amortissement de la machine louée. Les paiements minimaux de loyer constituent à la fois un remboursement de principal et un montant d'intérêts à chaque date de versement de loyer. On calcule l'intérêt en appliquant au solde décroissant de la dette le taux utilisé pour actualiser les paiements minimaux exigibles en vertu du bail. Les frais accessoires (tels que l'assurance, l'entretien et les impôts) que paie Auriculaire ltée

seront portés à un compte de charges, de charges à payer ou de charges payées d'avance, selon qu'ils sont engagés ou payés.

4. Pour ce contrat, Auriculaire ltée doit présenter dans les notes complémentaires le total des paiements minimaux futurs en vertu du bail ainsi que le montant relatif à chacun des exercices futurs (sans dépasser cinq exercices). Il faut déduire séparément le montant total de l'intérêt théorique nécessaire pour réduire les paiements minimaux nets à la valeur actualisée de la dette (telle qu'elle est indiquée dans le passif du bilan). Elle doit aussi présenter la méthode et la durée d'amortissement du bien loué dans les notes complémentaires.

b) 1. Selon les données fournies, Locatout ltée a conclu un contrat de location-financement. L'opération ne comprend pas de profit attribuable à la cession de la machine, Locatout ltée n'en est ni le fabricant ni le distributeur, la valeur actualisée des paiements minimaux exigibles est supérieure à 90 % de la juste valeur du bien à la date d'entrée en vigueur du bail, le recouvrement des loyers est raisonnablement certain, et il n'existe pas d'incertitudes importantes quant aux coûts non remboursables que le bailleur pourrait avoir à engager.

2. Locatout ltée devra inscrire le montant des paiements minimaux exigibles en vertu du bail et la valeur résiduelle non garantie de la machine à la fin du bail en tant que créances locatives, et devra retirer la machine de ses comptes en portant au crédit le compte d'actif correspondant. Elle devra inscrire la différence comme produits financiers non acquis.

3. Pendant la durée du bail, Locatout ltée devra inscrire l'encaissement des loyers en déduction des créances locatives. Elle calculera les produits financiers non acquis à constater en appliquant le taux d'intérêt implicite du bailleur au solde décroissant de l'investissement net. Ce taux correspond au taux d'actualisation qu'il faut appliquer à la valeur résiduelle non garantie qui revient au bailleur et aux paiements minimaux exigibles pour que la valeur actualisée globale soit égale à la juste valeur du bien loué à la date d'entrée en vigueur du bail. Cette méthode de constatation des intérêts est appelée «méthode de l'intérêt réel». Dans ce cas, Locatout ltée appliquera le taux d'intérêt implicite de 14 %.

4. Relativement à ce contrat de location, Locatout doit fournir dans ses notes complémentaires les informations suivantes:

- Les composantes de l'investissement net restant dans le contrat de location-financement à la date du dernier bilan présenté, c'est-à-dire: 1) le solde restant des paiements minimaux exigibles en vertu du bail; 2) toute valeur résiduelle non garantie revenant au bailleur; 3) le solde des produits financiers non acquis.

- Les paiements minimaux futurs à recevoir pour chacun des exercices restants (sans dépasser cinq exercices), à la date du dernier bilan présenté.

Étude de cas 3-3

a) Il faut comptabiliser un bail comme un contrat de location-acquisition lorsque tous les avantages et les risques inhérents à la propriété du bien loué sont transférés au preneur. Cela peut se produire lorsqu'un bail satisfait au moins à un des trois critères qu'a établis la profession comptable pour le classer comme un contrat de location.

Le bail J doit être classé comme un contrat de location-acquisition parce que la durée du bail est égale à 80 % de la durée économique estimative du matériel, ce qui dépasse le critère du 75 % ou plus. Le bail K doit être classé comme un contrat de location-acquisition parce qu'il prévoit une option d'achat à prix de faveur. Le bail L doit être classé comme un contrat de location-exploitation parce qu'il ne satisfait à aucun des trois critères qui permettraient de le classer comme un contrat de location-acquisition.

b) Pour le bail J, la société Muguet ltée doit inscrire un passif à la date d'entrée en vigueur du bail, pour un montant égal à la valeur actualisée des paiements minimaux exigibles sur la durée du bail. Ce montant ne comprendra pas la portion des paiements relative aux frais accessoires tels l'assurance, l'entretien et les taxes que doit payer le preneur. Cependant, si le montant ainsi établi est plus élevé que la juste valeur du matériel à la date d'entrée en vigueur du bail, Muguet ltée devra inscrire le montant de la juste valeur.

Pour le bail K, la société Muguet ltée doit inscrire un passif à la date d'entrée en vigueur du bail. Muguet ltée déterminera le montant de ce passif ainsi qu'on l'a vu pour le bail J, en incluant cette fois-ci le prix d'exercice de l'option d'achat à prix de faveur dans les paiements minimaux exigibles. Le montant du passif qu'elle obtiendra de la sorte devrait être égal à la juste valeur de marché du bien loué.

Pour le bail L, Muguet ltée n'inscrira pas de passif à la date d'entrée en vigueur du bail.

c) Pour les baux J et K, Muguet ltée doit répartir chaque versement de loyer entre la réduction du passif et la charge d'intérêts de façon à établir un taux d'intérêt constant sur le solde du passif. Pour le bail L, la société doit porter chaque versement de loyer en résultats lorsqu'ils sont dus.

Étude de cas 3-4

Première partie

a) Un preneur comptabilise un contrat de location-acquisition en inscrivant un actif et un passif dans ses comptes à la date d'entrée en vigueur du bail. Il doit répartir les versements de loyer de l'exercice entre la réduction de l'obligation locative et une charge d'intérêts. Enfin, il doit amortir l'actif de manière cohérente, c'est-à-dire selon ses politiques habituelles d'amortissement des immobilisations corporelles, sauf dans certaines circonstances où la durée de l'amortissement correspondra à celle de la durée du bail.

b) On n'inscrit ni actif ni obligation à la date d'entrée en vigueur du bail. Habituellement, dans un contrat de location-exploitation, on porte les loyers en charges sur la durée du bail lorsqu'ils viennent à échéance. Si les versements de loyers ne se font pas de façon égale, on constatera quand même une charge égale de loyer, à moins qu'une autre façon de procéder soit plus représentative du rythme selon lequel le preneur tire avantage du bien loué; dans ce cas, c'est ce rythme qu'il conviendrait d'adopter.

Deuxième partie

a) L'investissement brut dans un contrat de location est le même, qu'il s'agisse d'un contrat de location-financement ou d'un contrat de location-vente. Il correspond aux paiements minimaux exigibles en vertu du bail (à l'exclusion des frais accessoires, tels l'entretien, les taxes et l'assurance à la charge du preneur, qui pourraient y être inclus), auxquels s'ajoute la valeur résiduelle non garantie revenant au bailleur.

b) Tant pour les contrats de location-vente que pour les contrats de location-financement, les produits financiers non acquis doivent être constatés sur la durée du bail selon la méthode de l'intérêt réel, de façon à appliquer un taux de rendement constant à l'investissement net en vertu du bail. Cependant, on peut utiliser d'autres méthodes de constatation des produits si les résultats qu'on obtient par ces méthodes ne sont pas sensiblement différents de ceux qu'on obtient au moyen de la méthode de l'intérêt réel.

c) Dans un contrat de location-vente, l'excédent du prix de vente sur le prix coûtant du bien loué est considéré comme le bénéfice revenant au fabricant ou au distributeur, et doit être inclus dans le bénéfice de l'exercice au cours duquel on inscrit l'opération de location.

Dans un contrat de location-financement, il n'y a pas de bénéfice du fabricant ou du distributeur. Le bénéfice sur l'opération de location se compose uniquement de produits financiers.

Étude de cas 3-5

a) À la date d'entrée en vigueur du bail, pour la location de l'avion, la société Crocus ltée devra inscrire 900 000 $ dans son bilan, soit la juste valeur de l'avion. Dans ce cas, la juste valeur est moins élevée que la valeur actualisée des versements nets de loyer plus l'option d'achat (920 000 $). Lorsqu'une telle situation se présente, on inscrit l'actif à sa juste valeur de marché.

b) Le contrat de location de l'avion sera présenté de la façon suivante dans le bilan de la société Crocus ltée:

Actifs à long terme	
Avion loué en vertu d'un contrat de location-acquisition (note 1)	1 000 000 $
Moins: Amortissement cumulé	61 667
	938 333 $
Passifs à court terme	
Obligation locative	45 160 $
Intérêts à payer	78 840
	124 000 $
Passif à long terme	
Obligation locative (note 2)	954 840 $
Moins: Portion à court terme	124 000
Portion à long terme	830 840 $

Les éléments suivants, relatifs à la location de l'avion, devront être présentés dans l'état des résultats de Crocus ltée:

Amortissement (note 1)	61 667 $
Intérêts débiteurs (note 2)	78 840
Frais d'entretien	6 200
Assurance et impôts fonciers	3 600

Notes complémentaires

Note 1

La société a loué un avion bimoteur turbopropulsé Viking. Le bail est en vigueur jusqu'au 31 décembre 2010. Le loyer annuel doit être versé le 1er janvier de chaque année et s'élève à 127 600 $, dont 3 600 $ sont affectés à l'assurance et aux impôts fonciers. L'avion est amorti de façon linéaire sur la durée économique du bien. L'amortissement de l'avion inclus dans les charges d'amortissement de l'exercice ainsi que l'amortissement cumulé s'élèvent à 61 667 $.

Note 2

Les paiements minimums exigibles au cours des exercices à venir en vertu du contrat de location-acquisition expirant le 31 décembre 2010 et le solde de l'obligation découlant de ce contrat de location s'élèvent à:

Exercice se terminant le 31 décembre	
2002	124 000 $
2003	124 000
2004	124 000
2005	124 000
2006	124 000
Par la suite	496 000
Total des paiements minimums exigibles	1 116 000
Moins: Montant représentant les intérêts calculés à 9 %	
[((124 000 $ × 10) – 1 000 000 $) – 78 840 $]	161 160
Solde de l'obligation	954 840 $

Calculs:

Calcul de l'amortissement annuel

Montant porté au bilan	1 000 000
Valeur résiduelle de l'avion après 15 ans	75 000
	925 000 $
Durée économique de l'avion	÷ 15 ans
Amortissement annuel	61 667 $

Calcul des intérêts débiteurs et du solde de l'obligation

Obligation locative au 1er janvier 2001	1 000 000 $
Versement de loyer le 1er janvier 2001	124 000
Obligation locative au 31 décembre 2001	876 000
Intérêts courus au 31 décembre 2001 (876 000 $ × 0,09)	78 840
Solde de l'obligation locative au 31 décembre 2001	954 840 $

*Étude de cas 3-6

a) Pour le preneur, l'effet économique à long terme d'un contrat de location-acquisition est similaire à celui d'un achat à tempérament. En effet, ce type de contrat transfère au preneur, en grande partie, tous les avantages et les risques inhérents au droit de propriété. Par conséquent, le contrat de location doit être porté au bilan.

b) 1. Au 1er janvier 2001, Spirée ltée devra comptabiliser la cession-bail en inscrivant le prix de vente reçu au compte Caisse, en diminuant le compte Matériel d'un montant correspondant au coût non amorti (valeur comptable nette) du matériel et en établissant un profit reporté sur la cession-bail équivalant à l'excédent du prix de vente de l'équipement sur son coût non amorti (valeur comptable nette).

2. Au 1er janvier 2001, la société Spirée devra comptabiliser la partie location du contrat de cession-bail en inscrivant à la fois un actif et un passif d'un montant égal à la valeur actualisée des paiements minimaux exigibles pendant la durée du bail, à l'exclusion de tout versement représentant les frais accessoires, s'il y a lieu. Toutefois, si la valeur ainsi obtenue excède la juste valeur du matériel loué à la signature du bail, le montant porté à l'actif et au passif devra correspondre à la juste valeur du matériel.

c) Le profit reporté doit être amorti sur la durée du bail ou sur la durée de vie utile du bien, selon la méthode qui s'avère la plus appropriée. Au cours de la première année du contrat de location, le montant du profit résultant de la vente sera proportionnel à l'amortissement du bien. On doit ainsi différer et amortir le profit sur la cession du bien parce que la cession et la reprise à bail sont les deux composantes d'une même opération, et non deux opérations distinctes. Vu l'interdépendance de la partie cession et de la partie reprise à bail du contrat, le profit sur la cession des actifs immobilisés doit être différé et amorti sur la durée du bail.

*Étude de cas 3-7

a) 1. On compare la juste valeur du matériel à la valeur actualisée des loyers, ainsi que la durée de vie utile du matériel à la durée du bail, pour déterminer si le bail équivaut à une vente à tempérament et, par conséquent, s'il s'agit d'une location-acquisition.

2. Un contrat de location est classé comme une location-acquisition s'il satisfait, à la date d'entrée en vigueur du bail, à l'un ou l'autre des critères que nous avons étudiés dans ce chapitre. Dans le cas présent, étant donné que le contrat de location ne prévoit aucune reprise de possession du matériel par Salicaire ltée, il ne satisfait donc pas au critère de transfert du droit de propriété à la fin du contrat de

location. D'autre part, les loyers de Salicaire ltée, dont la valeur actualisée équivaut à 85 % de la juste valeur du matériel, ne satisfont pas au critère de la valeur actualisée égale ou excédant 90 % de la juste valeur du matériel. En revanche, puisque la durée du contrat de location correspond à 80 % de la durée de vie utile estimative du matériel, ce qui excède le critère exigeant une durée représentant au minimum 75 % de la durée de vie utile du matériel, Salicaire ltée classera ce contrat de location comme une location-acquisition.

b) Au 31 décembre 2001, Salicaire ltée doit comptabiliser la cession-bail en inscrivant le prix de vente reçu au compte Caisse, en diminuant le compte Matériel d'un montant équivalant à la valeur comptable nette du matériel et en constatant une perte sur cession pour un montant correspondant à l'excédent de la valeur comptable du matériel sur le prix de vente.

c) Dans son bilan du 31 décembre 2002, Salicaire ltée doit présenter le matériel à titre d'immobilisation louée à la valeur actualisée des loyers inscrite dans le bilan du 31 décembre 2001, moins l'amortissement pour 2002.

Dans le bilan du 31 décembre 2002, l'obligation locative sera égale à la valeur actualisée des loyers inscrite dans le bilan du 31 décembre 2001, moins le capital remboursé au 31 décembre 2002. Le montant à rembourser en 2003 sera inscrit dans le passif à court terme, et le solde de l'obligation locative sera présenté dans le passif à long terme.

EXERCEZ VOTRE JUGEMENT

PROBLÈME DE COMPTABILITÉ: LA SOCIÉTÉ NESTLÉ

a) Dans les notes complémentaires, Nestlé a indiqué que la valeur comptable nette des immobilisations louées en vertu de contrats de crédit-bail s'élève à 313 millions de francs suisses au 31 décembre 2001 et à 255 millions de francs suisses au 31 décembre 2000.

b) Nestlé a inscrit une charge locative de 450 millions de francs suisses en 2001 et de 362 millions de francs suisses en 2000.

c) Voici les engagements minimaux annuels de loyer en vertu de contrats de location-exploitation et de contrats de location-acquisition que présente Nestlé au 31 décembre 2001 et 2000:

(Tous les chiffres sont en millions de francs suisses)

	2001		**2000**	
	Exploitation	Acquisition	Exploitation	Acquisition
Au cours de la 1re année	390	78	346	24
Au cours de la 2e année	348	75	291	33
Au cours de la 3e jusqu'à la 5e année	746	113	648	177
Au-delà de la 5e année	1 278	149	1 196	43
	2 762	415	2 481	277

On peut en conclure que les engagements de loyers en vertu de contrats de location-exploitation sont au moins cinq fois plus importants que les engagements en vertu de contrats de location-acquisition et que la valeur des immobilisations louées en vertu de contrats de location-exploitation doit être d'au moins 1 565 millions de francs suisses au 31 décembre 2001 (313 millions × 5), valeur qui est relativement importante par rapport à la valeur nette des immobilisations au 31 décembre 2001.

ANALYSE COMPARATIVE

a) Air Canada loue 9 avions et de l'équipement informatique en vertu de contrats de location-acquisition et plusieurs avions en vertu de contrats de location-exploitation. Southwest Airlines loue 92 avions et la majorité de ses terminaux (installations permettant d'accueillir les passagers, de stocker et de traiter les marchandises, d'abriter les avions) en vertu de contrats de location-exploitation, et loue très peu d'avions en vertu de contrats de location-acquisition. UAL utilise pour sa part les contrats de location-exploitation autant pour les avions (300) que pour les terminaux de passagers et de cargos, les hangars, l'immobilier, l'équipement informatique, l'équipement de bureau et les véhicules. Elle ne loue que 69 avions en vertu de contrats de location-acquisition.

b) La durée des contrats de location d'UAL varie de 20 à 26 ans. La durée des contrats de location-acquisition d'Air Canada varie de 2 à 10 ans, mais celle des contrats de location-exploitation n'est pas spécifiquement mentionnée. Elle est sûrement plus courte que celle d'UAL si on se fie au montant des paiements minimaux exigibles après la 5e année. Southwest Airlines ne mentionne pas la durée de ses contrats de location, mais elle semble plus courte, et ce pour les mêmes raisons.

c) Les obligations locatives au 31 décembre 2001 s'élèvent à 460 millions de dollars canadiens pour Air Canada, à 109 millions de dollars américains pour Southwest Airlines et à 2 180 millions de dollars américains pour UAL.

d) La valeur comptable nette des immobilisations louées en vertu de contrats de location-acquisition se chiffre à 396 millions de dollars canadiens pour Air Canada, à 65 millions de dollars américains pour Southwest Airlines et à 2 294 millions de dollars américains pour UAL. La valeur comptable nette des immobilisations louées ne correspond pas au montant des obligations locatives puisque ces deux montants ne s'amortissement pas de la même façon. Ainsi, la valeur comptable des immobilisations diminue en fonction de l'amortissement des biens loués, alors que l'obligation locative diminue en fonction du remboursement du capital.

e) La charge locative des trois sociétés pour l'exercice 2001 s'élève à 959 millions de dollars canadiens pour Air Canada, à 192 millions de dollars américains pour Southwest Airlines et à 827 millions de dollars américains pour UAL.

f) Voici les engagements minimaux annuels de loyer en vertu de contrats de location-acquisition présentés par les trois transporteurs aériens au 31 décembre 2001 (en millions de $):

	Air Canada	**Southwest Airlines**	**UAL**
2002		17 USD	413 USD
2003		18	315
2004		18	323
2005		23	292
2006		13	317
Après 2006		65	1 501
Total	611 CAD	155 USD	3 161 USD
Moins: Montant représentant les intérêts	151	46	981
Obligations locatives au 2001-31-12	460 CAD	109 USD	2 180 USD

g) Voici les engagements minimaux annuels de loyer en vertu de contrats de location-exploitation que présentent les trois transporteurs aériens au 31 décembre 2001 (en millions de dollars):

	Air Canada	**Southwest Airlines**	**UAL**
2002	1 412 CAD	290 USD	1 580 USD
2003	1 315	275	1 572
2004	1 193	243	1 591
2005	1 003	217	1 593
2006	904	185	1 578
Après 2006	1 764	1 590	16 624
Total	7 591 CAD	2 800 USD	24 538 USD

La valeur actualisée des engagements de loyers d'Air Canada est mentionnée dans les notes complémentaires et se chiffre à environ 5 400 millions de dollars canadiens. Pour Southwest Airlines et UAL, on peut estimer cette valeur à 1 300 millions de dollars américains (i=8,7; n=10; PMT = 200 MUSD) et à 15 500 millions de dollars américains (i=8,75; n=23; PMT= 1 580 MUSD), respectivement.

h) Les engagements hors bilan liés aux contrats de location-exploitation des trois sociétés sont de 5 400 millions de dollars canadiens pour Air Canada, de 1 300 millions de dollars américains pour Southwest Airlines et de 15 500 millions de dollars américains pour UAL. Le fait de ne pas inscrire ces engagements dans le bilan a pour effet de sous-évaluer les passifs et les immobilisations de ces trois sociétés d'un montant équivalent, et conséquemment de sous-évaluer leur ratio d'endettement et leur ratio de rendement sur les actifs.

TRAVAIL DE RECHERCHE

Cas 1

a) L'actualisation des versements de loyers de l'année T + 1 à l'année T + 5 est simple. Toutefois, on doit poser certaines hypothèses afin d'actualiser les montants exigibles par la suite. Il est plus facile de supposer que ces loyers seront égaux pour la durée restante des contrats de location. On peut estimer cette durée restante en divisant le montant total exigible après cinq ans par le loyer prévu à l'année T + 5.

b) La réponse variera en fonction de l'entreprise qu'aura choisie l'étudiant.

*Cas 2

a) L'article cite les avantages suivants: 1) réduction ou élimination des titres d'emprunt à taux d'intérêt plus élevé; 2) augmentation de la capacité d'emprunt; 3) ressources additionnelles à investir dans les activités principales; 4) renforcement du bilan si la cession-bail est structurée comme une location-exploitation; 5) amélioration de la valeur nette de la société, des ratios d'endettement et de rendement sur les actifs ainsi que de la cote de crédit.

b) Le coût d'une location peut être inférieur de 1,5 % à celui d'un financement par emprunt à long terme.

c) Un contrat de cession-bail peut indiquer aux investisseurs que l'attention et les ressources de l'entreprise sont concentrées sur les activités principales.

d) Parmi les investisseurs potentiels, on trouve les compagnies d'assurances, les caisses de retraite, les investisseurs institutionnels ou privés, les investisseurs en capital de risque et les fonds de placement immobilier.

COMPTABILITÉ INTERNATIONALE

a) Pour le taux de rendement sur les actifs et le ratio d'endettement de chaque transporteur aérien, voir le tableau qui suit, en b).

American Airlines présente la plus forte rentabilité (taux de rendement sur les actifs de 4,71 %). Japan Airlines (JAL) présente un taux de rendement sur les actifs inférieur de 1 %. American Airlines présente également le plus faible niveau d'endettement (70,3 % de l'actif); KLM se situe à cet égard tout juste derrière (72,05 %), alors que plus de 90 % de l'actif de JAL est financé par emprunt.

b) Le fait de porter tous les contrats de location au bilan peut avoir divers effets sur le bénéfice. Pour American Airlines et KLM, l'effet de ces ajustements sur le bénéfice est peu important, tandis que, pour JAL, il est dramatique, probablement en raison de l'augmentation des intérêts débiteurs rattachés à ces contrats de location. Ainsi, JAL inscrit une perte d'opération après ces ajustements.

Inscrire tous les contrats de location au bilan a pour effet d'augmenter les actifs et les passifs, diminuant ainsi le taux de rendement sur les actifs. Par conséquent, les trois transporteurs aériens affichent un taux de rendement sur les actifs plus faible et un ratio d'endettement plus élevé après ajustements, même si le classement par ordre de grandeur demeure pratiquement inchangé. Il est à noter que le ratio d'endettement de la société American Airlines est toutefois plus élevé que celui de KLM, après ajustements.

American Airlines	KLM Royal	Japan Airlines

	(en millions de dollars)	(en millions de florins)	(en millions de yens)
Données telles que présentées:			
Actifs	20 915	19 205	2 042 761
Passifs	14 699	13 837	1 857 800
Bénéfices	985	606	4 619
Effet prévu de l'inscription au bilan des locations-exploitations sur les:			
Actifs	5 897	1 812	244 063
Passifs	6 886	1 776	265 103
Bénéfices	(143)	24	(9 598)
Ratios avant ajustements:			
Rendement sur les actifs	4,71 %	3,16 %	0,23 %
Ratio d'endettement	70,28 %	72,05 %	90,95 %
Données après ajustements:			
Actifs	26 812	21 017	2 286 824
Passifs	21 585	15 613	2 122 903
Bénéfices	842	630	(4 979)
Ratios après ajustements:			
Rendement sur les actifs	3,14 %	3,00 %	(0,22) %
Ratio d'endettement	80,50 %	74,29 %	92,83 %

c) Comme on l'a mentionné en b), l'effet de ne pas porter tous les contrats de location au bilan se fait sentir à la fois sur le bénéfice et sur le bilan. Alors que l'effet sur le bénéfice (numérateur du taux de rendement sur les actifs) peut être faible, l'effet sur les actifs (dénominateur du taux de rendement sur les actifs) peut produire une surévaluation importante du taux de rendement sur les actifs. Par exemple, même si le bénéfice après ajustements de KLM est plus élevé, l'augmentation de l'actif entraîne un taux de rendement sur les actifs plus bas après ajustements.

d) Comme la comptabilisation des contrats de location diffère peu d'un pays à l'autre, les normes comptables permettent aux entreprises de la plupart des pays d'éviter d'inscrire les contrats de location au bilan. Toutefois, comme l'indique l'analyse à laquelle nous venons de nous livrer, de telles similitudes dans cette comptabilisation «fautive» nuisent à la comparabilité. Il est à noter que les ajustements visant à mettre ces entreprises sur un même pied ont des effets différents sur les états financiers de celles-ci. Par conséquent, la clé de l'harmonisation des normes comptables dans ce domaine tient à la production d'une information comparable tant pour la comptabilisation des contrats de location que pour celle des achats à tempérament par des entreprises de pays différents.

PROBLÈME DE DÉONTOLOGIE

a) Les considérations éthiques en jeu ont trait à la fidélité et à l'intégrité de l'information financière par opposition à une déclaration de bénéfices et à la présentation d'états financiers potentiellement trompeurs. D'une part, si Catherine Balisier peut justifier sa position, il est possible que le contrat soit considéré comme une location-exploitation. D'autre part, si elle ne peut pas ou ne veut pas étayer sa position, elle pourrait être accusée de manipulation des états financiers, notamment pour éviter les conséquences négatives de certaines clauses restrictives ou d'un niveau d'endettement trop élevé.

b) Si Catherine Balisier ne possède aucune expertise particulière en matière de photocopieurs, elle ne peut justifier rationnellement sa suggestion. En revanche, si elle possède une telle expertise, sa suggestion peut s'avérer tout à fait logique et ne pas représenter un simple moyen de manipuler le bilan et d'éviter ainsi l'inscription d'un passif.

c) Jacques Viola doit déterminer s'il s'agit d'une divergence d'opinions légitime relevant du jugement professionnel ou si Catherine Balisier tente de l'induire en erreur. Il doit choisir entre contester la position de Catherine Balisier ou tout simplement l'accepter. Il doit évaluer les conséquences des deux possibilités.

CHAPITRE 4 LES MODIFICATIONS COMPTABLES ET L'ANALYSE D'ERREURS COMPTABLES

CLASSEMENT DES TRAVAUX

	Sujets	Questions	Exercices courts	Exercices	Problèmes	Études de cas
1.	Notions générales sur les modifications comptables	1, 3, 4, 5, 6			12	1, 2, 3, 4, 5, 6
2.	Différences entre les changements de méthodes comptables, les révisions d'estimations comptables et les modifications du périmètre de consolidation	2, 7, 8, 9, 10, 11, 12, 13, 14			3, 7	
3.	Modifications comptables					
	a) Synthèse			1, 2, 4, 5	1, 2, 3	
	b) Révisions d'estimations comptables		1, 2, 4	2, 3, 4, 18	1, 2, 3, 5, 7, 10	
	c) Changement de méthode d'amortissement	8	1, 2	1, 2, 3, 5, 6, 11, 18	1, 2, 3, 5, 7	
	d) Changement de méthode de comptabilisation des contrats de construction à long terme			7	7	
	e) Changement de méthode d'évaluation des stocks		3	8, 9	3, 4	
4.	Corrections d'erreurs					
	a) Synthèse	15, 16, 18, 20	7	10, 12, 15, 16, 17, 18	3, 6, 7, 8, 9, 10, 11, 12	
	b) Amortissement	19, 21, 22	5, 6	1, 13, 14	1, 2	
	c) Stocks	17		11, 13		
*5.	Abandon et adoption de la méthode de comptabilisation à la valeur de consolidation (ou méthode de la mise en équivalence)		8, 9	19, 20	13, 14	

***Note**: Ce sujet se rapporte à la matière vue dans l'annexe de ce chapitre.

CARACTÉRISTIQUES DES TRAVAUX

Numéro	Description	Degré de difficulté	Durée (minutes)
E4-1	Erreur comptable et révision d'estimation comptable – méthode d'amortissement des immobilisations	Facile	15-20
E4-2	Révisions d'estimations comptables – méthodes d'amortissement des immobilisations	Facile	25-30
E4-3	Révisions d'estimations comptables – méthodes d'amortissement des immobilisations)	Facile	20-25
E4-4	Révision d'estimation comptable	Facile	10-15
E4-5	Révision d'estimations comptables – méthode d'amortissement des immobilisations	Facile	20-25
E4-6	Révision d'estimation comptable – méthode d'amortissement	Modéré	10-15
E4-7	Changement de méthode comptable – contrats à long terme	Facile	10-15
E4-8	Changement de méthode comptable – méthode d'évaluation des stocks	Modéré	15-20
E4-9	Changement de méthode comptable – méthode d'évaluation des stocks	Facile	15-20
E4-10	Écritures de correction d'erreurs comptables	Facile	15-20
E4-11	Révision d'estimations comptables et corrections d'erreurs comptables – présentation des états financiers	Modéré	20-25
E4-12	Analyse d'erreurs comptables et écritures de correction	Facile	10-15
E4-13	Analyse d'erreurs comptables et écritures de correction	Facile	10-15
E4-14	Analyse d'erreurs comptables	Modéré	25-30
E4-15	Analyse d'erreurs comptables et écritures de correction	Facile	20-25
E4-16	Analyse d'erreurs comptables	Modéré	20-25
E4-17	Analyse d'erreurs comptables	Modéré	10-15
E4-18	Comptabilisation des changements de méthodes comptables et corrections d'erreurs comptables	Facile	5-10
*E4-19	Passage de la comptabilisation à la juste valeur à la comptabilisation à la valeur de consolidation	Modéré	15-20
*E4-20	Passage de la comptabilisation à la valeur de consolidation à la comptabilisation à la juste valeur	Difficile	20-25
P4-1	Révisions d'estimations comptables et correction d'erreurs comptables	Modéré	15-20
P4-2	Révisions d'estimations comptables et analyse d'erreurs comptables	Modéré	30-40
P4-3	Changement de méthodes comptables et analyse d'erreurs comptables	Modéré	20-25
P4-4	Changements de méthodes comptables – de la méthode PEPS à celle du coût moyen; préparation d'états financiers	Modéré	30-40
P4-5	Effet sur les états financiers de changements de méthodes d'amortissement et de révision d'estimations comptables	Difficile	40-45
P4-6	Corrections d'erreurs comptables	Modéré	30-35

P4-7	Révision d'estimations comptables, changement de méthode comptable et corrections d'erreurs comptables	Modéré	15-20
P4-8	Analyse d'erreurs comptables	Modéré	20-25
P4-9	Analyse d'erreurs comptables	Modéré	20-25
P4-10	Analyse d'erreurs comptables et écritures de correction	Modéré	45-50
P4-11	Analyse d'erreurs comptables et écritures de correction	Difficile	45-50
P4-12	Changement de méthode comptable	Modéré	25-30
*P4-13	Passage de la méthode de la comptabilisation à la juste valeur à la méthode de la comptabilisation à la valeur de consolidation avec écart d'acquisition	Modéré	20-25
*P4-14	Passage de la comptabilisation à la juste valeur à la comptabilisation à la valeur de consolidation	Difficile	25-30
C4-1	Analyse de changements de méthodes comptables, de révisions d'estimations comptables et d'erreurs comptables	Modéré	25-35
C4-2	Analyse de changements de méthodes comptables, de révisions d'estimations comptables et d'erreurs comptables	Modéré	20-30
C4-3	Analyse de révisions d'estimations comptables et d'erreurs comptables	Modéré	30-35
C4-4	Analyse de changements de méthodes comptables, de révisions d'estimations comptables et d'erreurs comptables	Modéré	20-30
C4-5	Changements de méthodes comptables et analyse d'erreurs comptables	Modéré	25-35
C4-6	Révisions d'estimations comptables et modification du périmètre de consolidation	Modéré	20-30

***Note**: Les exercices, problèmes ou études de cas précédés d'un astérisque se rapportent à la matière vue dans l'annexe de ce chapitre.

RÉPONSES AUX QUESTIONS

1. Voici les principales raisons qui poussent les entreprises à changer de méthodes comptables:

   a) la volonté de paraître plus rentable;

   b) la volonté d'augmenter les flux de trésorerie en diminuant les impôts;

   c) l'obligation de se conformer aux normes comptables canadiennes visant à modifier les méthodes comptables;

   d) la volonté de se conformer aux pratiques d'un secteur d'activité;

   e) le désir de présenter une meilleure mesure du chiffre de bénéfice.

2. a) Comme une révision d'estimations comptables; on calculera la charge d'amortissement de l'exercice à partir de la valeur comptable nette des actifs au début de la période en appliquant la nouvelle méthode d'amortissement.

   b) Comme un changement de méthode comptable; il faut redresser les états financiers de tous les exercices antérieurs touchés, dans la mesure où les données ne sont pas trop difficiles ou trop coûteuses à obtenir.

   c) Comme une correction d'erreur; il faut redresser les états financiers de tous les exercices antérieurs touchés.

   d) À porter en résultats; il pourrait être présenté séparément. Il pourrait aussi être imputé aux exercices antérieurs par redressement du solde d'ouverture des bénéfices non répartis, si tel est le choix de la société dans l'exercice au cours duquel cet événement survient, et si de tels litiges sont peu fréquents pour la société et que le montant en question est important.

   e) Comme une révision d'estimations comptables; il faut ajuster le bénéfice de l'exercice et ceux des exercices suivants. Cet élément fait partie des activités d'exploitation présentées dans l'état des résultats.

   f) À porter en résultats; il pourrait être présenté séparément.

   g) Comme un changement de méthode comptable; il faudrait redresser les états financiers de tous les exercices antérieurs touchés.

3. L'application rétrospective d'un changement de méthodes comptables avec retraitement des états financiers des exercices antérieurs présente les avantages suivants:

   a) Elle permet d'effectuer des comparaisons entre l'exercice considéré et les exercices antérieurs redressés puisqu'on y applique les mêmes conventions comptables.

   b) Elle permet une meilleure analyse de l'évolution des résultats et une meilleure interprétation des autres données financières qui reposent sur des comparaisons d'un exercice à l'autre.

4. L'application à l'exercice considéré d'un changement de méthodes comptables comporte les avantages suivants:

   a) Il n'y a aucun retraitement des exercices antérieurs, ce qui permet de maintenir la confiance des investisseurs.

   b) Il n'y a aucun bouleversement de l'environnement juridique comme c'est le cas lorsque le retraitement est permis. Par exemple, il n'y a pas lieu de recalculer les ententes de régimes d'intéressement.

   c) Tous les produits et toutes les charges résultant des modifications comptables sont portés en résultats au lieu de passer inaperçus dans l'état des bénéfices non répartis.

   d) On évite les coûts élevés liés aux retraitements des exercices antérieurs.

   e) On évite les importants problèmes de mesure qui peuvent être liés aux retraitements des exercices antérieurs.

5. L'application prospective d'un changement de méthodes comptables comporte les avantages suivants:

a) Il n'y a aucun retraitement des exercices antérieurs, ce qui permet de maintenir la confiance des investisseurs.

b) Il n'y a aucun bouleversement de l'environnement juridique comme c'est le cas lorsque le retraitement est permis. Par exemple, il n'y a pas lieu de recalculer les ententes de régimes d'intéressement.

c) On évite d'inclure l'ajustement résultant d'un changement de méthodes comptables dans le résultat de l'exercice considéré et ainsi de présenter un chiffre de bénéfice net qui a peu ou n'a pas de rapport avec les résultats ou les faits économiques de l'exercice en question.

d) On évite les coûts élevés liés aux retraitements des exercices antérieurs.

e) On évite les importants problèmes de mesure qui peuvent être liés aux retraitements des exercices antérieurs.

6. Les normes comptables américaines recommandent qu'un changement de méthodes comptables soit appliqué à l'exercice considéré. On présente l'effet cumulé du changement de méthodes comptables dans les résultats de l'exercice au cours duquel le changement de méthode a lieu, entre les comptes Éléments extraordinaires et Bénéfice net. On ne retraite pas les états financiers des exercices antérieurs fournis pour comparaison. On doit faire figurer dans les résultats de tous les exercices fournis pour comparaison le bénéfice avant éléments extraordinaires et le bénéfice net, qu'on calculera sur une base ***pro forma***. Il s'agit de les présenter comme si la méthode nouvellement adoptée avait été en vigueur dans tous les exercices que touche le changement de méthode. Ces montants *pro forma* permettent aux utilisateurs des états financiers de déterminer le bénéfice net qu'une entreprise aurait réalisé si la nouvelle méthode comptable avait été en vigueur au cours des exercices précédents.

7. Une révision d'estimations comptables consiste en une modification de la manière dont quelqu'un perçoit la possibilité de réalisation d'un actif ou de règlement d'un passif, lorsque les faits ou les circonstances économiques sur lesquels on s'était appuyé auparavant ont changé, lorsqu'on acquiert davantage d'expérience ou lorsqu'on obtient de nouvelles informations. À titre d'exemples de révisions d'estimations comptables, citons: 1) la révision de la probabilité de recouvrement des comptes clients; 2) la révision de la durée de vie utile des immobilisations; 3) la révision du montant des obligations découlant de garanties; 4) la révision de la durée sur laquelle une charge reportée est censée procurer des avantages économiques.

Il peut être difficile de distinguer entre une révision d'estimation comptable et un changement de méthode comptable lorsqu'une nouvelle méthode comptable est adoptée en vue de refléter une modification dans les conditions économiques futures prévues. À titre d'exemple, mentionnons le cas d'une entreprise qui reportait certains frais de commercialisation et qui décide de les imputer à l'exercice considéré parce que les avantages futurs qu'elle espérait en retirer sont devenus incertains. Il est alors difficile de distinguer s'il s'agit d'un changement de méthode comptable ou d'une révision d'estimations comptables. Dans un cas semblable, cependant, il faut considérer qu'il s'agit d'une révision d'estimation comptable.

8. Voilà une situation qu'il est difficile d'identifier comme un changement de méthode comptable ou comme une révision d'estimations comptables. Dans le cas présent, il semble que de nouveaux événements économiques aient permis de mieux estimer les avantages futurs escomptés. On doit donc considérer que la modification constitue une révision d'estimations et, par conséquent, on ne redresse que l'exercice considéré et les exercices futurs. Ainsi, Abyssin ltée devra passer en charges de l'exercice considéré tous les coûts portés à l'actif au cours des exercices précédents et dont elle doute pouvoir tirer des avantages futurs, et elle passera immédiatement en charges les coûts engagés au cours de l'exercice considéré.

9. a) Il faut présenter cet élément dans l'état des résultats, avant les éléments extraordinaires et les activités abandonnées.

b) Il faut présenter cet élément comme une révision d'estimations; celle-ci doit être appliquée de façon prospective.

c) Il faut présenter cet élément dans l'état des résultats, probablement à titre d'élément inhabituel.

d) Il faut présenter cet élément comme une correction d'erreur; celle-ci doit faire l'objet d'une application rétrospective avec retraitement des états financiers antérieurs fournis pour comparaison et avec ajustement du solde d'ouverture des bénéfices non répartis.

e) Il faut présenter cet élément comme un changement de méthodes comptables; il faut présenter tous les états financiers redressés selon la nouvelle méthode comptable et ajuster le solde d'ouverture des bénéfices non répartis.

f) Il faut présenter cet élément comme une révision d'estimations; celle-ci doit être appliquée de façon prospective.

10. Le fait de ne pas inscrire de stock de matières récupérées constitue une erreur, et la correction des erreurs relevées dans les états financiers des exercices antérieurs doit faire l'objet d'une application rétrospective. Addax ltée doit comptabiliser la correction de l'erreur dans l'exercice au cours duquel celle-ci a été découverte, et doit présenter la portion attribuable aux exercices antérieurs (22 000 $) comme un redressement (augmentation) du solde d'ouverture des bénéfices non répartis dans les états financiers de 2001. Si elle présente les états financiers d'exercices antérieurs pour comparaison, elle doit les retraiter pour corriger l'erreur. Addax ltée devra réduire de 26 000 $ le coût des matières qui figure dans l'état des résultats de 2001. Enfin, son bilan de 2001 présentera un stock de matières récupérées de 48 000 $.

11. Il est difficile de déterminer si une méthode comptable est préférable à une autre. Il n'existe pas d'objectifs fondamentaux qui pourraient aider les sociétés à déterminer quelle méthode comptable est préférable lorsqu'elles ont la possibilité de choisir entre deux méthodes comptables généralement reconnues, comme la méthode de l'épuisement successif et celle de l'épuisement à rebours. Lorsque la profession comptable établit de nouvelles normes, exprime sa préférence pour une méthode comptable ou encore rejette une méthode comptable précise, il est clair alors qu'un changement de méthode comptable se trouve légitimé. Autrement, une entreprise doit justifier un changement de méthode comptable en soutenant que la nouvelle méthode permettra d'effectuer un meilleur rapprochement des produits et des charges. Nonobstant, pour le cas de la société Astrakan ltée, notons que la profession comptable a statué que les changements de méthode d'amortissement constituent des révisions d'estimations comptables qui doivent faire l'objet d'une application prospective.

12. Si chaque entreprise faisant partie du périmètre de consolidation a présenté des états financiers individuels pour l'exercice précédent et que l'on présente des états financiers consolidés pour l'exercice considéré, ce changement constitue une modification du périmètre de consolidation. Il faut refléter ce genre de modification en redressant les états financiers de tous les exercices antérieurs présentés pour comparaison, de façon à présenter l'information financière relative à la nouvelle entité économique pour tous les exercices. Il faut mentionner la nature de la modification et les raisons de celle-ci dans les états financiers de l'exercice où est survenue la modification du périmètre de consolidation. Il faut aussi indiquer l'effet de la modification sur le résultat avant éléments extraordinaires, sur le résultat net et sur le résultat par action pour tous les exercices présentés.

13. Le changement de méthode utilisée pour comptabiliser la filiale étrangère constitue une modification du périmètre de consolidation. Il faut refléter ce genre de modification en redressant les états financiers de tous les exercices antérieurs présentés pour comparaison, de façon à présenter l'information financière relative à la nouvelle entité économique pour tous les exercices. Il faut mentionner la nature de la modification et les raisons de celle-ci dans les états financiers de l'exercice où est survenue la modification du périmètre de consolidation. Il faut aussi indiquer l'effet de la modification sur le résultat avant éléments extraordinaires, sur le résultat net et sur le résultat par action pour tous les exercices présentés.

14. Cette modification constitue une révision d'estimations comptables, qui requiert une application prospective. Cette modification ne se reflétera que dans les états financiers de l'exercice considéré et dans ceux des exercices futurs.

15. Les erreurs qui se corrigent d'elles-mêmes sont des erreurs qui s'éliminent ou se corrigent d'elles-mêmes au cours de l'exercice suivant celui où elles se sont produites. Parmi les erreurs qui se corrigent d'elles-mêmes, on trouve les salaires à payer ou les charges payées d'avance non comptabilisés. Les erreurs qui ne se corrigent pas d'elles-mêmes sont des erreurs qui ne s'éliminent pas d'elles-mêmes au cours de l'exercice suivant celui où elles se sont produites. L'omission de porter du matériel à l'actif ou l'omission d'inscrire un amortissement sur de l'équipement utilisé pour l'exploitation sont des exemples d'erreurs qui ne se corrigent pas d'elles-mêmes.

16. La correction d'une erreur relevée dans les états financiers publiés antérieurement doit faire l'objet d'une application rétrospective. Il faut donc corriger cette erreur dans l'exercice au cours duquel elle a été découverte et redresser en conséquence le solde d'ouverture des bénéfices non répartis et les autres soldes concernés. En outre, lorsqu'on présente des états financiers comparatifs, les états financiers des exercices antérieurs qui contiennent l'erreur doivent être retraités afin que celle-ci y soit corrigée. Il n'est pas nécessaire de fournir des informations concernant cette erreur dans les états financiers des exercices qui suivent celui au cours duquel l'erreur a été découverte.

À titre d'exemple, supposons que, par inadvertance, on ait omis d'inscrire pour 40 000 $ de ventes à crédit à la clôture de l'exercice précédent. Lorsqu'on découvre l'erreur, au cours de l'exercice suivant, il faut passer l'écriture suivante pour corriger l'erreur:

Débiteurs	40 000	
Bénéfices non répartis		40 000

17. La société a abandonné une méthode comptable qui n'est généralement pas reconnue pour une méthode comptable reconnue. Il faut considérer cette modification comme une correction d'erreur comptable. Dans les états financiers de 2002, Antilope ltée devra présenter l'effet cumulé de la modification comme un redressement du solde d'ouverture des bénéfices non répartis. Si elle établit les états financiers de 2002 sur une base comparative, elle devra redresser les états financiers de l'exercice 2001 pour corriger l'erreur comptable qu'ils contiennent.

18. Le solde des bénéfices non répartis se trouvera surévalué de 4 200 $, avant que la société ne corrige ces erreurs.

19. <u>31 décembre 2002</u>

Matériel	10 000	
Amortissement cumulé – Matériel		1 000
Bénéfices non répartis		9 000

(Correction d'une erreur comptable relevée dans les comptes consistant à porter au compte Frais de réparations les coûts d'installation d'une machine acquise en janvier 2001 au lieu de les porter au compte Matériel)

Amortissement [(40 000 $ – 4 000 $) ÷ 20 ans]	1 800	
Amortissement cumulé		1 800

(Inscription de l'amortissement de la machine en 2002, sur la base d'une durée de vie utile estimative de 20 ans)

20. On aurait dû inscrire l'escompte d'émission au compte Escompte reporté et l'amortir au 31 décembre 2001 de 150 $ (3 000 $ / 20). De plus, on aurait dû inscrire la charge d'intérêts au 31 décembre 2001. Pour corriger cette erreur, il faut passer l'écriture suivante:

Escompte reporté relative à l'émission d'obligations	2 850	
Charge d'intérêts		2 850
Charge d'intérêts	5 500	
Intérêts courus à payer		5 500

21. Cette erreur n'a pas d'incidence sur le bénéfice net parce que les comptes Achats et Stock sont tous les deux sous-évalués. Si on utilise la méthode de l'inventaire périodique, l'écriture à passer pour corriger cette erreur serait la suivante:

Achats	11 000	
Créditeurs		11 000

22. Cette erreur a pour effet d'augmenter le bénéfice net de 1 800 $ en 2001. Il aurait fallu inclure l'amortissement dans le calcul du bénéfice net. Voici l'écriture à passer pour inscrire la correction de cette erreur:

Amortissement	1 800	
Amortissement cumulé – Matériel		1 800

SOLUTIONS DES EXERCICES COURTS

Exercice court 4-1

Conformément aux normes canadiennes, il n'y a pas de redressement du solde d'ouverture des bénéfices non répartis de 2001, parce que le changement de méthode d'amortissement pour le matériel constitue une révision d'estimations comptables et, en conséquence, il y a application prospective de la nouvelle méthode d'amortissement.

Conformément aux normes américaines, il faut appliquer à l'exercice considéré la nouvelle méthode d'amortissement, ce qui signifie qu'il faut inclure dans la détermination du résultat net de l'exercice 2001 l'effet cumulé du changement de méthode d'amortissement se rapportant aux exercices antérieurs. Voici l'écriture à passer à la clôture de 2001:

Amortissement cumulé	48 000	
Passif d'impôts différés		16 800
Effet cumulé du changement de méthode comptable – Amortissement		31 200

Exercice court 4-2

Conformément aux normes canadiennes, il n'y a pas de redressement du solde d'ouverture des bénéfices non répartis de 2001, parce que le changement de méthode d'amortissement pour le matériel constitue une révision d'estimations comptables et, en conséquence, il y a application prospective de la nouvelle méthode d'amortissement.

Conformément aux normes américaines, il faut appliquer à l'exercice considéré la nouvelle méthode d'amortissement, ce qui signifie qu'il faut inclure dans la détermination du résultat net de l'exercice 2001 l'effet cumulé du changement de méthode d'amortissement se rapportant aux exercices antérieurs. Voici le calcul de l'effet du changement de méthode d'amortissement sur le bénéfice net de 2001:

Bénéfice avant effet cumulé du changement de méthode comptable	250 000 $
Effet cumulé résultant de l'application d'une nouvelle méthode d'amortissement aux exercices antérieurs	(84 000)
Bénéfice net	166 000 $

Bénéfice par action	
Bénéfice avant effet cumulé	25,00 $
Effet cumulé du changement de méthode d'amortissement	(8,40)
Bénéfice net	16,60 $

Montants *pro forma*	
Bénéfice net	250 000 $
Bénéfice par action	25,00 $

Exercice court 4-3

Stocks	1 000 000	
Passif d'impôts différés		400 000
Bénéfices non répartis		600 000

Exercice court 4-4

Amortissement	19 000[a]	
Amortissement cumulé		19 000

a. Valeur comptable nette au 1er janvier 2003 = 60 000 $ – 2 × [(60 000 $ – 18 000 $) ÷ 7] = 48 000 $
Dotation à l'amortissement annuelle à compter de 2003 = [(48 000 $ – 10 000 $) ÷ (4 – 2)] = 19 000 $

Exercice court 4-5

Matériel	75 000	
Amortissement cumulé		30 000 [a]
Passif d'impôts exigibles		13 500 [b]
Bénéfices non répartis		31 500

a. 30 000 $ = 75 000 $ × 2/5

b. 13 500 $ = [(75 000 $ 15 000) × 30 %] (en 2001) – 15 000 $ × 30 % (en 2002)

Exercice court 4-6

Société Bison ltée
État des bénéfices non répartis
31 décembre 2002

Bénéfices non répartis au 1er janvier 2002, tel qu'inscrits précédemment	2 000 000 $
Correction d'une erreur d'amortissement, après impôts	(300 000)
Bénéfices non répartis redressés après ajustement	1 700 000
Plus: Bénéfice net	900 000
	2 600 000
Moins: Dividendes	250 000
Bénéfices non répartis au 31 décembre 2002	2 350 000 $

Exercice court 4-7

	2001	2002
a)	Surévaluation	Sous-évaluation
b)	Surévaluation	Surévaluation
c)	Sous-évaluation	Surévaluation

d)	Surévaluation	Sous-évaluation
e)	Aucun effet	Surévaluation

*Exercice court 4-8

	Débit	Crédit
Caisse	7 600 [a]	
Placement dans des titres susceptibles de vente		1 200
Produits de dividendes		6 400 [b]

a. 7 600 $ = 8 % × 95 000 $

b. 6 400 $ = 8 % × 80 000 $

*Exercice court 4-9

	Débit	Crédit
Placement dans les actions de Poulain	478 000	
Caisse		445 000
Bénéfices non répartis		33 000
Placement dans les actions de Poulain	185 000	
Placement dans des titres susceptibles de vente		185 000
Plus-values non réalisées – Résultat étendu	34 000	
Redressement des titres à leur juste valeur – Titres susceptibles de vente		34 000

SOLUTIONS DES EXERCICES

Exercice 4-1 (15-20 minutes)

Montant de l'amortissement cumulé au 31 décembre 2003 après correction:

Exercice	Méthode proportionnelle à l'ordre numérique inversé des années		
2001: $\frac{10}{55}$	× 495 000 $	=	90 000 $
2002: $\frac{9}{55}$	× 495 000 $	=	81 000
2003: $\frac{8}{55}$	× 495 000 $	=	72 000
			243 000 $

Écritures de journal – 31 décembre 2004:

Bénéfices non répartis	81 000	
Amortissement cumulé – Matériel		81 000
(Correction de la non-inscription la dotation à l'amortissement du matériel en 2002)		
Amortissement – Matériel	36 000	
Amortissement cumulé		36 000
(Inscription de l'amortissement de 2004 [(495 000 $ – 243 000 $) ÷ 7 ans]		

Note: Il n'y a pas de redressement du solde d'ouverture des bénéfices non répartis de 2003, parce que le changement de méthode d'amortissement pour le matériel constitue une révision d'estimations comptables et, en conséquence, il y a application prospective de la nouvelle méthode d'amortissement.

Exercice 4-2 (25-30 minutes)

a) Il n'y a pas de redressement du solde d'ouverture des bénéfices non répartis de 2004, parce que le changement de méthode d'amortissement pour le matériel constitue une révision d'estimations comptables et, en conséquence, il y a application prospective de la nouvelle méthode d'amortissement.

b) Valeur comptable nette du matériel à l'ouverture de l'exercice 2004

Coût			525 000 $
Moins:	Amortissement cumulé		
	2001 (5/15 × 510 000 $) =	170 000	
	2002 (4/15 × 510 000 $) =	136 000	
	2003 (3/15 × 510 000 $) =	102 000	408 000
Valeur comptable au 1er janvier 2004			117 000 $

Amortissement, tel qu'il a été établi pour 2004 (2/15 × 510 000 $) 68 000 $

Amortissement après le changement de méthode d'amortissement (117 000 $ – 15 000 $) ÷ 2 ans	51 000
Augmentation du bénéfice net de 2004	17 000 $

Valeur comptable nette du bâtiment à l'ouverture de l'exercice 2004:	
Coût	693 000 $
Moins: Amortissement cumulé (693 000 $ × 3/30)	69 300
Valeur comptable nette au 1er janvier 2004	623 700 $

Amortissement, tel qu'il a été établi pour 2004 (693 000 $ ÷ 30)	23 100 $
Amortissement après la révision de la durée de vie utile (623 700 $ ÷ 42)	14 850
Augmentation du bénéfice net de 2004	8 250 $

Bénéfice ajusté de 2004:	
Bénéfice, tel qu'il a été établi antérieurement	385 000 $
Incidence du changement de méthode d'amortissement pour le matériel	17 000
Incidence de la révision de la durée de vie utile du bâtiment	8 250
Bénéfice ajusté de 2004	410 250 $
Bénéfice par action ordinaire	4,10 $

Puisque le changement de méthode comptable constitue une révision d'estimations comptables, les chiffres de 2003 ne s'en trouvent pas modifiés.

Exercice 4-3 (20-25 minutes)

a) Il n'y a pas de redressement du solde d'ouverture des bénéfices non répartis de 2005, parce que le changement de méthode d'amortissement pour le bâtiment et la révision de la durée de vie estimative et de la valeur résiduelle du matériel constituent des révisions d'estimations comptables. De tels changements sont comptabilisés de manière prospective – dans l'exercice où se produisent les changements et dans les exercices futurs.

b) Charge d'amortissement du bâtiment et du matériel pour 2005

Valeur comptable nette du bâtiment à l'ouverture de l'exercice 2005:		
Coût		800 000 $
Moins: Amortissement cumulé		
2001 (800 000 $ × 0,05[a]) =	40 000	
2002 [(800 000 $ – 40 000 $) × 0,05] =	38 000	
2003 [(800 000 $ – 78 000$) × 0,05] =	36 100	
2004 [(800 000 $ – 114 100$) × 0,05] =	34 295	148 395
Valeur comptable du bâtiment au 1er janvier 2005		651 605 $
Dotation à l'amortissement annuelle du bâtiment à compter de 2005 (651 605 $ – 50 000 $) ÷ (40 – 4 ans)		16 711 $

a. (1 ÷ 40) × 2

Valeur comptable nette du matériel à l'ouverture de l'exercice 2005:

Coût	100 000 $
Moins: Amortissement cumulé [(100 000 $ – 10 000 $) × 4/12]	30 000
Valeur comptable nette au 1er janvier 2005	70 000 $
Dotation à l'amortissement annuelle du bâtiment à compter de 2005 (70 000 $ – 5 000 $) ÷ (9 – 4 ans)	13 000 $

Exercice 4-4 (10-15 minutes)

a) Aucune écriture n'est nécessaire en 2001 pour corriger l'amortissement des exercices précédents. Il n'y a pas de redressement du solde d'ouverture des bénéfices non répartis de 2001, parce que la révision de la durée de vie estimative et celle de la valeur résiduelle du matériel constituent des révisions d'estimations comptables. De tels changements sont comptabilisés de manière prospective – dans l'exercice où se produit la révision et dans les exercices futurs.

b) Écritures de journal pour inscrire l'amortissement en 2005

Amortissement – Matériel	19 375[a]	
Amortissement cumulé – Matériel		19 375

[a] Coût initial du matériel	510 000 $
Amortissement cumulé [(510 000 $ – 10 000 $) ÷ 10] × 7	(350 000)
Valeur comptable nette du matériel à l'ouverture de 2001	160 000
Valeur résiduelle	(5 000)
Solde de l'assiette d'amortissement	155 000
Durée de vie utile restante (15 ans – 7 ans)	÷ 8
Amortissement en 2001	19 375 $

Exercice 4-5 (20-25 minutes)

a) Selon les normes comptables canadiennes

Aucune écriture n'est nécessaire en 2003 pour corriger l'amortissement des exercices précédents. Il n'y a pas de redressement du solde d'ouverture des bénéfices non répartis de 2003, parce que le changement de méthode d'amortissement des immobilisations constitue une révision d'estimations comptables. De tels changements sont comptabilisés de manière prospective – dans l'exercice où se produit le changement et dans les exercices futurs. Par contre, on doit redresser la charge d'amortissement qui a été comptabilisée pour l'exercice 2003, car elle ne devrait être que de 112 500 $ et non de 125 000 $ (somme qu'on obtient en appliquant la méthode linéaire de façon prospective).

Amortissement cumulé	12 500	
Amortissement – Immobilisations ou Bénéfices non répartis		8 250
Passif d'impôts différés (12 500 $ × 34 %)		4 250

Calculs:

Coût d'acquisition des immobilisations[a]	2 500 000 $
Moins: Amortissement cumulé selon la méthode d'amortissement décroissant à taux double (250 000 $ + 225 000 $)	475 000
Valeur comptable nette à l'ouverture de 2003	2 025 000 $
Amortissement de l'exercice 2003 (2 025 000 $ ÷ 18 ans)	112 500 $

a. Une durée de vie utile de 20 ans donnerait un taux simple d'amortissement de 5 % (1/20) et un taux double de 10 %. Un coût de 2 500 000 $ impliquerait donc, pour l'exercice 2001, un amortissement de 250 000 $ selon la méthode de l'amortissement décroissant à taux double et un amortissement de 125 000 $ selon la méthode linéaire.

b) Selon les normes comptables américaines

	Différence	Incidence fiscale (34 %)	Incidence sur le bénéfice (après impôts)
2001	125 000 $	42 500 $	82 500 $
2002	100 000	34 000	66 000
Passif d'impôts différés		76 500 $	
Effet cumulé du changement de méthode d'amortissement			148 500 $

Amortissement cumulé	225 000	
Effet cumulé du changement de méthode comptable – Amortissement		148 500
Passif d'impôts différés		76 500

	2003	2002
Bénéfice avant effet cumulé du changement de méthode comptable	300 000 $	270 000 $
Effet cumulé résultant de l'application de la nouvelle méthode d'amortissement aux exercices antérieurs, après impôts	148 500	
Bénéfice net	448 500 $	270 000 $

Montants *pro forma*, si l'on suppose une application rétrospective de la nouvelle méthode d'amortissement:

	2002	2001
Bénéfice net	300 000 $	336 000$[a]

a. (270 000 + 66 000 $)

Exercice 4-6 (10-15 minutes)

a) Il n'y a pas de redressement du solde d'ouverture des bénéfices non répartis de 2002, parce que les changements de méthode d'amortissement doivent être traités de façon prospective. Par contre, on doit redresser la charge d'amortissement qui a été comptabilisée pour l'exercice 2002, puisqu'on a obtenu le montant de 140 000 $ en traitant le changement de méthode d'amortissement de façon rétrospective. On obtiendra la charge d'amortissement appropriée pour l'exercice 2002 en divisant la valeur comptable nette des immobilisations (établie à partir de l'ouverture de 2002) par leur durée de vie utile restante: ces deux éléments d'information ne sont pas indiqués dans les données de l'exercice.

En faisant la différence entre le montant obtenu selon le calcul indiqué ci-dessus et 140 000 $, moins 30 % d'impôts, on peut établir l'ajustement à effectuer à la charge d'amortissement qui a été comptabilisée en 2002. On passerait l'écriture de journal suivante:

Amortissement cumulé	XXX	
Bénéfices non répartis ou Amortissement		XXX
Passif d'impôts différés		XXX

b) Le chiffre de la dotation aux amortissements pour l'année 2002 correspondra au montant qu'on obtiendra en divisant la valeur comptable nette des immobilisations à l'ouverture de 2002 par leur durée de vie utile restante.

Exercice 4-7 (10-15 minutes)

a) On calcule le bénéfice net de 2002 comme suit:

Bénéfice avant impôts	700 000 $
Impôts sur le bénéfice (35 % × 700 000 $)	245 000
Bénéfice net	455 000 $

b)

Construction en cours	190 000	
Passif d'impôts différés		66 500
Bénéfices non répartis		123 500

(Inscription de l'effet cumulé résultant du changement de la méthode de comptabilisation des contrats de construction à long terme)

Exercice 4-8 (15-20 minutes)

a)

Bénéfices non répartis – Effet cumulé d'un changement de méthode comptable relativement aux stocks [a]	7 000	
Stocks		7 000

a	2001	1 000 $	(25 000 $ – 24 000 $)
	2002	5 000	(30 000 $ – 25 000 $)
	2003	1 000	(28 000 $ – 27 000 $)
		7 000 $	

Information nécessaire pour comparaison:

	2001	2002	2003	2004
Bénéfice net (Note A)	30 000 $	27 000 $	25 000 $	24 000 $

Note A: Changement de méthode d'évaluation des stocks.
En 2004, la société a calculé ses stocks selon la méthode du coût moyen. Au cours des exercices précédents, la société les calculait selon la méthode de l'épuisement successif (PEPS), et ce, depuis 2001. Ce changement de méthode comptable a été apporté pour tenir compte de [explication justifiant le changement de méthode] et a été appliqué de façon rétrospective aux achats de stocks des exercices antérieurs. L'incidence de ce changement sur le bénéfice des exercices antérieurs se traduit par une

réduction du bénéfice net de 1 000 $ en 2001, de 5 000 $ en 2002 et de 1 000 $ en 2003. Ce changement a également réduit de 4 000 $ le bénéfice net de 2004.

b)

Stocks	7 000	
Bénéfices non répartis		7 000

(Inscription de l'effet cumulé d'un changement de méthode d'évaluation des stocks)

Information nécessaire pour comparaison:

	2001	2002	2003	2004
Bénéfice net (Note A)	34 000 $	28 000 $	30 000 $	25 000 $

Note A: Changement de méthode d'évaluation des stocks.
En 2004, pour l'évaluation du coût des stocks, la société a abandonné la méthode du coût moyen pour la méthode de l'épuisement successif (PEPS). Ce changement a été fait en raison de [explication justifiant le changement de méthode]. La société a appliqué rétrospectivement la méthode PEPS en retraitant les états financiers des exercices antérieurs. Ce changement a eu pour effet de faire augmenter le bénéfice net de 1 000 $ en 2001, celui de 5 000 $ en 2002 et de 1 000 $ en 2003. En 2004, cette modification a fait augmenter de 4 000 $ le bénéfice net.

Exercice 4-9 (15-20 minutes)

a) Écritures de journal – 2004

Stocks[a]	18 000	
Bénéfices non répartis – Effet cumulé d'un changement de méthode comptable relativement aux stocks		18 000

a. 2001	5 000 $	(20 000 $ – 15 000 $)
2002	6 000	(24 000 $ – 18 000 $)
2003	7 000	(27 000 $ – 20 000 $)
	18 000 $	

b) État des bénéfices non répartis comparatif au 31 décembre 2004:

	2004	2003
Solde d'ouverture tel qu'il a été établi antérieurement	53 000 $	33 000 $
Application rétrospective d'un changement de méthode d'évaluation des stocks (note A)	18 000	11 000
Solde après redressement	71 000	44 000
Bénéfice net	32 000	27 000
Solde de clôture	103 000 $	71 000 $

État des résultats comparatif pour l'exercice clos le 31 décembre 2004:

	2004	2003
Bénéfice net (Note A)	32 000 $	27 000 $

Note A: En 2004, la société a calculé ses stocks selon la méthode de l'épuisement successif (PEPS). Au cours des exercices précédents, elle les calculait selon la méthode du coût moyen, et ce depuis 2001. Ce changement de méthode comptable a été apporté pour tenir compte de [explication justifiant le changement de méthode] et a été appliqué de façon rétrospective aux achats de stocks des exercices antérieurs. L'incidence de ce changement sur le bénéfice des exercices antérieurs se traduit par une augmentation du bénéfice net de 5 000 $ en 2001, de 6 000 $ en 2002 et de 7 000 $ en 2003. Ce changement a également fait augmenter le bénéfice net de 2004 de XXX $.

c) Écritures de journal pour 2004 et état comparatif des bénéfices non répartis si Chacal ltée avait utilisé de 2001 à 2003 la méthode DEPS au lieu de la méthode du coût moyen:

Stocks[a]	28 000	
Bénéfices non répartis – Effet cumulé d'un changement de méthode d'évaluation des stocks		28 000

a.	2001	8 000 $	(20 000 $ – 12 000 $)
	2002	10 000	(24 000 $ – 14 000 $)
	2003	10 000	(27 000 $ – 17 000 $)
		28 000 $	

Exercice 4-10 (15-20 minutes)

Écritures de journal de 2003

1. Amortissement cumulé – Matériel	25 500	
Amortissement – Matériel		8 500
Bénéfices non répartis		17 000

	2001-2002	2003
Amortissement tel qu'établi	170 000 $[a]	85 000 $
Amortissement corrigé	153 000	76 500
	17 000 $	8 500 $

a 170 000 $ = 510 000 $ ÷ 6 × 2

2. Bénéfices non répartis	45 000	
Salaires des vendeurs		45 000

3. Aucune écriture n'est nécessaire.

4. Réduction de valeur pour dépréciation – Écart d'acquisition	30 000	
Bénéfices non répartis	20 000	
Écart d'acquisition		50 000

5. Aucune écriture n'est nécessaire.

6. Perte sur sortie de bilan de stock	87 000	
Bénéfices non répartis		87 000

Exercice 4-11 (20-25 minutes)

a) État des résultats comparatif et état des bénéfices non répartis comparatif pour 2002:

Société Isard ltée
État des résultats
pour l'exercice clos le 31 décembre

	2002	2001
Chiffre d'affaires	340 000 $	270 000 $
Coût des marchandises vendues	176 000 [a]	166 000 [a]
Marge bénéficiaire brute	164 000	104 000
Charges	83 000 [b]	50 000
Bénéfice net	81 000 $	54 000 $

Société Isard ltée
État des bénéfices non répartis
pour l'exercice clos le 31 décembre

	2002	2001
Bénéfices non répartis au 1er janvier	101 000 $	72 000 $
Bénéfice net	81 000	54 000
Dividendes	(30 000)	(25 000)
Bénéfices non répartis au 31 décembre	152 000 $	101 000 $

Notes

a. Le coût des marchandises vendues de 2001 a augmenté de 24 000 $; le coût des marchandises vendues de 2002 a diminué de 24 000 $.

b. Il n'y a pas de redressement du solde d'ouverture des bénéfices non répartis de 2002 concernant le changement de méthode d'amortissement des immobilisations, puisque ce changement constitue une révision d'estimations comptables. De tels changements sont comptabilisés de manière prospective – dans l'exercice où se produit le changement et dans les exercices futurs. Par contre, on doit ajuster de 5 000 $ la charge d'amortissement qui a été comptabilisée pour l'exercice 2002.

b) État des résultats et état des bénéfices non répartis (non comparatifs) pour 2002:

Société Isard ltée
État des résultats
pour l'exercice terminé le 31 décembre 2002

Chiffre d'affaires	340 000 $
Coût des marchandises vendues	176 000
Marge bénéficiaire brute	164 000
Charges	83 000
Bénéfice net	81 000 $

Société Isard ltée
État des bénéfices non répartis
pour l'exercice terminé le 31 décembre 2002

Bénéfices non répartis, tels qu'ils ont été établis antérieurement	125 000 $
Moins: Redressement affecté aux exercices antérieurs – Correction d'une erreur relative au stock	24 000
Bénéfices non répartis redressés	101 000
Bénéfice net	81 000
Dividendes	(30 000)
Bénéfices non répartis à la clôture	152 000 $

Remarques

1. Qu'il s'agisse d'états financiers comparatifs ou non, l'incidence sur le bénéfice de la correction de l'erreur doit être présentée séparément, et ce, pour chaque exercice (c'est-à-dire pour l'exercice considéré et les exercices antérieurs touchés). De plus, la nature de l'erreur doit être indiquée. Enfin, lorsqu'on présente des états financiers antérieurs, on doit préciser s'ils ont été ou non retraités.

2. La présentation que nous retenons en b) pour l'état des bénéfices non répartis de l'exercice 2002, dans le cas d'états financiers non comparatifs, pourrait également être utilisée dans le cas d'états financiers comparatifs (point a)). En fait, l'information présentée doit être la même; dans le cas de la présentation que nous retenons en a), l'information relative aux ajustements effectués pour 2001 serait donnée dans les notes complémentaires.

Exercice 4-12 (10-15 minutes)

Écritures de journal de 2001:

1.	Salaires	3 400	
	Salaires à payer		3 400
2.	Indemnités de congé	31 100	
	Indemnités de congé à payer		31 100
3.	Assurance payée d'avance (2 640 $ × 10/12)	2 200	
	Assurances		2 200
4.	Chiffre d'affaires [2 120 000 $ ÷ (1,00 + 0,09) × 9 %]	175 046	
	Taxe de vente à payer		175 046
	Taxe de vente à payer	103 400	
	Frais de taxes de vente		103 400

Exercice 4-13 (10-15 minutes)

Écritures de journal de 2001:

Bénéfices non répartis	37 700	
Stock		16 200
Amortissement cumulé – Matériel		21 500

Calculs:

	Incidence sur les bénéfices non répartis: surévaluation, (sous-évaluation)
Surévaluation des stocks de clôture de 2002	16 200 $
Surévaluation de l'amortissement de 2001	(17 000)
Sous-évaluation de l'amortissement de 2002	38 500
Incidence totale des erreurs sur les bénéfices non répartis	37 700 $

Note: L'erreur relevée dans l'évaluation des stocks de clôture de 2001 s'est corrigée d'elle-même en 2002. En effet, les stocks de clôture de 2001 font partie du coût des marchandises vendues de 2001 et de 2002; conséquemment, une erreur commise dans l'évaluation des stocks de clôture de 2001 aura un effet sur le bénéfice de 2002, mais cette erreur aura l'effet inverse de ce qu'elle a eu sur le bénéfice de 2001.

Exercice 4-14 (25-30 minutes)

a) Effet cumulé des erreurs sur le bénéfice net de 2002: surévaluation de 24 700 $

Calculs:

	Effet cumulé sur le bénéfice net de 2002: Surévaluation, (sous-évaluation)
Sous-évaluation des stocks de clôture de 2001	9 600 $
Surévaluation des stocks de clôture de 2002	8 100
Prime d'assurance imputée à 2001	22 000
Cession d'une machine complètement amortie non inscrite en 2002	(15 000)
Effet cumulé sur le bénéfice net de 2002	24 700 $

b) Effet cumulé des erreurs sur le chiffre du fonds de roulement de 2002: sous-évaluation de 28 900 $

Calculs:

	Effet cumulé sur le fonds de roulement de 2002: surévaluation (sous-évaluation)
Surévaluation des stocks de clôture de 2002	8 100 $
Prime d'assurance imputée à 2001	(22 000)
Cession au comptant non inscrite en 2002	(15 000)
Effet cumulé sur le fonds de roulement de 2002	28 900 $

c) Effet cumulé des erreurs sur le solde des bénéfices non répartis de 2002: sous-évaluation de 26 600 $

Calculs:

	Effet cumulé sur les bénéfices non répartis de 2002: surévaluation (sous-évaluation)
Surévaluation des stocks de clôture de 2002	8 100 $
Sous-évaluation de l'amortissement en 2001	2 300
Prime d'assurance imputée à 2001	(22 000)
Cession d'une machine complètement amortie non inscrite en 2002	(15 000)
Effet cumulé sur les bénéfices non répartis de 2002	26 600 $

Exercice 4-15 (20-25 minutes)

a) Écritures de correction si l'on suppose que la société n'a pas encore clôturé ses comptes

	Débit	Crédit
1. Fournitures	1 600	
Stocks de fournitures		1 600
2. Salaires et charges sociales	2 900	
Salaires et charges sociales à payer		2 900
3. Produits d'intérêts	750	
Intérêts à recevoir sur placements		750
4. Assurance	25 000	
Assurance payée d'avance		25 000
5. Produits locatifs	14 000	
Loyers perçus d'avance		14 000
6. Amortissement	45 000	
Amortissement cumulé		45 000
7. Bénéfices non répartis	7 200	
Amortissement cumulé		7 200

b) Écritures de correction si l'on suppose que la société a clôturé ses comptes

	Débit	Crédit
1. Bénéfices non répartis	1 600	
Stock de fournitures		1 600
2. Bénéfices non répartis	2 900	
Salaires et charges sociales à payer		2 900

		Débit	Crédit
3.	Bénéfices non répartis	750	
	Intérêts à recevoir sur placements		750
4.	Bénéfices non répartis	25 000	
	Assurance payée d'avance		25 000
5.	Bénéfices non répartis	14 000	
	Loyers perçus d'avance		14 000
6.	Bénéfices non répartis	45 000	
	Amortissement cumulé		45 000

7. Même écriture qu'en a).

Exercice 4-16 (20-25 minutes)

	2001	2002
Bénéfice avant impôts, tel qu'il a été présenté	101 000 $	77 400 $
Corrections:		
Ventes incluses par erreur dans le bénéfice de 2001	(38 200)	38 200
Sous-évaluation des stocks de clôture de 2001	8 640	(8 640)
Ajustement des intérêts débiteurs sur les obligations[a]	(1 450)	(1 552)
Frais d'entretien imputés par erreur au compte Matériel	(8 500)	(9 400)
Amortissement imputé par erreur aux les frais d'entretien	850	1 790[b]
Bénéfice net corrigé	62 340 $	97 798 $

a. Les intérêts débiteurs de 2001 et de 2002 sur les obligations ont été calculés comme suit:

Exercice	Valeur comptable des obligations	Intérêts débiteurs tels qu'établis	Intérêts débiteurs réels	Ajustements des intérêts débiteurs
2001	235 000	15 000	16 450*	1 450
2002	236 450	15 000	16 552**	1 552

* 16 450 $ = 235 000 $ × 7 %

** 16 552 $ = 236 450 $ × 7 %

b. Amortissement imputé par erreur à 2002:

Sur les frais d'entretien de 2001 (8 500 $ × 10 %)	850 $
Sur les frais d'entretien de 2002 (9 400 $ × 10 %)	940
Amortissement total imputé par erreur à 2002	1 790 $

Exercice 4-17 (10-15 minutes)

	2001			2002		
Élément	Surévaluation	Sous-évaluation	Sans effet	Surévaluation	Sous-évaluation	Sans effet
1			X	X		
2	X				X	
3		X		X		
4		X		X		
5			X			X

Exercice 4-18 (5-10 minutes)

1. b
2. c
3. b
4. c
5. c
6. b
7. c
8. b
9. c
10. c

*Exercice 4-19 (15–20 minutes)

Étant donné que la société Bouc ltée possède depuis le 1er juillet 2002 une participation de 30 % dans la société Bouquetin ltée, il faut d'abord ajuster le placement dans Bouquetin ltée à la valeur de consolidation dans les exercices antérieurs, comme le présente le tableau suivant:

	Pour l'exercice clos le 31 décembre 2001	Pour la période de six mois close le 30 juin 2002
Quote-part de la société Bouc dans les bénéfices de la société Bouquetin (10 %)	70 000 $	50 000 $
Amortissement de l'excédent du prix d'acquisition sur la quote-part de la juste valeur de l'actif net de Bouquetin ltée (100 000 $ ÷ 10)	(10 000)	0[a]
Dividendes reçus	0	0
Ajustement du bénéfice de Bouc ltée	60 000 $	50 000 $

a À compter du 1er janvier 2002, l'écart d'acquisition ne fait plus l'objet d'un amortissement, mais peut faire l'objet d'une réduction de valeur pour dépréciation. On ne mentionne aucune réduction de valeur pour la période de six mois se terminant le 30 juin 2002.

Il est également nécessaire de déterminer si la participation additionnelle de 20 % dans Bouquetin ltée à compter du 1er juillet 2002 a entraîné un écart d'acquisition. Celui-ci se calcule de la façon suivante:

Coût	3 040 000 $
Quote part de la juste valeur de l'actif net de Bouquetin (14 200 000 $ × 20 %)	2 840 000
Écart d'acquisition	200 000 $

Mentionnons, encore une fois, qu'à compter du 1er janvier 2002, l'écart d'acquisition ne fait plus l'objet d'un amortissement, mais peut faire l'objet d'une réduction de valeur pour dépréciation.

On peut maintenant calculer le solde de clôture du compte Placement de la société Bouc ltée de la façon suivante:

Placement dans la société Bouquetin, le 1er janvier 2001	1 400 000 $
Acquisition additionnelle, le 1er juillet 2002	3 040 000
Ajustement du bénéfice de 2001	60 000
Ajustement du bénéfice de 2002 pour la période de 6 mois allant du 1er janvier au 30 juin 2002	50 000
Quote-part des bénéfices de Bouc ltée pour la période de 6 mois allant du 1er juillet au 31 décembre 2002 (815 000 $ × 30 %)	244 500
Dividende reçu du 1er juillet au 31 décembre 2002 (1,55 $ × 75 000 actions)	(116 250)
Placement dans la société Bouquetin au 31 décembre 2002	4 678 250 $

*Exercice 4-20 (20-25 minutes)

a) Jusqu'au 2 janvier 2002, la société Biche a comptabilisé son placement dans la société Faon selon la méthode de comptabilisation à la valeur de consolidation, comme le montrent les écritures qu'elle a passées dans le compte Placement. Comme la participation de la société Biche dans la société Faon était supérieure à 20 % (seuil requis pour exercer une influence notable sur les décisions relatives aux activités d'exploitation, d'investissement et de financement de la société émettrice), l'utilisation de la comptabilisation à la valeur de consolidation était appropriée. À la suite de la vente de 126 000 actions, la participation de la société Biche a chuté à 12 %, ce qui signifie qu'elle ne peut plus comptabiliser ce placement à la valeur de consolidation. Biche doit donc passer à la comptabilisation à la juste valeur. L'abandon de la comptabilisation à la valeur de consolidation est immédiat. Biche ltée devra cesser de comptabiliser sa quote-part des bénéfices ou des pertes de la société Faon ltée, et de tenir compte de toute réduction de valeur relative à une dépréciation de l'écart d'acquisition. Elle devra éliminer le compte Placement dans les actions de Faon ltée et inscrire le montant qui y figurait dans le compte Placement dans des titres susceptibles de vente, qui sera dorénavant comptabilisé à la juste valeur. Si les dividendes que reçoit la société Biche ltée au cours d'exercices ultérieurs à l'adoption de la nouvelle méthode excèdent la quote-part des bénéfices qu'a réalisés la société Faon pour cette même période, Biche ltée devra traiter l'excédent comme une réduction de la valeur comptable du placement plutôt que comme un produit de l'exercice.

b) Valeur comptable du compte Placement dans des titres susceptibles de vente de la société Biche ltée au 31 décembre 2001:

Valeur comptable au 31 décembre 2001 (selon l'information disponible dans le compte)	3 630 000 $
Moins: Part attribuable aux 126 000 actions vendues le 1er janvier 2002	(2 178 000)[a]
Solde au 1er janvier 2002	1 452 000
Moins: Excédent des dividendes qu'a reçus la société Biche ltée sur la quote-part des bénéfices qu'a réalisés la société Faon en 2002	(14 400)[b]
Valeur comptable au 31 décembre 2002	1 437 600 $

a. (3 180 000 $ + 390 000 $ + 510 000 $ – 150 000 $ – 30 000 $ – 240 000 $ – 30 000$) × (126 ÷ 210) = 3 630 000 $ × (126 ÷ 210) = 2 178 000 $

b. Calcul de l'excédent des dividendes reçus sur la quote-part des dividendes:

Dividendes reçus	50 400 $
Quote-part du bénéfice de la société Faon (300 000 $ × 12 % = 36 000 $)	36 000
Excédent des dividendes reçus sur la quote-part des bénéfices	(14 000)$

Note à l'enseignant:

L'écriture à passer pour inscrire l'encaissement des dividendes en 2002 sera la suivante:

Caisse	50 400	
Titres susceptibles de vente		14 400
Produits de dividendes		36 000

c) Écriture à passer pour comptabiliser l'excédent de la juste valeur des titres susceptibles de vente sur leur valeur comptable au 31 décembre 2002:

Redressement des titres à leur juste valeur (Titres susceptibles de vente)	132 400	
Plus-value non réalisée – Résultat étendu (1 570 000 $ – 1 437 600 $)		132 400

DURÉES ET OBJECTIFS DES PROBLÈMES

Problème 4-1 (15-20 minutes)

Objectif – Permettre à l'étudiant de résoudre un problème portant sur la comptabilisation de deux révisions d'estimations comptables et la correction d'une erreur comptable relevée dans des états financiers antérieurs. L'étudiant devra également calculer la dotation aux amortissements de l'exercice considéré.

Problème 4-2 (30-40 minutes)

Objectif – Permettre à l'étudiant de mieux comprendre les écritures à passer et les renseignements à présenter dans le cas de corrections d'erreurs, d'un changement de méthode d'amortissement, et de révisions de la durée de vie utile d'immobilisations. On lui demande de passer des écritures de journal afin que ces changements ou ces corrections se reflètent dans les comptes, et de présenter des états des résultats et des bénéfices non répartis comparatifs pour deux exercices.

Problème 4-3 (20-25 minutes)

Objectif – Permettre à l'étudiant de comprendre quel traitement appliquer à des révisions d'estimations comptables, à un changement de méthode comptable et à des corrections d'erreurs comptables. On présente dans ce problème diverses situations pour lesquelles l'étudiant doit indiquer le traitement comptable pertinent et établir un état des résultats comparatif, couvrant une période de quatre exercices.

Problème 4-4 (30-40 minutes)

Objectif – Permettre à l'étudiant de comprendre l'incidence d'un changement de méthode d'évaluation des stocks (passage de la méthode PEPS à celle du coût moyen) sur les états financiers de cinq exercices. L'étudiant doit préparer un état des résultats et des bénéfices non répartis comparatif pour ces cinq exercices, en posant l'hypothèse que la société a modifié sa méthode de calcul du coût des stocks, et indiquer l'incidence de ce changement sur le bénéfice net et le bénéfice par action des exercices en question.

Problème 4-5 (40-45 minutes)

Objectif – Permettre à l'étudiant de comprendre les modalités d'application du chapitre 1506 du *Manuel de l'ICCA* ainsi que ses effets fiscaux. Pour une série d'éléments donnés, l'étudiant doit calculer le chiffre devant paraître dans des états financiers comparatifs après les ajustements consécutifs à un changement de méthode d'amortissement et à une modification du taux utilisé pour calculer la charge des créances douteuses.

Problème 4-6 (30-35 minutes)

Objectif – Présenter à l'étudiant un problème dans lequel il lui faut analyser 11 opérations ainsi que passer les écritures de régularisation et de correction relatives à ces opérations.

Problème 4-7 (15-20 minutes)

Objectif – Présenter à l'étudiant un problème dans lequel il lui faut passer les écritures nécessaires pour inscrire: 1) une correction d'erreurs relative à des commissions à verser aux vendeurs, qui n'ont pas été inscrites pendant deux exercices; 2) une correction d'erreur relative à des stocks qui n'ont pas été correctement inscrits pour trois exercices; 3) un changement de méthode d'amortissement; 4) un changement de méthode de constatation des produits tirés de contrats de construction à long terme.

Problème 4-8 (20-25 minutes)

Objectif – Permettre à l'étudiant de mieux comprendre les relations qui existent entre les erreurs commises, le bénéfice net et le compte Bénéfices non répartis. On présente dans ce problème six situations pour lesquelles l'étudiant doit calculer l'incidence d'erreurs sur l'état des résultats de l'exercice en cause et sur le chiffre des bénéfices non répartis de l'exercice suivant. Ce problème constitue une bonne synthèse des éléments que nous avons vu dans ce chapitre.

Problème 4-9 (20-25 minutes)

Objectif – Permettre à l'étudiant de mieux comprendre l'incidence d'erreurs sur les états financiers. Il doit établir un tableau montrant le bénéfice net corrigé des exercices touchés par ces corrections d'erreurs.

Problème 4-10 (45-50 minutes)

Objectif – Permettre à l'étudiant de comprendre l'incidence d'erreurs sur les états financiers et la façon dont ces erreurs doivent être corrigées. On lui demande de passer les écritures nécessaires pour corriger les comptes de l'entreprise et d'établir un tableau comparatif montrant le bénéfice net corrigé des deux exercices touchés par ces corrections d'erreurs.

Problème 4-11 (45-50 minutes)

Objectif – Permettre à l'étudiant de mieux comprendre les écritures de correction et les ajustements qui doivent être apportés à l'état des résultats dans le cas de révisions d'estimations comptables et de corrections d'erreurs. Ce problème synthèse touche diverses notions telles que les ventes en consignation, le calcul de primes, les frais de garantie et un compte de réserve établi par la banque. L'étudiant doit passer les écritures nécessaires pour corriger les comptes de la société et préparer un tableau montrant le bénéfice avant impôts révisé pour chacun des trois exercices analysés.

Problème 4-12 (25-30 minutes)

Objectif – Permettre à l'étudiant de mesurer l'effet de certains changements comptables sur le bénéfice net et d'examiner une situation d'ordre déontologique liée aux motifs justifiant de tels changements.

***Problème 4-13** (20-25 minutes)

Objectif – Permettre à l'étudiant de résoudre un problème portant sur la participation d'une société dans une autre société, émettrice celle-là, participation qui passe de 10 % à 40 % (absence d'influence notable par opposition à influence notable). L'étudiant devra comptabiliser les effets de l'acquisition de nouvelles actions de la société émettrice sur le bénéfice de la société participante. L'acquisition des nouvelles actions précède la mise en application des nouvelles normes canadiennes, et l'étudiant doit conséquemment tenir compte de l'amortissement de l'écart d'acquisition.

***Problème 4-14** (25-30 minutes)

Objectif – Permettre à l'étudiant de comprendre les écritures de journal à passer pour comptabiliser le passage de la comptabilisation à la juste valeur à la comptabilisation à la valeur de consolidation d'un placement. L'étudiant devra passer toutes les écritures nécessaires pour comptabiliser les produits tirés du placement dans la société émettrice pour une période de trois exercices.

SOLUTIONS DES PROBLÈMES

Problème 4-1

a) Écritures de journal à passer à la clôture de 2004 (les comptes ne sont pas fermés).

1. Aucune écriture de journal à passer. On comptabilise une révision d'estimations comptables de manière prospective pour l'exercice considéré et les exercices futurs.

2. Aucune écriture de journal à passer. Ce changement de méthode d'amortissement constitue également une révision d'estimations comptables, et celle-ci doit faire l'objet d'une application prospective pour l'exercice considéré et les exercices futurs.

3.

Amortissement cumulé – Outillage	2 500	
Bénéfices non répartis [(10 000 $[a] – 9 000 $[b]) × 2 ½ ans]		2 500

a. (80 000 $ ÷ 8)

b. (80 000 $ – 8 000 $) ÷ 8

b) Calcul de la charge d'amortissement en 2004

Dotation à l'amortissement relative au matériel	9 000 $
Dotation à l'amortissement relative aux bâtiments	27 000
Dotation à l'amortissement relative à l'équipement	11 000 [a]
Charge d'amortissement en 2004	47 000 $

a. Calcul de l'amortissement sur l'équipement:

Coût de l'équipement	65 000 $
Amortissement cumulé	18 000
Valeur comptable nette au 1er janvier 2004	47 000 $

Charge d'amortissement en 2004: $\frac{47\ 000\ \$ - 3\ 000\ \$}{7 - 3} = \frac{44\ 000\ \$}{4} = 11\ 000\ \$$

Problème 4-2

a) Écritures de journal nécessaires en 2006

1.

Amortissement – Bien A (7/28 × 346 500 $[a])	86 625	
Amortissement cumulé – Bien A		86 625

a Valeur comptable nette du bien au 1er janvier 2006:
495 000 $ – (3 × 49 500 $) = 346 500 $

2.

Amortissement – Bien B	17 000	
Amortissement cumulé – Bien B		17 000

Calculs:

Coût d'origine du bien B	120 000 $
Amortissement cumulé au 1er janvier 2006: (120 000 $ ÷ 15) × 4	32 000
Valeur comptable nette au 1er janvier 2006	88 000
Valeur résiduelle estimative	3 000
Solde de l'assiette d'amortissement	85 000
Durée de vie utile restante (9 ans – 4 ans)	÷ 5 ans
Amortissement de 2006	17 000 $

3.

Bien C	70 000	
Amortissement cumulé – Bien C (5 × 7 000 $)		35 000
Bénéfices non répartis		35 000
Amortissement – Bien C	7 000	
Amortissement cumulé – Bien C		7 000

b) État comparatif des résultats de 2006

Desman ltée
État des résultats
pour l'exercice terminé le 31 décembre 2006

	2006	2005
Bénéfice net	234 375 $[a]	363 000 $[b]
Bénéfice par action	2,34 $	3,63 $

a. Bénéfice de 2006 avant amortissement		400 000 $
Amortissement de 2006:		
Bien A	86 625	
Bien B	17 000	
Bien C	7 000	
Autres biens	55 000	(165 625)
Bénéfice après amortissement		234 375 $

b. Bénéfice de 2005, tel qu'il a été établi antérieurement	370 000 $
Sous-évaluation de l'amortissement:	
Bien C (non amorti auparavant)	(7 000)
Bénéfice net de 2005 après ajustements	363 000 $

c) État comparatif des bénéfices non répartis de 2006

Desman ltée
État des bénéfices non répartis
pour l'exercice terminé le 31 décembre

	2006	2005
Solde d'ouverture, tel qu'il a été établi	580 000$[a]	200 000 $
Redressement affecté à un exercice antérieur – Erreur d'inscription du bien C	35 000	42 000 [b]
Solde redressé	615 000	242 000
Bénéfice net	234 375	363 000
Solde de clôture	849 375 $	605 000 $

a [200 000$ (solde des bénéfices non répartis au 31 décembre 2004) + 380 000 $ (bénéfice présenté en 2005 avant ajustements)]

b [ajustement des bénéfices non répartis antérieurs à 2005 = + 70 000 $ en 2001 28 000 $ d'amortissement pour 2001 à 2004]

Problème 4-3

a) Traitement comptable à appliquer aux changements comptables ou aux corrections d'erreurs comptables en 2004:

1. Il faut réduire de 12 000 $ la charge de créances douteuses. On considère qu'un changement de taux constitue une révision d'estimations comptables, qui doit faire l'objet d'une application prospective.
2. On considère que le passage de la méthode du coût moyen à la méthode PEPS constitue un changement de méthode comptable; il doit donc faire l'objet d'une application rétrospective avec retraitement des états financiers.
3. Le passage de la méthode de l'amortissement dégressif à la méthode linéaire constitue une révision d'estimations comptables; il doit donc faire l'objet d'une application prospective.
4. a) La sous-évaluation des stocks de 2003 entraîne un redressement affecté à l'exercice antérieur; il faut donc redresser les états financiers de 2003.

   b) Le règlement concernant le litige fiscal a été traité correctement, pour autant que la réduction des impôts de 60 000 $ soit attribuable aux frais de représentation de 2004. Autrement, ce règlement constitue un redressement affecté à un exercice antérieur, soit l'exercice 2001. C'est de cette dernière façon que nous le traiterons.

b) États des résultats – 2001 à 2004

Lynx ltée
État des résultats
pour les exercices terminés le 31 décembre

	2001	2002	2003	2004
Bénéfice avant élément extraordinaire	203 000 $	125 000 $	244 000 $	265 000 $
Élément extraordinaire (après impôts)	0	40 000	0	0
Bénéfice net[a]	203 000 $	165 000 $	244 000 $	265 000 $
Calculs:				
Bénéfice net (non redressé)	140 000 $	160 000 $	205 000 $	276 000 $
1. Ajustement pour créances douteuses[b]	(12 000)			
2. Ajustement des stocks	15 000	5 000	10 000	
3. Ajustement de l'amortissement				
4. a) Sous-évaluation des stocks			11 000	(11 000)
b) Règlement du litige fiscal	60 000	___	___	___
	203 000 $	165 000 $	226 000 $	265 000 $

a. Ce montant reflète les stocks calculés selon la méthode PEPS en 2004.

b. De façon erronée, la société a rétrospectivement appliqué à 2001 le nouveau taux de 2002 utilisé pour estimer les créances douteuses. Elle a donc fait augmenter son bénéfice de 2001 de 12 000 $ en faisant passer les créances douteuses de 24 000 $ à 12 000 $. Or, une révision d'estimations comptables doit faire l'objet d'une application prospective (soit, dans ce problème, application à 2002 et aux exercices subséquents).

Problème 4-4

État comparatif des résultats et des bénéfices non répartis – 2002 à 2006

Koala ltée
État des résultats et des bénéfices non répartis
pour les exercices clos le 31 mai
(En milliers de dollars)

	2002	2003	2004	2005	2006
Chiffre d'affaires net	13 964 $	15 506 $	16 673 $	18 221 $	18 898 $
Coût des marchandises vendues					
Stocks d'ouverture	950	1 124	1 091	1 270	1 480
Achats	13 000	13 900	15 000	15 900	17 100
Stocks de clôture	(1 124)	(1 091)	(1 270)	(1 480)	(1 699)
Total	12 826	13 933	14 821	15 690	16 881
Marge bénéficiaire brute	1 138	1 573	1 852	2 531	2 017
Frais d'administration	700	763	832	907	989
Bénéfice avant impôts	438	810	1 020	1 624	1 028
Impôts sur le bénéfice (50 %)	219	405	510	812	514
Bénéfice net	219 $	405 $	510 $	812 $	514 $

Bénéfices non répartis					
Solde d'ouverture déjà établi	1 206 $	1 388 $	1 759 $	2 237 $	3 005 $
Effet rétroactif d'un changement de méthode comptable (voir note et tableau)	(25)	12	45	77	121
Solde redressé	1 181	1 400	1 804	2 314	3 126
Solde de clôture	1 400 $	1 805 $	2 314 $	3 126 $	3 640 $
Bénéfice par action	2,19 $	4,05 $	5,10 $	8,12 $	5,14 $

Note: On présente habituellement le solde des bénéfices non répartis comme on l'a vu à la page précédente. Si on le désire, on peut ne présenter que le solde redressé. Les ajustements représentent simplement la différence cumulative entre les chiffres de bénéfice établis selon les deux méthodes de calcul du coût du stock, après impôts. Par exemple, la diminution de 25 000$ en 2002 reflète la différence entre le stocks de clôture de 2001 (1 000 $ – 950 $) multiplié par le taux d'imposition de 50 %. De toute façon, il faut présenter l'information suivante dans les notes complémentaires:

En 2006, la société a changé sa méthode de calcul du coût du stock et est passée de la méthode de l'épuisement successif (PEPS) à la méthode du coût moyen, de façon à présenter plus fidèlement les opérations financières. Les états financiers des exercices antérieurs ont été redressés pour refléter rétroactivement ce changement. Il en est résulté les changements suivants dans le bénéfice net et les chiffres de bénéfice par action correspondants:

	Augmentation en				
	2002	2003	2004	2005	2006
Bénéfice net	37,00 $	33,00 $	32,00 $	44,00 $	44,00 $
Bénéfice par action	0,37 $	0,33 $	0,32 $	0,44 $	0,44 $

Tableau présentant l'effet des ajustements sur le bénéfice et sur les bénéfices non répartis (2002 à 2006; en milliers de dollars)

	2001	2002	2003	2004	2005	2006
Stocks d'ouverture						
PEPS		1 000 $	1 100 $	1 000 $	1 115 $	1 237 $
Coût moyen		950	1 124	1 091	1 270	1 480
Différence		50	(24)	(91)	(155)	(243)
Incidence fiscale (50 %)		25	(12)	(46)	(78)	(122)
Effet sur le bénéfice[a]		25 $	(12) $	(45) $	(77) $	(121) $
Stocks de clôture						
PEPS	1 000 $	1 100 $	1 000 $	1 115 $	1 237 $	1 369 $
Coût moyen	950	1 124	1 091	1 270	1 480	1 699
Différence	(50)	24	91	155	243	330
Incidence fiscale (50 %)	(25)	12	46	78	122	165
Effet sur le bénéfice[b]	(25) $	12 $	45 $	77 $	121 $	165 $
Effet net sur le bénéfice	(25) $	37 $	33 $	32 $	44 $	44 $
Effet cumulé sur le solde d'ouverture des bénéfices non répartis	(25) $	12 $	45 $	77 $	121 $	

a. Un montant plus (moins) élevé du stock d'ouverture a un effet négatif (positif) sur le bénéfice net.
b. Un montant plus (moins) élevé du stock de clôture a un effet positif (négatif) sur le bénéfice net.

Problème 4-5

a) Amortissement cumulé au 31 décembre 2002

Il faut calculer la charge d'amortissement de l'exercice selon la méthode linéaire, compte tenu d'une application prospective de la nouvelle méthode d'amortissement, qui donne un montant de 668 017 $[a], et l'ajouter au solde de l'amortissement cumulé du début d'exercice, soit 22 946 000 $. L'amortissement cumulé au 31 décembre 2002 s'élève donc à 23 614 017 $. L'amortissement cumulé au 31 décembre 2001 demeure le même.

a. Charge d'amortissement comptabilisée en 2002 selon la méthode de l'amortissement dégressif (si l'on fait l'hypothèse qu'il n'y a pas eu de cession d'immobilisations): 23 761 000 $ – 22 946 000 $	815 000 $
Charge d'amortissement en 2002 selon la méthode de l'amortissement linéaire, compte tenu d'une application rétrospective de cette méthode: 815 000 $ – 103 950 $	711 050 $
Taux d'amortissement établi selon la méthode linéaire:	
Valeur comptable au 1er janvier 2002 [43 974 000 $ – (22 946 000 $ – 1 365 000 $ – 106 050 $)]	22 499 050 $
Acquisitions de l'exercice 2002 (45 792 000 $ – 43 974 000 $)	1 818 000
Valeur comptable à partir de laquelle on a calculé la charge d'amortissement de 2002 établie selon la méthode linéaire appliquée rétroactivement	24 317 050 $
Taux d'amortissement: 711 050 $ ÷ 24 317 050 $	2,924 %
Charge d'amortissement établie selon la méthode de l'amortissement linéaire, compte tenu d'une application prospective:	
Valeur comptable au 1er janvier 2002, compte tenu de l'utilisation de la méthode de l'amortissement dégressif (43 974 000 $ – 22 946 000 $)	21 028 000 $
Acquisitions de l'exercice 2002 (45 792 000 $ – 43 974 000 $)	1 818 000
	22 846 000 $
Taux d'amortissement établi selon la méthode linéaire	× 2,924 %
Charge d'amortissement établie en 2002 selon la méthode linéaire, application prospective	668 017 $

b) Passif d'impôts différés

au 31 décembre 2001:	inchangé
au 31 décembre 2002:	66 142 $ [effet fiscal (45 %) de l'excédent de l'amortissement dégressif sur l'amortissement linéaire (815 000 $ – 668 017 $ = 146 983 $)]

c) Frais généraux de vente et d'administration pour les exercices clos

le 31 décembre 2001: inchangés

le 31 décembre 2002: 19 704 554 $
[solde avant modification (19 540 000 $) moins 25 % de l'excédent de l'amortissement dégressif sur l'amortissement linéaire de 2002 (0,25 × 146 983 $ = 36 746 $), plus l'augmentation des créances douteuses de 2002 (0,25 % × 80 520 000 $ = 201 300 $)

d) Charge d'impôts exigibles pour les exercices clos

le 31 décembre 2001: inchangée

le 31 décembre 2002: 2 130 165 $
[solde avant modification (2 220 750 $) moins l'effet fiscal de l'augmentation de la charge de créances douteuses pour 2002 (45 % × 201 300 $ = 90 585 $)]

e) Charge d'impôts différés pour les exercices clos

le 31 décembre 2001: inchangée

le 31 décembre 2002: 66 142 $
[taux d'imposition (45 %) multiplié par l'excédent de l'amortissement dégressif sur l'amortissement linéaire de 2002 (146 983 $)]

f) Bénéfices non répartis

au 31 décembre 2001: inchangés

au 31 décembre 2002: 17 664 126 $
[solde avant modification (17 694 000 $) plus l'effet du changement (après impôts) de la méthode d'amortissement (146 983 $ – 66 142 $), moins l'effet du changement (après impôts) de la charge de créances douteuses (201 300 $ – 90 585 $)]

g) Bénéfice net redressé pour les exercices clos

le 31 décembre 2001: 3 495 800 $, inchangé

le 31 décembre 2002: 2 537 955 $

Calculs:

	2002
Bénéfice net non redressé	2 714 250 $
Augmentation de la charge de créances douteuses[a] (201 300 $ – 90 585 $)	(110 715)
Changement de méthode d'amortissement[a] (146 983 $ – 66 142 $)	80 841
Bénéfice net redressé	2 684 376 $

a. Nous présentons ces chiffres uniquement pour montrer comment on effectue les calculs. Dans des états financiers redressés, ces chiffres seraient respectivement inclus dans les frais généraux de vente et d'administration, dans le coût des marchandises vendues et dans la charge d'impôts sur le bénéfice de l'exercice 2003. On ferait normalement mention des révisions d'estimations comptables dans les notes complémentaires.

Problème 4-6

Écritures de journal de 2002

		Débit	Crédit
1.	Amortissement	3 200	
	Amortissement cumulé – Véhicules de livraison		3 200
2.	Sommaire des résultats	19 000	
	Bénéfices non répartis		19 000

Note: Si les comptes Coût des marchandises vendues n'ont pas encore été fermés dans le sommaire des résultats, le débit approprié serait porté soit au compte Variation des stocks, soit au compte Stocks du début, selon les comptes qu'utilise habituellement la société.

		Débit	Crédit
3.	Sommaire des résultats	8 500	
	Stocks		8 500

Note: Si les comptes Coût des marchandises vendues n'ont pas encore été fermés dans le sommaire des résultats, le débit approprié serait porté soit au compte Stocks de la fin, soit au compte Variation des stocks, selon les comptes qu'utilise habituellement la société.

		Débit	Crédit
4.	Caisse	5 600	
	Clients		5 600
5.	Amortissement cumulé – Matériel	22 000	
	Matériel		18 300
	Profit sur cession de matériel		3 700
6.	Perte estimative relative à une poursuite	125 000	
	Passif éventuel relatif à une poursuite		125 000
7.	Perte non réalisée sur titres négociables	2 000	
	Provision pour moins-value – réduction de la valeur des titres négociables à leur valeur de marché		2 000
8.	Salaires à payer (16 000 $ – 12 200 $)	3 800	
	Salaires		3 800
9.	Amortissement	4 000	
	Matériel	32 000	
	Frais d'entretien		32 000
	Amortissement cumulé – Matériel		4 000
10.	Assurance (15 000 $ ÷ 3)	5 000	
	Assurance payée d'avance	7 500	
	Bénéfices non répartis		12 500

11.	Amortissement (65 000 $ ÷ 15)	3 000	
	Brevet		3 000

Problème 4-7

1.	Bénéfices non répartis	4 000	
	Salaires des vendeurs (4 000 $ – 2 500 $)		1 500
	Salaires à payer		2 500
2.	Coût des marchandises vendues (21 000 $ + 6 700 $)	27 700	
	Bénéfices non répartis (16 000 $ + 5 000 $)		21 000
	Stocks		6 700

Bénéfice surévalué (sous-évalué)

2001	2002	2003
0 $	16 000 $	21 000 $
(16 000)	(21 000)	6 700
(16 000) $	(5 000) $	27 700 $

3.	Amortissement cumulé – Matériel	2 000	
	Amortissement		2 000

Note: On applique de façon prospective un changement de méthode d'amortissement. On obtiendrait la charge d'amortissement de 2003 calculée selon la méthode linéaire en divisant la valeur comptable du matériel de bureau au 1er janvier 2003 par sa durée de vie utile restante. Le montant qu'on obtiendrait ainsi serait probablement différent de 10 000 $.

4.	Bénéfices non répartis (150 000 $ – 95 000 $)	55 000	
	Passif d'impôts différés (55 000 $ × 40 %)		22 000
	Construction en cours		33 000

Problème 4-8

	Bénéfice net de 2001		Bénéfices non répartis au 31 décembre 2002	
Élément	Sous-évalué	Surévalué	Sous-évalués	Surévalués
1	14 100 $	0	0	0
2	7 000	0	5 000 $	0
3	0	22 000 $	0	11 000 $
4	33 000	0	33 000	0
5	0	22 000	0	11 000
6	18 200	0	0	0

Même s'il n'est pas demandé à l'étudiant de donner des explications concernant ces divers éléments, nous les fournissons ci-dessous à titre indicatif.

Explications:

1. Le bénéfice net est sous-évalué en 2001 parce que les intérêts créditeurs sont sous-évalués. Le bénéfice net sera surévalué en 2002 parce que les intérêts créditeurs sont surévalués. Cependant, ces erreurs s'annulent, de sorte que le chiffre des bénéfices non répartis que présente le bilan sera exact à la clôture de 2002.

2. La charge d'amortissement de 2001 devrait être de 1 000 $ pour ce logiciel. La société l'a acheté le 1er juillet, et il lui aurait fallu inclure seulement une demi-année d'amortissement en 2001 [(8 000 $ ÷ 4) × ½ = 1 000 $]. La société a imputé 8 000 $ au lieu de 1 000 $, de sorte que le bénéfice net est sous-évalué de 7 000 $ en 2001. La société aurait dû présenter 2 000 $ de plus d'amortissement en 2002. À la clôture de 2002, ses bénéfices non répartis seront donc encore sous-évalués de 5 000 $ (7 000 $ – 2 000 $).

3. Dans le chapitre 3450 du *Manuel de l'ICCA*, il est recommandé de passer en charges tous les frais de recherche au moment où ils sont engagés. Le bénéfice net de 2001 est surévalué de 22 000 $ (33 000 $ de frais de recherche portés à l'actif moins 11 000 $ de frais amortis). À la clôture de 2002, il ne devrait rester que 11 000 $ de frais de recherche dans l'actif. Par conséquent, les bénéfices non répartis sont surévalués de 11 000 $ (33 000 $ de frais de recherche moins 22 000 $ de frais amortis).

4. Le dépôt en garantie constitue un actif à long terme, puisqu'il s'agit d'un dépôt remboursable au terme du bail. Le dernier mois de loyer, qui s'élève à 8 000 $, constitue également un actif, puisqu'il s'agit d'un loyer payé d'avance. Le bénéfice net de 2001 est sous-évalué de 33 000 $ (25 000 $ + 8 000 $) parce que ces actifs ont été inscrits dans les charges. Si aucune correction n'est effectuée, les bénéfices non répartis continueront à être sous-évalués de 33 000 $ jusqu'à la dernière année du bail. À ce moment, lorsque le dépôt en garantie sera remboursé, on diminuera le compte Dépôt remboursable, et le dernier mois de loyer sera porté en charges.

5. Il faudrait présenter un produit de 11 000 $, soit un tiers de 33 000 $, dans le bénéfice de chaque exercice. En 2001, on a inclus les 33 000 $ dans le bénéfice, alors qu'il aurait fallu y inclure seulement 11 000 $. À la clôture de 2002, on devrait avoir inclus 22 000 $ dans le bénéfice, de sorte que les bénéfices non répartis sont encore surévalués de 11 000 $.

6. Les stocks de clôture sont sous-évalués parce que des marchandises n'y ont pas été incluses. Puisqu'il y a une relation directe entre les stocks de clôture et le bénéfice net, le bénéfice net de 2001 est également sous-évalué. Les stocks de clôture de 2001 deviennent les stocks d'ouverture de 2002. Ceux-ci étant sous-évalués, le bénéfice net de 2002 sera surévalué (effet inverse). L'omission de l'inscription des marchandises dans les stocks de 2001 se corrigera donc d'elle-même sur deux exercices, et les bénéfices non répartis à la clôture de 2002 seront exacts.

Problème 4-9

Bénéfice net corrigé

	2002	2003
Bénéfice net, tel qu'il a été établi	29 000 $	37 000 $
Loyer perçu en 2002 et réalisé en 2003	(1 300)	1 300
Salaires ne se rapportant pas à 2001	1 100	
Salaires se rapportant à 2002	(1 500)	1 500
Salaires se rapportant à 2003		(940)
Stocks de fournitures au 31 décembre 2001	(1 300)	
Stocks de fournitures au 31 décembre 2002	740	(740)
Stocks de fournitures au 31 décembre 2003		1 420
Bénéfice net corrigé	26 740 $	39 540 $

Problème 4-10

a) Écritures de journal de 2005

	Débit	Crédit
1. Provision pour créances douteuses	5 000	
Frais d'administration		5 000
(Diminution des pertes prévues sur créances douteuses de 2 % à 1½ % du chiffre d'affaires)		
2. Moins-value non réalisée sur titres susceptibles de vente	13 000	
Provision pour réduction des titres susceptibles de vente à leur valeur de marché		13 000
(Réduction des titres susceptibles de vente à leur valeur de marché)		
3. Bénéfices non répartis	8 900	
Coût des marchandises vendues	4 700	
Stocks de marchandises		13 600
(Correction de la surévaluation des stocks d'ouverture et de clôture)		
4. Matériel	30 000	
Amortissement – Matériel	2 500	
Bénéfices non répartis		27 500
Amortissement cumulé – Matériel		5 000
(Correction de l'erreur d'inscription de l'achat de matériel en 2001)		
Amortissement cumulé – Matériel	17 500	
Matériel		14 700
Profit sur cession de matériel		2 800
(Correction de l'erreur d'inscription de la vente de matériel)		
5. Frais payés d'avance	2 350	
Frais d'exploitation (4 700 $ ÷ 4)	1 175	
Bénéfices non répartis (4 700 $ – 1 175 $)		3 525
(Ajustement pour les frais payés d'avance non comptabilisés en 2001)		

b) Bénéfice net corrigé de 2002 et 2001:

	2002	2001
Bénéfice net, tel qu'il a été établi	220 000 $	195 000 $
Diminution des pertes prévues sur créances douteuses de 2 % à 1½ %	5 000	–
Moins-value non réalisée sur les titres négociables réduits à leur valeur de marché	(13 000)	–
Stocks de marchandises surévalués		
au 31 décembre 2001	8 900	(8 900)
au 31 décembre 2002	(13 600)	
Erreur d'inscription de l'achat de matériel		
Diminution des frais d'exploitation de 2001		27 500
Augmentation des frais d'exploitation de 2002	(2 500)	
Erreur d'inscription du profit sur cession de matériel	2 800	
Constatation de l'assurance payée d'avance	(1 175)	3 525
Bénéfice net corrigé	206 425 $	217 125 $

Problème 4-11

a) Bénéfice avant impôts corrigé – 2001 à 2003:

Karbau ltée
Tableau du bénéfice avant impôts révisé
pour les exercices clos les 31 mars 2001, 2002 et 2003

	Calculs			Augmentations (diminutions)		
	2001	2002	2003	2001	2002	2003
1. Bénéfice net, tel qu'il a été établi				71 600 $	111 400 $	103 580 $
2. Élimination du profit sur ventes en consignation						
Montants facturés à 130 % du coût	6 500		5 590			
	÷ 130%		÷ 130%			
Coût	5 000		4 300			
Diminution du profit	1 500 $	1 500 $	1 290	(1 500)	1 500	(1 290)
3. Correction concernant la vente contre remboursement					6 100	(6 100)
4. Ajustement pour frais de garantie						
Ventes inscrites dans les comptes	940 000 $	1 010 000 $	1 795 000			
Correction concernant les ventes en consignation	(6 500)	6 500	(5 590)			
Correction concernant la vente contre remboursement		6 100	(6 100)			
Ventes corrigées	933 500 $	1 022 600 $	1 783 310			
Frais de garantie normaux (0,5 %)	4 668 $	5 113 $	8 917			
Moins: Frais passés en charges	760	1 670	3 850			
Charges additionnelles de frais de garantie	3 908 $	3 443 $	5 067	(3 908)	(3 443)	(5 067)

5. Ajustements de créances douteuses						
Taux normal de créances douteuses, ¼ × 1 % des ventes corrigées	2 334 $	2 557 $	4 458			
Moins: Sorties de bilan antérieures	750	1 320	3 850			
Charge additionnelle de créances douteuses	1 584 $	1 237 $	608	(1 584)	(1 237)	(608)
6. Ajustement du contrat d'emprunt (montant porté à l'actif)				3 000	3 900	5 100
7. Ajustement des commissions				(1 400)	600	(320)
Bénéfice avant impôts et primes				66 208	118 820	95 295
8. Ajustement pour la prime, 1/2 de 1% du bénéfice avant impôts et primes				(331)	(591)	(476)
Bénéfice avant impôts				65 877 $	118 226 $	94 819 $

b) Écritures de journal de 2003

Ventes	5 590	
Marchandises en consignation	4 300	
Coût des marchandises vendues		4 300
Clients		5 590
(Correction concernant les marchandises en consignation portées aux ventes)		
Ventes	6 100	
Bénéfices non répartis		6 100
(Correction concernant les ventes contre remboursement non inscrites en 2002)		
Frais de garantie	5 067	
Bénéfices non répartis	7 351	
Provision pour garanties		12 418
(Inscription de la provision pour frais de garantie)		
Bénéfices non répartis	925	
Prime au président	476	
Prime à payer		1 401
(Inscription de la prime du président)		
Bénéfices non répartis	2 821	
Créances douteuses	608	
Provision pour créances douteuses		3 429
(Inscription de la provision pour créances douteuses)		
Dépôt – Compte de réserve	12 000	
Frais de financement		5 100
Bénéfices non répartis		6 900
(Inscription du compte Dépôt – Compte de réserve, dont le montant sera remboursé par la banque au terme du prêt)		
Commissions des vendeurs	320	
Bénéfices non répartis	800	
Commission à payer		1 120
(Ajustement des commissions à payer pour les exercices 2001 à 2003)		

Problème 4-12

a) État des résultats révisé – 2005

Conditions à rencontrer:

1. Bénéfice net avant impôts et primes de rendement: 8 000 000 $.
2. Charge d'impôts exigibles n'excédant pas 3 000 000 $.

Société Lérot ltée
État des résultats révisé
pour l'exercice terminé le 31 décembre 2005

Ventes		29 000 000 $
Coût des marchandises vendues	14 000 000 $	
Amortissement	1 600 000 [a]	
Charges d'exploitation	6 400 000	22 000 000
Bénéfice avant impôts		7 000 000
Plus-values non réalisées		2 000 000 [b]
Bénéfice avant impôts et primes de rendement		9 000 000
Prime de rendement du président		1 000 000
Bénéfice avant impôts		8 000 000
Charge d'impôts sur le bénéfice		
Exigibles	3 000 000	
Différés	1 000 000 [c]	4 000 000
Bénéfice net		4 000 000 $

a. L'amortissement pour l'exercice en cours comprend un montant de 600 000 $ pour le matériel que possède Lérot et de 2 000 000 $ pour le matériel robotique qu'elle a récemment acquis. Si l'on utilise la méthode linéaire pour le matériel robotique, l'amortissement se limitera à 1 000 000 $, et le total de l'amortissement pour l'exercice s'élèvera à 1 600 000 $.

b. En pressant le conseil d'administration de changer le classement des titres A et D en titres détenus à des fins de négociation, on fait augmenter le bénéfice de 2 000 000 $ en raison de la constatation d'une plus-value non réalisée.

c. La plus-value non réalisée n'est pas imposable actuellement.

b) Les réponses des étudiants varieront.

Le fait d'adopter la méthode linéaire et donc de changer de méthode d'amortissement après la première année d'amortissement n'est pas contraire aux règles de déontologie si les membres de la direction qui en ont le pouvoir l'approuvent. Les besoins immédiats de liquidités de 1 000 000 $ pour la prime de rendement du président et de 3 000 000 $ pour les impôts peuvent nécessiter la vente de certains titres négociables. Par conséquent, le virement de 3 000 000 $ de titres susceptibles de vente en titres détenus à des fins de négociation peut également être indiqué.

Il est naïf de croire que les dirigeants ne gèrent pas une entreprise en fonction des états financiers de fin d'exercice (ou intermédiaires). En effet, c'est la manipulation des états financiers qui constitue ici le problème, car le choix d'un nouveau classement des titres constitue une manipulation flagrante du bénéfice à l'avantage du président. Cette manœuvre, quoique légale et conforme aux PCGR, se trouve à la limite de ce qui est acceptable. Le vérificateur (auditeur) portera automatiquement ce fait à la connaissance du conseil d'administration.

Voici les parties intéressées et les intérêts en cause dans cette opération:

Partie intéressée	Intérêt
Président	Reçoit une prime de rendement de 1 000 000 $.
Chef des opérations financières	Confronté à un dilemme d'ordre éthique entre les intérêts du président et les intérêts de l'entreprise.
Conseil d'administration	Peut être victime des manipulations du chef de la direction.
Actionnaires	L'augmentation du bénéfice résultant de la plus-value (sur papier) peut stimuler la demande de versements de dividendes. Or, la réduction du bénéfice que cause le versement de la prime de rendement peut faire diminuer les flux de trésorerie disponibles pour le versement de dividendes.
Employés	Le président se réserve 25 % du bénéfice net. Cette somme aurait pu servir à établir un régime de retraite pour tous les employés.
Créanciers	L'augmentation du bénéfice équivaut à un taux d'inflation de 33 % du véritable bénéfice net de l'entreprise. Cela peut fausser les décisions quant à la capacité d'emprunt de l'entreprise.

*Problème 4-13

a) Tableau montrant le bénéfice ou la perte avant impôts qu'Impala ltée devrait porter en résultats pour l'exercice se terminant le 31 décembre 2000 relativement à son placement dans la société Addax ltée:

Société Impala ltée

Tableau du bénéfice avant impôts réalisé sur le placement dans Addax ltée

pour l'exercice se terminant le 31 décembre 2000

Produits de dividendes (10 000 actions × dividende par action de 2,00 $)	20 000 $

b)

Société Impala ltée

Tableau du bénéfice avant impôts réalisé sur le placement dans Addax ltée

pour l'exercice se terminant le 31 décembre 2001 et 2000

Chiffres comparatifs

	2001	2000
Bénéfice tiré du placement dans Addax ltée (Tableau 1)	185 000 $	50 000 $
Moins: Amortissement de l'écart d'acquisition (Tableau 2)	28 000	10 000
Bénéfice tiré du placement	157 000 $	40 000 $

Tableau 1: Quote-part d'Impala ltée des bénéfices qu'a réalisés Addax ltée

	2001	2000
Bénéfice d'Addax en 2000 (500 000 $ × 10 %)		50 000 $
Bénéfice d'Addax en 2001		
Première moitié de l'exercice 2001 (250 000 $ × 10 %)	25 000 $	
Deuxième moitié de l'exercice 2001 (400 000 $) × 40 %)	160 000	
	185 000 $	50 000 $

Tableau 2: Amortissement de l'écart d'acquisition

	2001	2000
Écart d'acquisition sur la participation acquise en 2000 [700 000 \$ – (10 % × 6 000 000 \$) = 100 000 \$; 100 000 \$ ÷ 10 ans]	10 000 \$	10 000 \$
Écart d'acquisition sur la participation acquise en 2001 [2 325 000 \$ – (30 % × 6 550 000 \$) = 360 000 \$; (360 000 \$ ÷ 10 ans) × ½]	18 000	
Total de l'amortissement de l'écart d'acquisition	28 000 \$	10 000 \$

Rappelons qu'à compter du 1er janvier 2002, l'écart d'acquisition ne fait plus l'objet d'un amortissement, mais peut faire l'objet d'une réduction de valeur pour dépréciation.

*Problème 4-14

Écritures de journal pour comptabiliser les produits tirés du placement de Chamois dans Chinchilla pour 2000, 2001 et 2002 et le passage de la comptabilisation à la juste valeur à la comptabilisation à la valeur de consolidation:

3 janvier 2000

Placement dans des titres susceptibles de vente	500 000	
Caisse		500 000

(Pour inscrire l'acquisition d'une participation de 10 % dans la société Chinchilla ltée)

31 décembre 2000

Caisse	15 000	
Produits de dividendes		15 000

(Pour inscrire l'encaissement d'un dividende de la société Chinchilla ltée en 2000)

31 décembre 2000

Redressement des titres à leur juste valeur – Titres susceptibles de vente)	70 000	
Plus-values non réalisées – Résultat étendu		70 000

(Pour comptabiliser l'augmentation de la juste valeur des titres susceptibles de vente survenue en 2000)

31 décembre 2001

Caisse	20 000	
Produits de dividendes		20 000

(Pour inscrire l'encaissement d'un dividende reçu de la société Chinchilla ltée en 2001)

31 décembre 2001

Moins-values non réalisées – Résultat étendu	55 000	
Redressement des titres à leur juste valeur – Titres susceptibles de vente)		55 000

(Pour comptabiliser la diminution de la juste valeur des titres susceptibles de vente survenue en 2000)

2 janvier 2002

Placement dans des actions
de la société Chinchilla ltée 1 560 000

Caisse 1 545 000

Bénéfices non répartis 15 000

(Pour inscrire l'acquisition d'une participation additionnelle dans la société Chinchilla ltée et pour refléter de manière rétrospective le passage de la comptabilisation à la juste valeur à la comptabilisation à la valeur de consolidation.)

Calcul des ajustements sur exercices antérieurs

	1999	2000	Total
Quote-part dans les bénéfices de la société Chinchilla ltée (10 %)	35 000$[a]	40 000$[a]	75 000 $[a]
Amortissement de l'écart d'acquisition	(12 500)	(12 500)	(25 000)
[500 000 $ – (3 750 000 $ × 10 %) ÷ 10]			
Dividende reçu	(15 000)	(20 000)	(35 000)
Redressements sur exercices antérieurs	7 500 $	7 500 $	15 000 $

a. 350 000 $ × 10 % = 35 000 $

2 janvier 2002

Placement dans les actions
de la société Chinchilla ltée 500 000

Placement dans des titres susceptibles de vente 500 000

(Pour refléter le passage de la comptabilisation à la juste valeur à la comptabilisation à la valeur de consolidation)

Plus-values non réalisées – Résultat étendu 15 000

Redressement des titres à leur juste valeur
– Titres susceptibles de vente) 15 000

(Pour éliminer les comptes utilisés lors de la comptabilisation à la juste valeur)

31 décembre 2002

Placement dans les actions
de la société Chinchilla ltée 220 000

Produits tirés d'un placement dans les
actions de Chinchilla ltée 220 000

(Pour inscrire la quote-part de Chamois ltée dans le bénéfice net de Chinchilla ltée – 40 % de 550 000 $)

Rappelons qu'à compter du 1er janvier 2002, l'écart d'acquisition ne fait plus l'objet d'un amortissement, mais peut faire l'objet d'une réduction de valeur pour dépréciation. On ne mentionne aucune réduction de valeur pour la période de 12 mois se terminant le 31 décembre 2002.

Caisse 70 000

Placement dans les actions
de la société Chinchilla ltée 70 000

(Pour inscrire l'encaissement d'un dividende qu'a versé la société Chinchilla ltée en 2002)

DURÉES ET OBJECTIFS DES ÉTUDES DE CAS

Étude de cas 4-1 (25-35 minutes)

Objectif – Familiariser l'étudiant avec l'application des normes canadiennes concernant les modifications comptables et les corrections d'erreurs comptables. On décrit dans cette étude de cas un certain nombre de modifications, et l'étudiant doit déterminer si elles constituent un changement de méthode comptable, une révision d'estimation comptable ou une correction d'erreur comptable, et mentionner les informations qu'il faut présenter dans les notes complémentaires pour chaque modification.

Étude de cas 4-2 (20-30 minutes)

Objectif – Permettre à l'étudiant de comprendre les modalités d'application des normes canadiennes concernant les modifications comptables et les corrections d'erreurs comptables ainsi que les obligations d'informations qui en découlent. On présente dans cette étude de cas diverses modifications comptables, et l'étudiant doit déterminer quel type de modification est en cause et indiquer s'il faut retraiter les états financiers des exercices antérieurs présentés pour comparaison avec l'exercice considéré.

Étude de cas 4-3 (30-35 minutes)

Objectif – Vérifier que l'étudiant comprend les normes canadiennes relatives aux modifications comptables et aux corrections d'erreurs comptables ainsi que leurs modalités d'application. On présente dans cette étude de cas trois situations indépendantes les unes des autres. Pour chacune, l'étudiant doit préciser quel type de modification comptable est en cause, déterminer comment présenter ces modifications selon les PCGR canadiens et indiquer quelles seront les incidences de chaque modification sur les états financiers.

Étude de cas 4-4 (20-30 minutes)

Objectif – Permettre à l'étudiant de comprendre comment des modifications comptables peuvent être comptabilisées de façon à faciliter l'analyse et la compréhension des états financiers. Cette étude de cas comprend plusieurs situations. Pour chacune, l'étudiant doit indiquer le traitement comptable approprié.

Étude de cas 4-5 (25-35 minutes)

Objectif – Vérifier que l'étudiant comprend les modalités d'application des normes comptables canadiennes relatives aux modifications comptables ainsi que les obligations d'informations qui en découlent. On lui demande de définir chaque type de modification, d'indiquer le traitement comptable recommandé pour chacun ainsi que leur incidence sur le rapport du vérificateur (auditeur). L'étude de cas comporte sept situations factuelles qui doivent être analysées. Il s'agit d'un exercice récapitulatif à bien des égards, notamment quant à l'analyse de changements de méthodes comptables, de révisions d'estimations comptables et de corrections d'erreurs comptables.

Étude de cas 4-6 (20-30 minutes)

Objectif – Permettre à l'étudiant d'expliquer la comptabilisation de différentes situations de révisions d'estimations comptables et de modification du périmètre de consolidation. L'étudiant devra expliquer par écrit comment l'entreprise devrait présenter chacune des modifications dans les états financiers de l'exercice considéré.

SOLUTIONS DES ÉTUDES DE CAS

Étude de cas 4-1

a) 1. Créances douteuses: Il s'agit d'une révision d'estimation comptable. Dans un tel cas, il est interdit de redresser le solde d'ouverture des bénéfices non répartis.

2. Amortissement:

   a) Il s'agit d'une révision d'estimation comptable. Dans un tel cas, il est interdit de redresser le solde d'ouverture des bénéfices non répartis.

   b) Il s'agit d'une révision d'estimation comptable. Dans un tel cas, il est interdit de redresser le solde d'ouverture des bénéfices non répartis.

   c) Il s'agit d'une nouvelle méthode appliquée à une nouvelle classe d'actifs. Cela ne constitue donc pas une modification comptable.

3. Erreur de calcul: Il s'agit d'une correction d'erreur comptable, et celle-ci doit faire l'objet d'une application rétrospective. On doit diminuer le solde d'ouverture des bénéfices non répartis de 200 000 $.

4. Coûts de mise en marche de la division des meubles: Il semble que cette situation constitue à la fois une révision d'estimation comptable et un changement de méthode comptable. En fait, la révision d'estimation comptable (durée sur laquelle on prévoit retirer des avantages économiques de ces coûts) découle du changement de méthode comptable (l'amortissement sur la base des unités vendues). Toutefois, ce changement de méthode comptable semble résulter d'une nouvelle situation, c'est-à-dire du fait que la société fabrique maintenant un nouveau type de meubles, du genre «dernier cri», et le choix de la méthode d'amortissement selon les unités vendues dépend de ce fait. Par conséquent, l'adoption de cette nouvelle méthode n'est pas considérée comme un changement de méthode comptable, et cette modification doit plutôt être traitée de façon prospective. Il n'est alors pas permis de redresser le solde d'ouverture des bénéfices non répartis.

5. Changement de méthode d'évaluation des stocks: Il s'agit d'un changement de méthode comptable, et celui-ci doit faire l'objet d'une application rétrospective avec retraitement des états financiers des exercices antérieurs. On redresse donc le solde d'ouverture des bénéfices non répartis.

6. Méthode de l'avancement des travaux: Il s'agit d'un changement de méthode comptable. Il faut redresser le solde d'ouverture des bénéfices non répartis en l'augmentant de 1 175 000 $.

b) La modification 3 entraîne un retraitement des états financiers de l'exercice 2000, présentés pour comparaison. La modification 5 n'entraîne pas de retraitement des états financiers des exercices antérieurs, mais il faut donner la raison pour laquelle on ne présente pas ces chiffres. Pour la modification 6, les chiffres retraités ne seraient présentés que s'il est possible, au prix d'un effort raisonnable, d'obtenir les données relatives au degré d'avancement des travaux pour les exercices précédents.

c) Le solde des bénéfices non répartis au 31 décembre 2001 se calcule comme suit:

Modification 6	1 175 000 $
Modification 3	(235 000)
Augmentation des bénéfices non répartis au 31 décembre 2001	940 000 $

On doit indiquer quelle est la nature des deux changements de méthodes comptables (modifications 5 et 6) et des corrections d'erreurs (modification 3) dans les notes complémentaires en précisant à combien s'élèvent les sommes en question. Pour les modifications précédentes, il faut également faire mention de l'effet du changement ou de la correction d'erreur sur le résultat net, sur le résultat par action et sur le fonds de roulement, tant pour l'exercice considéré que pour les exercices antérieurs. Pour les modifications 1, 2a, 2b, 4 et 5, qui ont trait à des révisions d'estimations comptables, il est souhaitable d'indiquer dans les notes complémentaires la nature des révisions et les montants qui en découlent si celles-ci sont importantes.

L'incidence des nouvelles pratiques comptables (changements de méthodes comptables et révisions d'estimations comptables) sur l'état des résultats de 2001 se traduit par une diminution de 608 800 $* par rapport au chiffre qui aurait été présenté si les anciennes pratiques avaient été maintenues. Ce fait devrait être mentionné dans les états financiers ainsi que l'effet de la correction d'erreur sur les stocks du début de l'exercice, c'est-à-dire une augmentation de 235 000 $ des bénéfices de 2001.

* Modification 5	320 000 $
Modification 1	(820 000)
Modification 2a	(60 000)
Modification 2b	(48 800)
	(608 800) $

D'après les données que fournit l'énoncé de cette étude de cas, on ne peut déterminer l'incidence des modifications 4 et 6. Celle de la modification 2c n'a pas à être mentionnée distinctement puisqu'elle résulte d'une nouvelle convention, adoptée pour une nouvelle situation.

Étude de cas 4-2

Modification	Type de modification	Faut-il retraiter les états financiers des exercices antérieurs?
1	Il s'agit d'un changement de méthode comptable, car il y a passage d'une pratique comptable généralement reconnue à une autre.	Oui
2	Il s'agit d'une révision d'estimation comptable.	Non
3	Cette modification comptable implique à la fois un changement de méthode comptable et une révision d'estimation comptable. Toutefois, il semble que ce soit la révision d'estimation qui prime dans cette situation, puisque c'est en raison de nouvelles informations économiques que l'appréciation des avantages futurs a été modifiée et qu'il y a eu changement de méthode comptable. Il faut donc traiter cette modification comme une révision d'estimation comptable.	Non
4	Il ne s'agit pas d'une modification comptable, mais plutôt d'un changement dans le classement.	Oui
5	Il s'agit d'une correction d'erreur comptable.	Oui
6	Cette modification comptable implique une correction d'erreur relative aux conventions à utiliser; il faut la comptabiliser comme une correction d'erreur.	Oui
7	Il s'agit d'une modification du périmètre de consolidation.	Oui
8	Il ne s'agit pas d'une modification comptable. Il s'agit simplement d'une modification de comptabilisation à des fins fiscales.	Non
9	Il s'agit d'un changement de méthode comptable, car il y a passage d'une méthode comptable généralement reconnue à une autre.	Oui

Étude de cas 4-3

Situation I

a) Le passage d'une méthode comptable qui n'est généralement pas reconnue à une autre qui, elle, est admise constitue une correction d'erreur comptable.

b) Lorsqu'on présente des états financiers pour comparaison, il faut procéder à des redressements rétrospectifs du chiffre de bénéfice net, des composantes du bénéfice net, des bénéfices non répartis et de tout autre solde ayant été touché pour chacun des exercices présentés. Lorsqu'on prépare seulement les états financiers d'un exercice, il faut présenter les redressements requis au solde d'ouverture des bénéfices non répartis. Il faut mentionner la modification et ses incidences sur le bénéfice avant éléments extraordinaires, s'il y a lieu, sur le bénéfice net et le bénéfice par action pour l'exercice au cours duquel la modification a eu lieu. On ne doit pas répéter ces renseignements dans les états financiers des exercices subséquents.

c) Si l'erreur porte sur des exercices antérieurs, il faut inclure dans le solde d'ouverture des bénéfices non répartis du premier exercice présenté pour comparaison le montant de la correction se rapportant aux exercices antérieurs à ceux présentés sur une base comparative. Pour l'état des résultats de l'exercice, on devra appliquer la bonne méthode de constatation des produits. Si l'on présente des états financiers d'exercices antérieurs pour comparaison, les comptes touchés devront être directement redressés. Il faudra indiquer dans les notes complémentaires la nature des corrections effectuées ainsi que l'incidence de celles-ci sur le bénéfice avant activités abandonnées et éléments extraordinaires, sur le résultat net et sur le résultat par action.

Situation II

a) Le changement de méthode d'amortissement des immobilisations constitue une révision d'estimation comptable.

b) Il faudra présenter les résultats de l'exercice selon la nouvelle méthode. On calculera la charge d'amortissement de l'exercice en appliquant la nouvelle méthode à la valeur comptable de début de période des immobilisations. Il ne faut pas redresser les états financiers antérieurs présentés pour comparaison.

c) Si l'incidence du changement de méthode d'amortissement est significative, il faut en mentionner l'effet sur des éléments importants tels que le résultat net et le résultat par action, et fournir une brève description de ce changement. L'état des résultats de l'exercice doit présenter l'amortissement selon la méthode de l'amortissement linéaire.

Situation III

a) La modification de la durée de vie utile d'immobilisations constitue une révision d'estimation comptable.

b) Selon les principes comptables généralement reconnus, une révision d'estimation comptable doit faire l'objet d'une application prospective, et il faut en constater les effets dans l'exercice au cours duquel la révision se produit et dans les exercices futurs. Contrairement à un changement de méthode comptable, la révision d'estimation comptable ne requiert pas de redressement du solde d'ouverture des bénéfices non répartis pour qu'il soit tenu compte de l'effet cumulé sur les exercices antérieurs.

c) Cette révision d'estimation comptable a une incidence sur le bilan, car l'amortissement cumulé de l'exercice et des exercices futurs augmentera en fonction d'un taux différent de celui qui a été présenté antérieurement, ce qui se reflétera également dans l'amortissement imputé à l'exercice considéré et aux exercices suivants.

Étude de cas 4-4

1. Cette situation constitue une révision d'estimation comptable. Lorsqu'il est impossible de déterminer si l'on fait face à un changement de méthode comptable ou à une révision d'estimation comptable, on doit considérer la modification en question comme une révision d'estimation comptable. Le traitement comptable sera le même que celui que présente le point 5.

2. On considère qu'il s'agit d'une révision d'estimation comptable pour les raisons que donne le point 5, et il faut lui appliquer le traitement comptable qui figure également dans ce point.

3. On considère qu'il s'agit d'une correction d'erreur comptable. La règle générale veut que des estimations prudentes, qui se révèlent fausses plus tard, doivent être considérées comme des révisions d'estimations comptables. Lorsque l'estimation se révèle erronée en raison d'un manque d'expérience ou de la mauvaise foi d'un individu, il faut considérer l'ajustement nécessaire comme une correction d'erreur. La correction de l'erreur doit faire l'objet d'une application rétrospective, de la façon suivante:

   a) Il faut redresser seulement le solde d'ouverture des bénéfices non répartis de l'exercice au cours duquel on a relevé les erreurs, s'il n'est pas possible de calculer les redressements nécessaires pour chaque exercice antérieur.

   b) Sinon, il faut corriger tous les états financiers d'exercices antérieurs présentés pour comparaison. Il faut inclure dans le solde d'ouverture des bénéfices non répartis du premier exercice présenté pour comparaison le montant de la correction se rapportant aux exercices antérieurs à ceux présentés sur une base comparative.

4. Cette situation ne constitue pas une modification comptable. On considère qu'il n'y a pas de changement de méthode comptable si l'on adopte une nouvelle méthode comptable pour constater des faits qui se présentent pour la première fois.

5. On considère que cette situation constitue une révision d'estimation comptable parce que de nouveaux événements économiques se sont produits, entraînant un changement dans les estimations. Dans ce cas, on effectue une application prospective qui comporte les éléments suivants:

   a) Il faut présenter les états financiers de l'exercice considéré et les exercices suivants selon la nouvelle base;

   b) Il faut présenter les états financiers des exercices précédents sans y apporter de changements;

   c) Il ne faut pas redresser le solde d'ouverture des bénéfices non répartis ni présenter de chiffres redressés.

   d) Si l'incidence de la révision d'estimation comptable est significative, il faut mentionner l'effet de ce changement sur des éléments importants tels que le résultat net et le résultat par action, et fournir une brève description de ce changement.

6. On considère qu'il s'agit d'un changement de méthode comptable. Ce changement doit donc faire l'objet d'une application rétrospective avec retraitement des états financiers antérieurs, si on peut obtenir les chiffres selon la nouvelle méthode pour les exercices antérieurs, comme c'est le cas ici. Cela se fait de la façon suivante:

   a) Il faut présenter les résultats de l'exercice selon la nouvelle méthode;

   b) Il faut redresser les états financiers des exercices antérieurs présentés pour comparaison de façon à y inclure l'incidence de la nouvelle méthode comptable;

   c) Il faut présenter une brève description du changement ainsi que l'incidence de celui-ci sur des éléments importants tels que le résultat net, le résultat par action et le fonds de roulement de l'exercice considéré et des exercices antérieurs.

Étude de cas 4-5

a) Changements de méthode comptable

1. Un changement de méthode comptable se produit lorsqu'une entreprise abandonne une méthode comptable généralement reconnue pour une autre méthode également reconnue.

2. Le traitement comptable qu'il faut appliquer à cette modification dépend de la possibilité d'en calculer l'effet. Si l'on est en mesure de calculer celui-ci pour l'exercice considéré et les exercices antérieurs, il faut en faire l'application rétrospective avec retraitement des états financiers antérieurs. Si l'on peut déterminer l'effet total cumulé du changement de méthode comptable, mais qu'on ne peut déterminer avec une précision raisonnable l'incidence du changement sur chacun des exercices antérieurs, on doit alors procéder à une application rétrospective sans retraitement des états financiers antérieurs. Il est possible de traiter un changement de méthode comptable de façon prospective si l'effet cumulé de ce changement est indéterminable ou si un nouveau chapitre du *Manuel de l'ICCA* entre en vigueur et que les recommandations de celui-ci s'appliquent uniquement à l'exercice considéré et aux exercices futurs. Peu importe le traitement comptable appliqué, l'entité doit dans tous les cas présenter le changement de méthode comptable dans les notes complémentaires de ses états financiers.

3. Le vérificateur (auditeur) externe doit mentionner cette modification dans son rapport et renvoyer le lecteur à la note correspondante.

Révision d'estimation comptable

1. On procède à une révision d'estimation comptable lorsque certains faits se produisent, lorsqu'on obtient davantage d'informations ou lorsqu'on bénéficie d'une plus grande expérience.

2. Ces révisions doivent faire l'objet d'une application prospective.

3. Le rapport du vérificateur (auditeur) ne doit pas en faire mention.

Modification du périmètre de consolidation

1. Il y a modification du périmètre de consolidation lorsque l'entité qui publie les états financiers change sensiblement de forme.

2. L'entité doit faire en sorte que ce changement de situation se reflète dans ses états financiers, ce à quoi elle parviendra en redressant les états financiers de tous les exercices antérieurs pour qu'ils présentent l'information financière de la nouvelle entité économique pour tous ces exercices.

3. Le vérificateur (auditeur) externe devrait, dans son rapport, renvoyer le lecteur à la note complémentaire des états financiers qui explique le motif de la modification du périmètre de consolidation.

Correction d'erreur comptable

1. Il y a correction d'erreur comptable: 1) lorsqu'une entreprise adopte une méthode comptable généralement reconnue en remplacement d'une méthode inacceptable; 2) lorsqu'une erreur de calcul a été commise; 3) lorsqu'il y a eu révision d'estimations erronées à la suite d'une mauvaise interprétation des faits connus ou d'un tripotage de données; 4) lorsqu'il y a eu omission d'un élément; 5) lorsque des faits ont été mal présentés; 6) lorsqu'on relève une erreur de classement.

2. Il faut traiter une correction d'erreur comme un redressement de l'exercice considéré si l'erreur a été commise au cours de cet exercice, ou comme un redressement des exercices antérieurs si l'erreur a été commise au cours d'exercices antérieurs. Il faut corriger l'erreur dans tous les états financiers présentés. La société qui publie les états financiers doit mentionner dans des notes complémentaires les erreurs qui requièrent un redressement des états financiers présentés.

3. Dans la plupart des cas, le vérificateur (auditeur) externe ne doit pas faire mention de ces erreurs dans son rapport.

b) 1. La diminution de la durée de vie utile pour le calcul de l'amortissement du matériel de fabrication constitue une révision d'estimations comptables, qui résulte d'un changement dans la situation économique.

2. La décision de ne pas reporter et de ne pas amortir les coûts de mise en marché, mais bien de les passer immédiatement en charges, constitue une révision d'estimations comptables, qui résulte d'un changement de situation.

3. Cette situation constitue une modification de classement, qui résulte d'un changement relatif à la manière dont l'entreprise se sert de l'un de ses bâtiments. Cette situation ne correspond donc pas à l'un des quatre types de modifications mentionnés.

4. Cet oubli constitue une erreur, qui doit être corrigée. Cette situation correspond donc à une correction d'erreur comptable.

5. Cette modification ne correspond pas à l'une des quatre catégories mentionnées. En effet, Opossum ltée n'a pas procédé à un changement de méthode de comptabilisation quant aux créances en question ni n'a changé sa méthode de comptabilisation des impôts (la méthode du report d'impôts). Le seul changement concerne la comptabilisation à des fins fiscales.

6. La méthode PEPS et la méthode du coût moyen sont deux méthodes généralement reconnues; le fait de remplacer l'une par l'autre constitue donc un changement de méthode comptable.

7. La méthode de l'achèvement des travaux et la méthode de l'avancement des travaux sont deux méthodes généralement reconnues; le fait de remplacer l'une par l'autre constitue donc un changement de méthode comptable.

Étude de cas 4-6

Monsieur Marco Chamois
Chef de la direction
Sport-Iguane ltée
25, rue des Lézards
Montréal (Québec) H1T 2Z4

Objet: Comptabilisation de certaines modifications

Monsieur le Chef de la direction,

Récemment, vous avez fait appel à mes services pour que je vous indique de quelle façon comptabiliser certaines modifications comptables que Sport-Iguane ltée a effectuées au cours de 2001. Voici une explication détaillée pour chacune de celles-ci.

Le changement de méthode d'amortissement ainsi que le changement de valeur résiduelle du matériel de bureau constituent tous deux une révision d'estimation comptable. Comme ces changements n'ont pas d'effet sur les états financiers antérieurs, vous devriez les comptabiliser de manière prospective pour l'exercice considéré et les exercices futurs, le cas échéant. Vous n'êtes pas dans l'obligation de présenter des informations *pro forma*, pas plus qu'il n'est nécessaire de procéder au retraitement des états financiers des exercices antérieurs.

D'autre part, les changements que Sport-Iguane a apportés à la composition du groupe de filiales ont entraîné une modification du périmètre de consolidation. Cette situation soit se refléter dans vos états financiers, ce à quoi vous parviendrez en redressant les états financiers de tous les exercices antérieurs pour qu'ils présentent l'information financière de la nouvelle entité économique pour tous ces exercices. Vous devez mentionner l'effet de la modification sur le résultat avant les éléments extraordinaires, sur le résultat net et sur les chiffres du résultat par action pour tous les exercices présentés. De plus, vous devez indiquer dans une note complémentaire la nature et le motif de cette modification. Vous n'avez pas à présenter l'effet cumulé de cette modification ou d'informations *pro forma.*

J'espère que ces indications vous aideront à comptabiliser correctement ces différents changements. Si vous désirez plus de détails, n'hésitez pas à me contacter.

Veuillez agréer, monsieur le Chef de la direction, l'expression de mes sentiments les meilleurs

XXX
Expert-comptable

EXERCEZ VOTRE JUGEMENT

PROBLÈME DE COMPTABILITÉ: LA SOCIÉTÉ NESTLÉ

a) Au début de l'exercice 2001, la société Nestlé a adopté la nouvelle norme comptable internationale *IAS No. 39*, «Instruments financiers: comptabilisation et évaluation».

D'autre part, le périmètre de consolidation de Nestlé a également été modifié en raison d'acquisitions et de cessions s'étant produites en 2001. Nestlé a ainsi à la fois acquis et cédé des filiales contrôlées à 100 %. Elle a également augmenté sa participation dans une société satellite et cédé sa participation dans une autre.

b) Conformément aux normes comptables internationales, la société Nestlé a appliqué de façon rétrospective la nouvelle norme *IAS No. 39*, sans retraitement des états financiers antérieurs présentés pour comparaison. Elle a présenté dans l'état des mouvements de fonds propres consolidés l'effet cumulé de l'introduction de l'*IAS No. 39* sur le solde d'ouverture des bénéfices non répartis de l'exercice 2001, effet qui s'élève à 49 millions de CHF.

D'autre part, la société Nestlé a appliqué la modification du périmètre de consolidation de façon rétrospective sans retraitement des états financiers antérieurs. L'effet cumulé de la modification du périmètre de consolidation sur le solde d'ouverture des bénéfices non répartis de l'exercice 2001 se chiffre à 161 millions de CHF. Ce montant est également présenté dans l'état des mouvements de fonds propres consolidés.

c) On ne trouve aucune indication de révisions d'estimations comptables dans les états financiers ou les notes complémentaires de la société Nestlé.

ANALYSE COMPARATIVE

Société Coca-Cola: les réponses aux questions a) et c) sont combinées.

Au début de l'exercice 2001, la société Coca-Cola a mis en application la nouvelle norme *SFAS No. 133*, «Accounting for Derivative Instruments and Hedging Activities», telle que révisée par les *SFAS No. 137* et *138*. La nouvelle norme exige que soient inscrits dans le bilan tous les instruments dérivés, et ce, à leur juste valeur; cette norme établit également de nouvelles normes comptables pour les instruments de couverture. Elle s'appliquait à compter du 1er janvier 2001.

D'autre part, au début de l'exercice 2001, Coca-Cola a mis en application les recommandations de l'*Emerging Issues Task Force (EITF) Issue No. 00-14*, «Accounting for Certain Sales Incentives», et de l'*EITF Issue No. 00-22*, «Accounting for Points and Certain Other Time-based or Volume-Based Sales Incentives Offers, and Offers for Free Products or Services to be Delivered in the Future». Ces nouvelles normes donnent des indications précises sur le classement de certains incitatifs à la vente dans l'état des résultats. Leur adoption a réduit le chiffre d'affaires et les frais de vente et d'administration de Coca-Cola d'environ 580 millions de dollars américains en 2001, de 569 millions de dollars américains en 2000 et de 521 millions de dollars américains en 1999. Ce reclassement n'a eu aucun effet sur le chiffre de bénéfice d'exploitation.

En avril 2001, l'EITF a publié l'*EITF Issue No. 00-25*, «Vendor Income Statement Characterization of Consideration Paid to a Reseller of the Vendor's Products». Cette norme exige que certains frais de vente engagés par la société Coca-Cola soient classés à titre de déduction du chiffre d'affaires. Coca-Cola prévoyait appliquer cette norme à partir de 2002 et estimait qu'environ 2,6 milliards de paiements faits aux embouteilleurs et aux clients, et portés aux frais d'administration et de vente seraient reclassés à titre de déduction du chiffre d'affaires.

En juin 2001, le FASB a publié le *SFAS No. 141*, «Business Combination», et le *SFAS No. 142*, «Goodwill and Other Intangible Assets». Ces normes stipulent que les écarts d'acquisition et les actifs incorporels dont la durée de vie est indéterminée ne doivent plus faire l'objet d'un amortissement, mais bien plutôt être soumis à un test de dépréciation à la clôture de chaque exercice. Lorsque leur valeur comptable excède leur juste valeur, une perte de valeur doit être constatée. Coca-Cola comptait adopter ces deux normes le 1er janvier 2002. Elle prévoyait également que ces nouvelles normes entraîneraient une charge avant impôts d'environ 1 milliard de dollars américains dans le premier trimestre de 2002. Coca-Cola prévoyait également une augmentation du bénéfice en 2002, de l'ordre d'environ 60 millions de dollars américains, résultant de la réduction de la charge d'amortissement provenant des opérations, et d'environ 150 millions de dollars américains, résultant de la réduction de la charge d'amortissement provenant des sociétés satellites comptabilisées à la valeur de consolidation.

Coca-Cola présente l'effet cumulé résultant de ces changements de méthodes comptables dans les résultats de l'exercice 2001, effet qui se chiffre à 10 millions de dollars américains.

Société PepsiCo: les réponses aux questions b) et c) sont combinées.

Le 31 décembre 2000, PepsiCo a adopté le *SFAS No. 133*, dont on a décrit la teneur dans la réponse qui précède. Cette adoption a fait augmenter ses actifs d'environ 12 millions de dollars américains et ses passifs d'environ 10 millions de dollars américains; de même, l'adoption de cette norme a obligé PepsiCo à inscrire une plus-value non réalisée d'environ 3 millions de dollars américains dans le résultat étendu et une moins-value non réalisée de moins de 1 million de dollars américains dans le résultat net de l'exercice 2001.

De plus, à partir de 2002, PepsiCo prévoyait appliquer la nouvelle norme *EITF Issue No. 00-09*, «Accounting for Consideration Given by a Vendor to a Reseller of the Vendor's Products». Elle estimait que la nouvelle norme réduirait son chiffre d'affaires et ses frais de vente et d'administration d'environ 3,4 milliards de dollars américains en 2001, de 3,1 milliards de dollars américains en 2000 et de 3,9 milliards de dollars américains en 1999. Ce reclassement n'a eu aucun effet sur le chiffre de bénéfice d'exploitation.

Dans le même ordre d'idées, PepsiCo prévoyait également adopter le *SFAS No. 141*, portant sur les regroupements d'entreprises (cette norme élimine, entre autres, la méthode de la fusion d'intérêts communs), à compter de 2002 et prévoyait que cette nouvelle norme n'aurait aucun effet sur ses états financiers puisque tous les regroupements d'entreprises qu'elle a réalisés l'ont été avant la date d'application des recommandations du *SFAS No. 141*.

D'autre part, PepsiCo prévoyait appliquer la nouvelle norme *SFAS No. 142* à compter de 2002 et indiquait dans ses états financiers que cette adoption ferait d'augmenter le bénéfice d'environ 87 millions de dollars américains en 2002 en raison de la cessation de l'amortissement de l'écart d'acquisition et en raison de la révision de la période d'amortissement des actifs incorporels dont la durée de vie est déterminable.

Finalement, dès le début de 2002, PepsiCo prévoyait appliquer la nouvelle norme *SFAS No. 143*, «Accounting for Asset Retirement Obligations», qui exige qu'une entité constate la juste valeur d'un passif au titre d'une obligation juridique liée à la mise hors service d'une immobilisation dans la période au cours de laquelle elle naît, lorsqu'il est possible de faire une estimation raisonnable de la juste valeur. L'adoption de cette nouvelle norme n'a pas eu d'effet significatif sur les états financiers de la société.

TRAVAIL DE RECHERCHE

Cas 1

Les réponses des étudiants varieront en fonction des sources qu'ils auront utilisées et des entreprises qu'ils auront choisies.

Cas 2

a) La trésorerie a été surévaluée d'un montant non spécifié.

b) L'entreprise a attribué l'erreur à un «vice de procédure d'origine humaine».

c) Le prix de l'action de l'entreprise a chuté de 29 %.

d) Les investisseurs ont conclu à un manque de contrôle interne et à une gestion «relâchée».

PROBLÈME DE DÉONTOLOGIE

a) Les questions déontologiques qui se posent concernent l'honnêteté et l'intégrité des révisions d'estimations comptables de Mammouth ltée par rapport aux objectifs de rentabilité de l'entreprise et du comptable gestionnaire. Réduire la durée de vie des immobilisations de 10 à 6 ans peut indiquer une sous-évaluation de la charge d'amortissement des 5 premières années. Une telle méthode fausse les résultats d'exploitation de Mammouth ltée et induit en erreur les utilisateurs de ses états financiers. L'utilisation intentionnelle d'une telle méthode est contraire à l'éthique.

b) Les principales parties intéressées dans cette situation sont les actionnaires et les créanciers de Mammouth ltée. Taupe et son cabinet de vérification (audit) comptable sont également des parties intéressées parce qu'ils sont au courant des méthodes d'amortissement qu'utilise Mammouth ltée.

c) Taupe doit communiquer à l'associé directeur ses découvertes concernant les pratiques de Mammouth ltée. Si l'utilisation de cette méthode s'avère intentionnelle et frauduleuse, il en va de la responsabilité professionnelle du cabinet de Taupe d'en informer la haute direction de Mammouth ainsi que le Comité de vérification du Conseil d'administration.